Janvier 2012

Les descendants

Des passages de l'œuvre ont été publiés, sous une forme différente, sous le titre "The Minor Wars",
dans *House of Thieves*, de Kaui Hart Hemmings (Penguin Press, New York, 2005).

Titre original :
The Descendants
© Kaui Hart Hemmings, 2007
Ouvrage publié avec l'accord de Random House/The Random
House Publishing Group/Random House, Inc.

© ACTES SUD, 2012 pour la traduction française
ISBN 978-2-330-00236-7

KAUI HART HEMMINGS

Les descendants

roman traduit de l'américain
par Marie-Odile Fortier-Masek

Éditions **Jacqueline Chambon**

PREMIÈRE PARTIE

Nos petites guerres

1

Le soleil brille, les passereaux noirs jacassent, les palmiers on-doient, et après ? Je suis à l'hôpital et je vais bien. Mon cœur bat comme il faut. Mon cerveau envoie des messages bien clairs. Ma femme est sur ce lit d'hôpital relevé en position assise, comme on dort en avion. Elle est toute raide, sa tête retombe sur le côté, elle a les mains sur les genoux.

"On ne pourrait pas l'allonger ? dis-je.

– Attends", répond ma fille Scottie. Elle prend une photo de sa mère, un polaroïd, avec lequel elle s'évente. Je presse le bouton sur le côté du lit et le relâche quand ma femme est presque à l'horizontale.

Joanie est dans le coma depuis vingt-trois jours et, dans les jours prochains, je vais devoir prendre certaines décisions en fonction du verdict final de notre médecin. En fait, je dois juste savoir ce qu'il pense de son état. Je n'ai rien à décider, Joanie a un testament de vie. Elle prend ses propres décisions. Comme toujours.

On est lundi. Le Dr Johnston dit que nous parlerons mardi, et cette entrevue m'angoisse, comme s'il s'agissait d'un rendez-vous amoureux. Je ne sais pas comment me comporter, quelle décision prendre, ni quoi porter. Je répète réponses et réactions, mais je n'ai retenu que les répliques prévues pour des scénarios favorables. Je n'ai pas répété le plan B.

"Tiens", dit Scottie. C'est son vrai nom, Scottie : Joanie a trouvé ça bien de lui donner le nom de son propre père, Scott. Je n'étais pas du même avis.

Je regarde la photo, à première vue un simple instantané de quelqu'un qui dort, comme on en a tous pris pour s'amuser. Je ne sais pas pourquoi on trouve ça si drôle. *On peut vous en faire des trucs quand vous dormez !* On dirait que c'est le message. *Regardez comme vous êtes vulnérable, imaginez tout ce dont vous n'êtes pas conscient.* Et pourtant, on voit tout de suite sur cette photo qu'elle ne dort pas de son bon sommeil : elle est sous perfusion. Une sonde endotrachéale la relie à un respirateur. On la nourrit par voie intraveineuse et on lui administre une dose de médicaments qui suffirait à soigner tout un village des Fidji. Scottie consigne notre vie par écrit pour son cours de sciences sociales. Voici Joanie au Queen's Hospital, elle est dans sa quatrième semaine de coma, un coma qui atteint le niveau 10 sur l'échelle de Glasgow et qui est évalué à III sur l'échelle de Rancho Los Amigos. Lors d'une compétition, elle a été éjectée d'un hors-bord à plus de cent dix kilomètres-heure, mais je pense qu'elle s'en tirera.

"Elle réagit vaguement à des stimuli, mais il lui arrive d'avoir des réactions précises, quoique incohérentes." C'est ce que m'a expliqué sa neurologue, une jeune femme avec un léger tremblement de l'œil gauche et au débit si rapide qu'il est difficile de poser des questions. "Ses réflexes sont limités et souvent les mêmes, indépendamment des stimuli", a-t-elle conclu. Ça ne me dit rien qui vaille, mais je reste persuadé que Joanie continuera à tenir bon. Je sens qu'elle s'en sortira et qu'un de ces jours plus rien n'y paraîtra. En général, mon intuition ne me trompe pas.

"Dans quel but participait-elle à cette course ?" a demandé la neurologue.

La question m'a pris au dépourvu.

"Pour gagner, je suppose. Pour finir première."

"Ferme-moi ça", dis-je à Scottie. Elle achève de coller la photo dans son album, puis elle éteint la télévision avec la télécommande.

"Non, je veux dire ça." Je pointe le doigt vers la fenêtre – le soleil et les arbres, les oiseaux sur l'herbe qui sautillent vers les miettes que leur lancent les touristes ou de vieilles cinglées. Cache-moi ça, c'est horrible. Ce n'est pas facile de broyer du noir sous les tropiques. Je parie que, dans une grande ville, on peut aller faire un tour, l'air sombre, sans que personne ne vous demande ce qui ne va pas ou ne vous encourage à sourire, mais ici, c'est différent : à Hawaii, tout le monde affiche son bonheur de vivre. Un paradis, un vrai paradis, on n'entend que ça. Qu'il aille se faire foutre, leur paradis !

"Dégueulasse", grogne Scottie. Elle tire l'épais rideau, occultant l'extérieur.

J'espère qu'elle ne voit pas que je la regarde et que je suis très inquiet pour elle. Elle a les nerfs à fleur de peau, elle est toute bizarre. Elle a dix ans. Que fait-on de ses journées quand on est une gamine de dix ans ? Elle laisse courir ses doigts sur la fenêtre et marmonne "De quoi choper la grippe aviaire". Là-dessus, la main en cornet, elle se met à faire des bruits de trompette. Elle est toquée. Qui sait ce qui se passe dans sa tête, et, à propos de tête, une coupe ou un brushing ne serait pas du luxe ! Son crâne est hérissé d'épis. *Où est-ce qu'elle se fait couper les cheveux ?* Je me le demande. *Est-ce qu'elle a jamais été chez le coiffeur ?* Elle se gratte le crâne, puis regarde ses ongles. Elle porte une chemise sur laquelle on peut lire JE SUIS PAS CE GENRE DE FILLE, MAIS JE POURRAIS L'ÊTRE ! Dieu merci, elle n'est pas vraiment jolie, mais je sais que ça peut changer.

Je regarde ma montre. Un cadeau de Joanie.

"Les aiguilles sont phosphorescentes et le cadran est en nacre, avait-elle dit.

– Combien ça t'a coûté ?

– Je savais que ce serait la première question que tu me poserais en la voyant !"

Elle était blessée, c'était évident, elle s'était donné du mal pour la choisir. Elle adore faire des cadeaux. Attentive aux autres, elle est soucieuse de trouver le cadeau qui atteste qu'elle a pris le temps de les connaître et de les écouter. Du moins ça en a tout l'air. Je n'aurais jamais dû demander le prix. Elle voulait montrer qu'elle me connaissait, rien de plus.

"Quelle heure est-il ? demande Scottie.

– Dix heures et demie.

– C'est encore tôt.

– Je sais." Je ne sais pas quoi faire. Nous sommes ici pour rendre visite à Joanie dans l'espoir que son état se soit amélioré au cours de la nuit, qu'elle réagisse à la lumière, aux bruits ou à des stimuli douloureux. Nous sommes aussi ici à défaut d'un autre endroit où aller. D'habitude, Scottie est à l'école toute la journée, puis Esther va la chercher, mais cette semaine j'ai estimé qu'elle devrait passer plus de temps ici avec moi, et je ne l'ai pas envoyée en classe.

"Qu'est-ce que tu veux faire maintenant ?" je demande.

Elle ouvre son album, un projet qui semble prendre tout son temps. "Je sais pas. Manger.

– Qu'est-ce que tu ferais à cette heure-ci en temps normal ?

– Je serais en classe.

– Et si on était samedi ? Qu'est-ce que tu ferais ?

– J'irais à la plage."

J'essaie de penser à la dernière fois que je l'ai eue sous mon entière responsabilité, de me rappeler ce que nous avons fait ensemble. Elle devait avoir un an, un an et demi. Joan avait dû filer à Maui pour une séance de photos. Elle n'avait pas réussi à trouver de baby-sitter et ses parents n'étaient pas disponibles pour je ne sais trop quelle raison. Bien qu'en plein procès, j'étais resté à la maison, mais j'avais du travail qui ne pouvait pas attendre. J'ai donc mis Scottie dans la baignoire avec une savonnette et j'ai regardé. Elle a commencé par tout éclabousser, a essayé de boire l'eau de son bain, jusqu'à ce qu'elle découvre le bout de savon et tente de l'attraper. Il lui échappait, elle réessayait, son petit visage tout étonné. Je me suis glissé dans le couloir où j'avais installé mon PC et un moniteur pour bébé. Je l'entendais rire, donc je savais qu'elle ne se noyait pas. Je me demande si ça marcherait encore, la mettre dans une baignoire avec une savonnette glissante comme une anguille.

"On peut aller à la plage, dis-je. Maman t'emmènerait au club ?

– Bah ! Où on irait d'autre ?

– Eh bien allons-y. Une fois que tu auras parlé à ta mère et qu'on aura vu une infirmière, on retournera à la maison et après ça on ira au club."

Scottie sort une photo de son album, en fait une boule et la jette. Je me demande ce que représentait cette photo, s'il s'agissait de celle de sa mère sur son lit, sans doute pas le meilleur souvenir de famille. "J'aimerais... commence Scottie. Qu'est-ce que j'aimerais... ?"

C'est un de nos petits jeux. De temps en temps, elle aimerait que nous soyons à tel ou tel endroit, à ce moment de notre vie.

"J'aimerais être chez le dentiste, déclare-t-elle.

– Moi aussi. J'aimerais qu'on nous prenne des radios de la bouche.

– Et que maman se fasse blanchir les dents", ajoute-t-elle.

En fait, j'aimerais vraiment que nous soyons tous les trois chez le Dr Branch, en train de planer sous l'effet du gaz hilarant, les lèvres engourdies. Un canal de racine ? Ça serait un plaisir, comparé à ce que nous vivons ici ! N'importe quel acte médical, d'ailleurs. En réalité, j'aimerais être à la maison en train de bosser. Je dois décider à qui doivent revenir les terres qui sont dans ma famille depuis 1840. Cette vente liquidera tous les biens fonciers familiaux et il faut absolument que j'étudie ce dossier avant la réunion prévue dans six jours avec mes cousins. C'est le dernier délai. Dans six jours à quatorze heures, rendez-vous chez le cousin Six. Nous devrons nous mettre d'accord sur l'acheteur. C'est un peu léger de ma part d'avoir si longtemps repoussé cette affaire, mais je crois que c'est la politique de la famille depuis un bon moment. Nous nous sommes désintéressés de notre héritage, attendant que le ciel nous envoie quelqu'un qui s'avère capable de gérer notre fortune et nos dettes.

Esther devra peut-être emmener Scottie à la plage, malheureusement. J'ouvre la bouche pour le lui dire, mais je me ravise : j'ai honte. Ma femme est à l'hôpital, ma fille a besoin de ses parents et moi j'ai besoin de travailler. Somme toute, une fois de plus je la fourre dans la baignoire.

Scottie contemple sa mère. Adossée au mur, elle tripote l'ourlet de son chemisier.

"Scottie, lui dis-je. Si c'est pour rester là muette comme une carpe, autant repartir.

– D'accord, répond-elle. Allons-y.

– Tu ne veux pas raconter à ta mère ce que tu fais en classe ?

– D'habitude, elle s'en fiche pas mal.

– Et tes autres activités ? Tu as un emploi du temps de ministre. Montre-lui ton album, ton scrapbook. Tiens, qu'est-ce que tu as fait l'autre jour à l'atelier de verre soufflé ?

– Un bong."

Je l'étudie avant de réagir. Elle n'a pas l'air d'avoir dit quelque chose d'extraordinaire. Je me demande sans arrêt si elle sait ce dont elle parle. "Intéressant, dis-je. Et qu'est-ce que c'est qu'un bong ?"

Elle hausse les épaules. "Un copain du lycée m'a appris à en fabriquer un. Il a dit que ça serait parfait pour servir des chips et de la sauce piquante ou tout ce que je voudrais. C'est une espèce de plat.

– Tu l'as encore ce... bong ?

– Oui et non... M. Larson m'a dit d'en faire un vase. Je pourrais y mettre des fleurs et le lui donner, dit-elle, en montrant sa mère du doigt.

– C'est une excellente idée !"

Elle me lance un coup d'œil sceptique. "C'est bon, pas besoin de t'enflammer !

– Désolé."

Je me cale contre le dossier de mon siège et je contemple les trous dans le plafond. J'ignore pourquoi je ne suis pas inquiet, mais c'est comme ça. Je sais que Joanie s'en sortira parce qu'elle s'en sort toujours. Elle se réveillera, Scottie aura une mère, nous pourrons, Joanie et moi, parler de notre couple et je pourrai dissiper mes soupçons. Je vendrai les terres et j'achèterai un bateau à Joanie qui, stupéfaite, se pâmera de rire.

"La dernière fois, c'était toi qui étais dans le lit, dit Scottie.

– Ouais.

– La dernière fois, tu m'as menti.

– Je sais, Scottie, pardonne-moi."

Elle fait référence à mon séjour à l'hôpital. J'avais été victime d'un accident de moto sans gravité, j'avais voltigé par-dessus le guidon et atterri sur un tas de boue rougeâtre. Au retour, j'avais raconté ma mésaventure à Joanie et à Scottie, insistant sur le fait que tout allait bien et qu'il était hors de question qu'on m'envoie à l'hôpital. Scottie m'avait alors soumis à un petit test pour me prouver que ça ne tournait pas aussi rond que je le prétendais. Joanie était de mèche avec elle.

"Combien de doigts ? m'avait demandé Scottie en agitant ce que j'avais pris pour un petit doigt et un pouce.

– Arrête tes bêtises ! avais-je grommelé, refusant de me soumettre à ce genre de test.

– Réponds-lui, avait ordonné Joanie.

– Deux ?

– Bien, avait répondu Scottie, méfiante. Ferme les yeux, touche ton nez et tiens-toi sur un pied.

– Arrête ces bêtises, Scottie ! D'abord, je n'y arrive jamais, et puis tu me traites comme si j'avais été surpris en train de conduire en état d'ivresse.

– Fais ce qu'elle te dit", avait crié Joanie. Il faut toujours qu'elle crie quand elle m'adresse la parole, mais en réalité, c'est notre façon de nous parler. Ses braillements me donnent l'impression d'être idiot mais aimé. Touche ton nez et tiens-toi sur un pied !

Je suis resté immobile en signe de protestation. Je sentais que quelque chose clochait, mais je ne voulais pour rien au monde aller à l'hôpital. Je voulais voir jusqu'où cette sensation de malaise me mènerait. Par pure curiosité. J'avais du mal à garder la tête droite.

"Je me porte comme un charme.

– Tu fais pitié !" avait répondu Joanie.

Elle avait raison, bien sûr. "Tu as raison", avais-je fini par reconnaître. J'imaginais la scène. "Vous avez un traumatisme", m'annoncerait un médecin. Après quoi, il me compterait au bas mot mille dollars pour me prescrire des examens sans aucune nécessité

15

et me donner un avis peu fiable, par crainte d'un éventuel procès. À moi de me débrouiller ensuite avec les compagnies d'assurances qui s'arrangeraient pour égarer les documents afin de ne rien débourser. Là-dessus, l'hôpital m'enverrait des huissiers et je me verrais forcé de traiter par téléphone avec des sous-fifres qui n'ont même pas leur bac. Même en ce moment, je suis sceptique. La neurologue qui parle à toute vitesse et notre neurochirurgien prétendent qu'il suffit de maintenir le niveau d'oxygène et de contrôler l'œdème cérébral. À première vue, rien de bien sorcier : garder un patient sous oxygène ne devrait pas vraiment nécessiter un chirurgien. Je fais part à Joanie de mes réflexions sur le corps médical tout en me frottant le côté droit du crâne.

"Regarde-toi", avait dit Joanie alors que je contemplais un tableau représentant un poisson mort, m'efforçant de me rappeler où nous l'avions acheté. J'avais du mal à déchiffrer le nom de l'artiste : Brady Churkill ? Churchill ? "Tu n'y vois même pas clair, avait-elle ajouté.

– Dans ce cas, comment veux-tu que je me regarde ?

– Tais-toi, Matt. Prépare-toi et monte dans la voiture."

Je me suis préparé et je suis monté dans la voiture.

Toujours est-il que je souffrais d'une lésion du quatrième nerf crânien, le nerf qui relie le cerveau aux yeux, d'où cette difficulté d'accommodation.

"Tu aurais pu y passer, dit Scottie.

– Rien à craindre. Un quatrième nerf crânien ? À quoi ça sert ?

– Tu as menti. Tu as dit que tout allait bien. Tu as dit que tu voyais mes doigts.

– Je n'ai pas menti. J'ai deviné juste. Et par-dessus le marché, pendant un moment j'ai même eu des jumelles devant moi ! Deux Scottie !"

Elle me jette un coup d'œil, elle évalue mon subterfuge.

Je me souviens qu'à l'hôpital Joanie avait rajouté de la vodka à mon Jell-O. Elle avait mis mon bandeau sur ses yeux, s'était glissée dans mon lit et avait fait la sieste contre moi. C'était si bon ! C'est le dernier des vrais bons moments que j'ai partagés avec elle.

Des soupçons me taraudent : serait-elle ou était-elle amoureuse d'un autre ? Lors de son admission au Queen's Hospital, en cherchant son attestation d'assurance, j'ai trouvé dans son portefeuille un petit mot écrit sur un bout de ce papier bleu et assez épais qui évoque le message clandestin. Il disait : *Pense à toi. Te retrouverai à l'*Indigo.

Ce message pouvait remonter à des années. Elle a l'art de retrouver des reçus à moitié effacés datant de vacances qui remontent à des lustres, ou des cartes de commerces qui ont fermé depuis belle lurette, ou encore des billets d'entrée pour des films aussi anciens que *Waterworld* ou *Glory*. Ce message pourrait aussi provenir de l'un de ses amis mannequins homosexuels. Ils ont le chic pour vous sortir des conneries doucereuses de ce genre et le bleu Tiffany de la petite carte faisait plutôt efféminé. Sur le moment, j'ai chassé mes soupçons et je me suis efforcé d'oublier ce petit mot, même si, ces temps-ci, je me surprends à penser à sa sournoiserie et à son côté flirt, à la frénésie avec laquelle elle peut lever le coude et aux dérives de l'alcool, à toutes les nuits où elle a découché pour retrouver les copines, oui, quand j'y repense, une liaison semble possible pour ne pas dire inévitable. J'oublie que Joanie a sept ans de moins que moi. J'oublie qu'elle a sans cesse besoin qu'on la complimente, qu'on la distraie. Elle a besoin de se sentir désirée, et je suis souvent trop occupé pour la complimenter, pour la distraire. Quoi qu'il en soit, je n'arrive pas à l'imaginer ayant réellement une liaison. Nous nous connaissons depuis plus de vingt ans. Elle m'a, je l'ai et nous n'attendons pas trop de la vie. J'apprécie ce que nous avons et je sais qu'il en va de même pour elle. Je ferais mieux de remballer mes soupçons, pour l'instant du moins.

Scottie ne me quitte pas des yeux. "Tu aurais pu y laisser ta peau", dit-elle.

Je me demande ce que mon accident vient faire là-dedans. Ces temps-ci, Scottie souligne mes failles, mes ruses, mes mensonges. Elle me fait passer mon examen. Je suis le candidat de rechange. Je suis le père. À mon avis, Esther et elle essaient de me préparer pour le rôle, mais je veux leur dire de ne pas s'en faire. Je suis la doublure, la star sera bientôt de retour.

"Que veux-tu d'autre ?" je lui demande.

Elle est assise par terre, le menton appuyé sur le siège d'une chaise.

"Déjeuner, répond-elle. J'ai la dalle. Et aussi un Coca. J'ai besoin d'un Coca.

– J'aimerais vraiment que tu lui parles, dis-je. Je te demande de lui parler avant qu'on parte. Je vais te chercher à boire, comme ça je te laisserai seule avec elle. Vous pourrez parler en toute intimité." Je me mets debout, je lève les bras et je m'étire. Ça me gêne de regarder Joanie, clouée là sur son lit, alors que moi je peux me déplacer comme je veux.

"Tu veux un Coca light ?

– Tu me trouves trop grosse ?

– Non, je ne te trouve pas trop grosse, mais Esther te bourre de sucre et je vais te mettre à un petit régime pour éliminer les toxines, si tu es d'accord ? Attends-toi à de petits changements.

– Qu'est-ce que ça veut dire éliminer les toxines ?" Elle lève ses bras maigrichons au-dessus de sa tête et s'étire. J'ai remarqué qu'elle copiait tout ce que je faisais et répétait tout ce que je disais.

"C'est ce qu'aurait dû faire ta sœur. Je reviens dans une minute. Ne bouge pas de là. Parle-lui."

2

Je sors dans le couloir. Tout est calme. À l'accueil, des visiteurs attendent que les infirmières et les réceptionnistes daignent lever le nez. Chaque fois que je passe devant les chambres des autres patients, je m'interdis de regarder à l'intérieur, mais c'est plus fort que moi. Je jette un coup d'œil dans la chambre voisine de celle de Joanie. La chambre du gars que tout le monde aime bien. Elle ne désemplit pas : famille, amis, ballons, *leis*, ces beaux colliers de fleurs hawaiiens, comme s'il avait accompli un exploit en tombant malade. Aujourd'hui, il est seul. Il sort de la salle de bain, pieds nus, serrant son peignoir contre lui. Nul doute que dans la vie courante c'est un dur à cuire, mais le peignoir lui donne un petit air fragile. Il prend une carte de vœux sur la table, l'étudie, la repose et se traîne jusqu'à son lit. Je déteste les cartes de prompt rétablissement. C'est du même ordre que souhaiter un bon vol à quelqu'un, ça n'y changera pas grand-chose.

Je me dirige vers la réception. Joy vient vers moi avec une autre infirmière. Joy porte bien son nom.

"Bonjour, monsieur King, dit-elle. Comment allez-vous ?

– À merveille, Joy, et vous ?

– Bien, bien.

– Tant mieux, dis-je.

– On parle de vous dans le journal, continue-t-elle. Avez-vous pris votre décision ? Tout le monde attend."

L'autre infirmière lui donne un coup de coude et s'exclame : "Joy !

– Quoi ? M. King et moi, on est comme les doigts de la main."
Et elle joint le geste à la parole.

Je continue jusqu'à la boutique.

"Mêlez-vous de vos affaires, jeune fille."

Je m'efforce d'avoir l'air nonchalant. Cela m'embarrasse que des inconnus s'imaginent me connaître, que tant de gens, et en particulier mes cousins, attendent ma décision, elle est pourtant le cadet de mes soucis ! Depuis que la Cour suprême a confirmé la répartition du trust, faisant de moi le principal actionnaire, je n'ai plus qu'une envie : me cacher. C'est trop de responsabilités pour un seul homme. Sans doute que je culpabilise un peu de détenir un tel pouvoir. Pourquoi moi ? Pourquoi tant de choses dépendent-elles de moi ? Et qu'ont fait mes prédécesseurs pour que tout cela me revienne ? Peut-être que je souscris à l'idée que derrière chaque grande fortune il y a un crime. N'est-ce pas ce que l'on dit ?

"Au revoir, monsieur King, dit Joy. Je vous tiendrai au courant s'il y a quoi que ce soit dans le journal de demain.

– Merci, Joy."

Je remarque que les autres patients tiquent un peu quand je badine avec Joy. Pourquoi fait-on attention à moi ? Sans doute mon nom attise-t-il leur jalousie : M. King ! Comme si, en guise de plaisanterie, j'avais demandé à ce que l'on m'appelle ainsi au Queen's Hospital. Les patients n'apprécient pas que je sois quelqu'un, mais ne comprennent-ils pas que, dans un hôpital, personne n'a envie d'être quelqu'un ? On ne veut être personne, on ne veut que passer et être aussitôt oublié.

La petite boutique disparaît sous les babioles et fanfreluches destinées à prouver notre affection : bonbons, fleurs, peluches. Voilà ce qui nous donne l'impression d'être aimé. Je me dirige vers le frigo, en quête de Coca light. Je suis fier de ma nouvelle règle sur le Coca light. Je n'avais jamais rien imposé à mes enfants de plus précis que : "Non, ça, c'est pas pour toi."

Avant de partir, je regarde les cartes de vœux. Il s'en trouve peut-être une que Scottie pourrait donner à sa mère et qui parlerait à sa place. *Guéris. Réveille-toi. Je t'aime. Ne me laisse pas plus longtemps avec papa.*

Je vois des cartes postales de Hawaii : de la lave jaillissant des rochers sur la grande île, des surfeurs surgissant d'une vague à Pipeline, de l'eau giclant d'une baleine au large de Maui, un danseur crachant du feu au Centre culturel polynésien.

Je fais tourner le présentoir, la voilà : Alexandra. Je la connais, cette photo. Je regarde autour de moi comme si je pouvais être pris en flagrant délit. Un homme passe derrière moi, je me déplace de façon à l'empêcher de voir la photo de ma fille. Quand elle avait quinze ans, Alexandra a posé pour Isle Cards, des photos sur lesquelles on pouvait lire des légendes du genre *La vie est une plage drôlement sexy.* Les maillots de bain une pièce se sont réduits à des bikinis string. Les bikinis string sont devenus de plus en plus minces, le fil dentaire a remplacé le string. Sa mère et elle ne m'ont avoué ces photos qu'une fois les cartes imprimées. Alors, j'ai mis fin à sa courte carrière de mannequin, mais il m'arrive encore de tomber sur l'une d'elles. On les trouve surtout dans des boutiques de Waikiki que ne fréquente aucune de mes connaissances, aussi j'oublie que le corps de ma fille traîne encore là-bas, qu'il est vendu, timbré et expédié à des habitants de l'Oklahoma ou de l'Iowa — avec *Dommage que tu ne sois pas là,* d'un côté, et Alex, de l'autre, qui envoie des baisers ou se dore au soleil dans des poses inattendues.

J'essaie de trouver un vendeur. Personne. Je cherche d'autres cartes d'elle, mais je ne vois que cinq exemplaires de cette photo. En bikini blanc, à califourchon sur une planche de surf, elle se fait éclabousser par un partenaire invisible et se protège avec les mains. Elle rit, la bouche grande ouverte, la tête rejetée en arrière. Son buste souple scintille de perles d'eau. Si je devais choisir une carte, j'opterais pour celle-ci, parce que, au moins, on la voit rire, sourire, se comporter comme une fille de son âge. Sur les autres, elle paraît vieille, sexy et blasée. Elle semble savoir tout ce qu'il y a à savoir sur les hommes, d'où cet air tout à la fois désabusé et libidineux. Un air que vous n'avez pas envie de voir sur le visage de votre fille.

Quand j'ai demandé à Joanie pourquoi elle l'avait laissée poser pour ces photos, elle m'a répondu : "Parce que c'est mon métier. Je veux qu'elle ait du respect pour ce que je fais.

– Tu poses pour des catalogues et des publicités dans les journaux, qu'y a-t-il de méprisable à ça ?" J'ai tout de suite compris que j'aurais mieux fait de me taire.

Une Chinoise entre dans la boutique, c'est la caissière.

"Ça sera tout ?" me demande-t-elle.

Elle porte un *muu-muu* sur un pantalon en polyester bleu marine. On la croirait échappée d'un asile.

"Pourquoi vendez-vous de genre de cartes ? Dans une boutique de cadeaux, destinée à une clientèle de malades. Ce ne sont pas des cartes de vœux de prompt rétablissement", dis-je.

Elle me prend les cartes des mains, les examine.

"Même carte. Vous voulez toutes même ?

– Non, je veux juste savoir pourquoi vous vendez ces cartes dans la boutique cadeaux d'un hôpital."

Je sais déjà que cette conversation ne mènera à rien. Elle se résumera à un match verbal, en charabia.

"Quoi, vous aimez pas les filles, c'est ça ?"

Je rétorque : "J'aime les femmes. Pas les gamines. Regardez." Je m'empare d'une carte qui dit *Remets-toi vite, grand-père.* "Voilà le genre de cartes qui convient." Je montre celle de ma fille. "Celle-ci ne devrait pas se trouver là. Ce n'est même pas une carte de vœux. C'est une carte postale.

– Et ici, c'est ma boutique. Et y a aussi touristes dans l'hôpital. Ils se blessent, sont soignés, veulent rapporter souvenir au continent.

– Ils veulent garder un souvenir de leur passage à l'hôpital ? Bon, laissez tomber. Tenez."

Elle prend les cartes postales, se dirige vers le présentoir.

"Non, dis-je. Je les prends. Toutes. Et ces deux Coca aussi."

Elle s'arrête. Elle donne l'impression de ne plus trop savoir où elle en est, de se demander si cette conversation a bien eu lieu, mais elle ne dit mot et encaisse sans un regard. Je lui donne l'argent. Elle me rend la monnaie.

J'ajoute : "Je voudrais un sac, s'il vous plaît." Elle me tend un sac en plastique, j'en couvre ma fille. "Merci."

Elle remue la tête, mais ne me regarde toujours pas. Elle s'affaire à la caisse. Il semblerait que j'aie le chic pour me disputer avec les vieilles Chinoises.

Je retourne à la chambre 612, et mon autre folle de fille. Ça me fait drôle de tenir ces doubles d'Alex à la main, comme s'il m'avait fallu tout ce temps pour la tirer de là.

Joanie et Alex ont des différends. C'est comme ça que Joanie formule le problème quand je lui pose la question. "Ça lui passera", me répète-t-elle, mais j'ai toujours pensé que Joanie avait aussi sa part de responsabilité. Avant, elles étaient inséparables. Joanie devait être une mère vraiment cool parce qu'elle était jeune et dans le coup, mais le jour où Alex a cessé de poser, leur complicité a disparu. Alex s'est effacée. Joanie s'est de plus en plus investie dans les compétitions. Alex a commencé à faire le mur. Puis à prendre de la drogue. L'idée de l'envoyer en pension l'année dernière venait de Joanie. En janvier dernier, Alex était censée revenir à la maison et retourner dans son ancienne école, mais, pendant les vacances de Noël, sa mère et elle se sont disputées, et du jour au lendemain, Alex a réclamé la pension. Elle y est donc retournée de son plein gré. Je leur ai demandé la raison de leur brouille, pourquoi Alex était repartie en pension, mais je n'ai pas obtenu de réponse précise. Joanie a toujours pris les décisions concernant l'école – et pour tout ce qui concerne nos filles, je dois dire. Je n'ai donc pas insisté. "Elle a besoin de prendre du recul, m'a confié Joanie. Elle y retourne."

"Cette fois, j'en ai ras le bol, a renchéri Alex. Maman a perdu la tête. Je ne veux plus rien avoir à faire avec elle, et tu devrais la laisser tomber toi aussi."

Sentir une telle tension entre elles deux m'attriste : Alex me manque et je regrette notre relation d'autrefois. Je me dis parfois que si Joanie mourait, Alex et moi, nous nous en sortirions. On renaîtrait. On se ferait confiance et on s'aimerait tout comme avant. Elle pourrait rentrer à la maison et elle ne serait plus paumée. Bien sûr, je ne crois pas vraiment que tout irait mieux si ma femme mourait loin de moi – quelle horrible pensée – pas plus que je ne pense que Joanie est la cause de tous les problèmes d'Alex. Je suis sûr d'y être également pour quelque chose. Je n'ai pas été un père des plus disponibles. Trop longtemps je ne m'en suis pas rendu compte, mais j'essaie de changer. Et je crois faire du bon boulot.

Je suis à l'entrée de la chambre de ma femme, Scottie joue à la marelle sur le lino avec des abaisse-langues en bois en guise de palets.

"J'ai faim, dit-elle. On peut y aller ? Tu m'as pris un Coca ?

– Tu lui as parlé ?

– Oui ? dit-elle, et je sais qu'elle ment parce qu'elle ment toujours quand sa réponse prend la forme d'une question.

– Bien. Rentrons à la maison."

Scottie se dirige vers la porte sans même un regard pour sa mère. Elle m'arrache le Coca des mains. "On reviendra peut-être plus tard", lui dis-je sans trop savoir pourquoi. Je regarde ma femme. Elle esquisse un vague sourire comme si elle savait quelque chose que j'ignore. Je pense au petit mot sur le bout de papier bleu. Comment ne pas y penser ?

"Dis au revoir à ta mère."

Scottie s'arrête, puis repart.

"Scottie !

– Au revoir !" crie-t-elle.

Je l'attrape par le bras. Je pourrais me mettre en colère, mais je me retiens. Elle se dégage de mon emprise. Je vérifie que personne ne nous voit, je ne suis pas sûr qu'on ait encore le droit, à l'heure actuelle, de se montrer ferme avec ses enfants. Fini le temps des fessées, des menaces et des bonbons ! Place aux psys, aux antidépresseurs et au Splenda ! J'aperçois le Dr Johnston au bout du couloir. Il vient vers nous. Il cesse de parler aux autres médecins et me fait signe d'attendre. Il lève la main : une minute s'il vous plaît. Je le sens préoccupé, il ne sourit pas. Je commence par détourner mon regard avant de le ramener vers lui. Il accélère le pas. Je plisse les yeux, feins de ne pas le reconnaître. *Et si j'avais tort ? Et si Joanie ne s'en sortait pas ?*

"Scottie, dis-je. Par là."

Je pars dans la direction opposée au Dr Johnston. Scottie se retourne, elle me suit.

"Plus vite, lui dis-je.

– Pourquoi ?

– C'est un jeu. Faisons la course. Plus vite. Cours." Elle s'élance, son sac ballotte contre son dos. Je la suis à pas rapides, puis à petites foulées. Comme le Dr Johnston est le père de mon ami, et qu'il était aussi un ami de mon père, j'ai l'impression d'être un gamin de quatorze ans qui tente d'échapper aux patriarches.

Je me revois lançant des œufs sur la maison du Dr Johnston pour jouer un tour à son fils, Skip. Nous étions trois – Blake Kelly, Kekoa Liu et moi – et nous avons détalé pour le seul plaisir d'être poursuivis par le Dr Johnston au volant de son camion. Il a failli nous renverser et, quand nous avons coupé par une allée, il est descendu de son véhicule, a continué à pinces et a fini par nous coincer, un sac de pique-nique à la main. Nous avions le choix, nous a-t-il dit : soit il appelait nos parents, soit nous l'aidions à se débarrasser du gâteau au tofu de sa femme. Nous avons opté pour le gâteau au tofu. Il a plongé la main dans le sac et nous a rendu la monnaie de notre pièce. Nous sommes repartis, du tofu dans les cheveux, dans les oreilles, partout. Depuis ce jour, il nous appelle les "Garçons Sauce Soja" et, dès qu'il nous voit, il part d'un rire hystérique et lance des "Hou !" qui me font encore sursauter. Pas récemment, cela dit. Il n'a pas fait cela depuis un moment.

Je cours dans le couloir avec ma fille. J'ai l'impression d'être à l'étranger. Autour de moi, les gens parlent un anglais approximatif et nous dévisagent comme si nous étions deux cinglés de visages pâles. Nous avons beau être hawaiiens, nous ne ressemblons pas à des Hawaiiens. Qui plus est, pour de vrais Hawaiiens, nous sommes quantité négligeable car nous ne parlons pas comme il faut non plus.

Le Dr Johnston a dit mardi. C'est le jour fixé pour notre rendez-vous, le jour où je serai présent. Je ne veux rien savoir avant. J'ai trop de préoccupations pour le moment. Je fais le point. Vingt-trois jours que ma vie se résume à des gens qui s'observent les uns les autres en cherchant à deviner ce qu'ils fabriquent là, à des couvertures de magazines exhibant les plus vigoureux spécimens de la race humaine. Dans une vitrine, je regarde un train électrique peiner le long de plages en carton-pâte sur lesquelles bronzent des estivants en miniature, raides comme des piquets. Je fuis le diagnostic. Demain, je serai prêt à l'affronter.

3

Je dis à Esther d'y aller mollo avec le saindoux. Inutile d'en ajouter au mélange de riz, poulet et haricots de Scottie. Je lui fais remarquer qu'elle n'a pas lu les blogs. Moi, je les ai lus. Je sais ce que Scottie doit ou non manger.

J'ai pris les rênes de la maison. Je participe à la vie domestique, j'ai mon mot à dire en ce qui concerne les repas de Scottie, l'heure à laquelle elle doit se coucher, ce qu'elle a le droit de porter, de regarder ou de faire. Je me surprends à dire des phrases du genre "Temps mort" ou "On recommence tout". Je lui demande d'aller consulter le Mur des Corvées, une de mes inventions : le mur du cagibi où sont affichées ses tâches de la semaine. Dans un sens, ces responsabilités m'amusent et je pense que Joanie en sera impressionnée.

"Mais c'est de la bonne graisse, proteste Esther. La petite est si maigre. C'est bon la graisse !

– Non, dis-je. Certaines graisses sont bonnes, mais pas celle-ci." Je montre du doigt la matière blanche qui fond lentement dans la poêle, comme de la cire. Sur des sites Internet consacrés à l'éducation des enfants, j'ai appris que le sirop de maïs, les nitrates et les graisses hydrogénées étaient mauvais pour la santé et que le soja, les produits bios et les céréales complètes étaient bénéfiques. J'ai aussi appris qu'il fallait faire à Scottie une piqûre de rappel contre la coqueluche, la méningite, sans oublier le vaccin contre le papillomavirus susceptible de causer des condylomes et le cancer du col de l'utérus, une mesure de prévention recommandée aux adolescentes avant qu'elles aient une vie sexuelle. Lire cela m'a tellement consterné que j'ai pris part aux conversations en ligne sur le thème de la vaccination, ce qui m'a valu une sévère réprimande de Maman-de-Taylor. *Pourquoi ne pas les protéger le mieux possible? Oui, Papa-de-Scottie, moi je les vaccinerais contre la solitude et les chagrins d'amour si c'était possible, MB, mais c'est pas la même chose! Les condylomes ça n'a rien à voir avec les sentiments! Ce sont des condylomes et on peut s'en débarrasser.*

Il m'a fallu demander à Scottie ce que signifiait MB car, depuis que j'ai commencé à m'immiscer dans ses activités, j'ai remarqué qu'elle n'arrêtait pas d'envoyer des textos à ses amis. Enfin, j'espère qu'il s'agit bien de ses amis et pas d'un pervers en robe de chambre.

"Merci beaucoup", m'a-t-elle expliqué. Je ne sais pas pourquoi, mais le fait de ne pas avoir deviné tout seul m'a complètement anéanti. C'est fou ce que les pères sont censés savoir de nos jours. J'appartiens à la vieille école qui considère l'absence du père comme un principe élémentaire. Aujourd'hui, tous les hommes se promènent avec de discrets sacs à couches et des bébés qui pendent à leur cou telles de petites figures de proue. J'avoue que, jeune père, j'avais du mal à supporter que tout le monde se précipite pour satisfaire le moindre caprice de mes filles en bas âge. Voir Alex dans sa poussette, avachie dans son siège, une gambette par-dessus la barre de sécurité, m'agaçait. Joanie lui apportait son goûter, Alex faisait non de la tête. Sa mère insistait, présentait à nouveau son offrande jusqu'à ce que mademoiselle, satisfaite, daigne la lui arracher des mains. J'observais Alex, enfin comblée, convaincu qu'il y avait en elle un adulte qui se moquait de nous. Scottie, elle, se contentait de montrer du doigt ce qu'elle voulait, en grognant ou en hurlant. J'avais l'impression de vivre avec des altesses royales. Je disais à Joanie que j'attendais qu'elles soient plus grandes pour m'investir. Et elles ont grandi sans que je m'en aperçoive.

Esther chantonne, fidèle à son habitude. Notre cuisine a beau être d'une taille acceptable, elle paraît toujours trop petite lorsque

28

nous y sommes en même temps. Cette petite boule de femme n'a aucune idée de son volume. Son ventre ne cesse d'effleurer ma hanche ou mon abdomen. Je tranche des carottes et du céleri que Scottie pourra tremper dans un bol de sauce ranch. Je suis conscient qu'Esther et moi sommes engagés dans une sorte de bataille, une compétition digne de *MasterChef*, dont l'enjeu est le déjeuner de ma fille.

"Avez-vous eu l'occasion de parler à votre famille ?

– Pas encore", répond-elle.

Il y a tout juste une semaine, j'ai annoncé à Esther que nous allions nous passer de ses services, même si cette décision me chagrine au plus haut point. Elle prétend que sa famille n'est pas à San Diego en ce moment et qu'elle n'a pas les clés de chez elle.

"Toujours en vacances ? dis-je.

– Oui.

– Sur la côte du New Jersey, si j'ai bonne mémoire ?

– Oui, sur la côte du New Jersey.

– Ils en ont de la chance !" Je me penche pour ramasser les épluchures que j'ai laissées tomber. Esther se faufile derrière moi. Son ventre vient frotter contre mon postérieur.

"De toute façon, vous êtes pas prêt, reprend-elle. J'ai encore des tas de choses à vous apprendre."

Elle se sert de ses années d'expérience avec Scottie comme d'un prétexte imparable qu'elle me ressort au compte-gouttes pour retarder son départ. Je la laisse dire car je ne peux nier ni son aide précieuse, ni son affection pour Scottie. Ses méthodes relèvent du génie – j'ai encore beaucoup à apprendre d'elle. J'ai l'impression de passer à nouveau l'examen du barreau : je me gave, je me farcis d'informations sur le mode d'emploi, la lo-gique et le langage des adolescentes. Esther m'explique ce que Scottie aime : la Xbox, la danse, le magazine de mode *Smart*, le beurre d'amandes, les hamburgers, Jay-Z et Jack Johnston, faire des playlists sur son iPod, envoyer des textos. Je me dis qu'il est indispensable que je me tienne au courant de tout ça car Joanie pourrait rester fragile encore quelque temps, hors circuit. Il est possible qu'elle ne soit pas vraiment elle-même, psychiquement et physiquement, avant un bon moment, mais je ne m'avoue jamais que je dois connaître les habitudes de cette jeune créature parce que Joanie pourrait bien mourir.

"Si on reprenait ?" dis-je.

Esther soupire avec lassitude, mais je sais qu'elle apprécie nos petits cours. Cela lui donne l'occasion d'être le professeur de son employeur, de m'apprendre des choses sur la fille qu'elle connaît par cœur, de créer l'image de celle qu'elle voudrait que Scottie devienne.

"Elle aime lire *Jane* et écouter de la musique", m'informe Esther en remuant avec une cuillère en bois ses haricots au saindoux qui mijotent dans la casserole. Ça sent la crise cardiaque dans cette cuisine. "Avant, elle aimait MySpace, maintenant elle préfère le scrapbooking. Elle aime *Dog, le chasseur de primes*. Et elle adore qu'on lui masse le dos.

– Qu'on lui masse le dos ?

– Oui, quand elle était bébé, je lui massais le dos jusqu'à ce qu'elle s'endorme. Ça m'arrive encore aujourd'hui quand un cauchemar la réveille.

– Un cauchemar ? Pourquoi fait-elle des cauchemars ?"

Question stupide. Sa mère est au seuil de la mort, ses fonctions cérébrales sont au plus bas, mais je ne veux pas admettre que cela puisse avoir un profond impact sur Scottie.

"Je sais pas, répond Esther. Je vous ai pas encore parlé des enfants et de leurs cauchemars. Ça arrive souvent. Je vous expliquerai ça la semaine prochaine."

J'apprécie vraiment Esther et je ne veux pas qu'elle s'en aille. C'est juste que l'idée d'avoir une nounou mexicaine me dérange. Je n'ai jamais pensé que Scottie avait besoin d'une nounou vu que Joanie ne travaillait pas vraiment. De plus, je n'aime pas l'idée de payer une tierce personne pour s'occuper de ma gosse. Avec Esther à la maison, j'ai comme l'impression d'être un colon. Surtout maintenant que j'ai commencé à m'investir dans la vie de la maisonnée et qu'il ne lui reste plus que le ménage et la cuisine. Depuis que nous passons davantage de temps ensemble, elle a la répartie facile et pleine d'humour.

Désormais, elle a le rôle de la bonne mexicaine impertinente et pleine de sagesse, tout droit sortie d'une série télévisée. Pour l'instant, il faut que je pense à ce qu'il y a de mieux pour ma famille et que j'oublie l'image que les autres peuvent en avoir, une faute dont je me suis rendu coupable toute ma vie. Je dois prouver que je suis quelqu'un d'important et pas le simple descendant de quelqu'un d'important.

Je me trouve face à des problèmes d'héritage. J'appartiens à l'une de ces familles de Hawaii qui s'est enrichie par un heureux hasard et sur le dos de ses morts. Il se trouve que mon arrière-grand-mère était une princesse. Un petit monarque a décidé quelles terres lui revenaient, et elle s'est retrouvée bien lotie. De son côté, mon arrière-grand-père, un homme d'affaires originaire du continent, ne s'en était pas si mal sorti. Il était doué pour la spéculation immobilière et la finance. Leurs descendants, tout comme les descendants des missionnaires hawaiiens, ou ceux des planteurs de canne à sucre et les autres, profitent encore de ces vieilles transactions. Nous restons là, les bras croisés, à attendre que le passé vienne déposer des millions à nos pieds. Mon grand-père, mon père et moi avons rarement utilisé l'argent que nous touchions de ce trust. Que le montant de mon compte en banque soit de notoriété publique m'a toujours déplu. Je suis avocat et je vis de l'argent que je gagne dans l'exercice de ma profession et pas de mon héritage. Mon père m'a inculqué ce principe. À la fin, je me retrouverai avec un patrimoine plus important à transmettre à mes enfants. De toute façon, je n'aime pas les héritages. J'estime que nous devrions tous partir de rien.

Je pense à Joy, je revois son sourire entendu. Sans doute ferais-je bien de lire le journal d'aujourd'hui, mais j'imagine qu'elle y a appris le nom des légataires, l'évaluation de leurs possessions et deviné la décision qu'il nous incombe de prendre cette semaine. Ou plutôt, la décision qu'il m'incombera de prendre, puisque ma voix est celle qui compte le plus. Je détiens environ un huitième des parts du trust alors que les autres n'en possèdent qu'un vingt-cinquième. Je suis sûr que cette situation les ravit.

"Très bien, dis-je à Esther. Les cauchemars peuvent attendre, racontez-moi le reste." J'ai l'intention de travailler un peu plus sur le cas de ma fille pendant que nous préparons le déjeuner et de m'occuper du portefeuille de la famille King cet après-midi. Je choisirai un acquéreur et c'en sera fini de cette histoire.

"Elle aime les sacs à main et les jeans taille basse Seventween."

Esther dispose riz, haricots et poulet sur une tortilla cuite à la vapeur. J'arrange les légumes sur une assiette, à côté d'un sandwich à la dinde. Je place autour de l'assiette trois petits bols contenant de la sauce ranch, de la sauce à la mangue épicée et du beurre d'amandes. Esther lorgne sur le beurre d'amandes comme si je venais de marquer un point contre elle.

"Quoi d'autre ?

– Euh... Je ne sais pas. Vous en avez encore tellement à apprendre. Elle aime plein de choses, votre fille, mais il faut que vous sachiez aussi ce qu'elle n'aime pas. Ça me prendra des mois pour tout vous expliquer. Même après le retour de votre épouse, parce qu'elle en sait pas beaucoup plus."

Nous entendons les pas de Scottie dans le couloir, Esther baisse le ton. "Elle adore quand je lui lis les comptines de *Ma mère l'Oye*.

– Son livre de quand elle était bébé ?

– Oui. Si vous voyiez sa joie ! Parfois, je relis la même comptine en boucle. Rien ne la rend plus heureuse, elle en glousse de plaisir."

Je me demande si Scottie ne régresse pas, si elle n'aime pas les comptines et berceuses pour la simple raison qu'elles la ramènent à une période de sa vie plus heureuse, plus innocente.

"Elle devrait lire des romans pour jeunes adultes, dis-je.

– Elle lit ce qu'elle veut, rétorque Esther à mi-voix.

– Non. Je pense qu'elle doit lire des livres qui ont une portée morale, qui vous apprennent à vivre votre féminité, et pas des livres qui parlent de mères célibataires aux innombrables enfants, menant la vie de bohème dans une bottine."

Scottie arrive, nous nous taisons. Esther nous sert. Scottie s'assied sur un tabouret, nous regarde l'un l'autre avant de se concentrer sur ce qu'elle a dans son assiette.

Elle attaque son enchilada. De l'autre main, elle tape, ou texte, un message à l'une de ses copines.

Esther me regarde avec un sourire. "Elle aime ça, la graisse."

4

Au moment où je m'apprête à aller dans ma chambre pour me mettre au travail, Esther me fait part d'un appel de Mme Higgins qui me demande de la rappeler tout de suite. Elle nettoie la cuisinière et, en grognant, s'acharne à décoller avec son ongle une saleté coriace. Je parierais qu'elle fait ça pour que je m'apitoie sur son sort.

"Qui est cette Mme Higgins ?

– La mère de Lani.

– Et qui est Lani ?

– L'amie de Scottie, je pense. Appelez-la." Esther boit une longue gorgée de sa bouteille d'eau et laisse échapper un bruyant soupir.

"Pourriez-vous l'appeler ? Vous savez que j'ai ce travail à faire.

– Je lui ai déjà parlé. Elle voulait parler à Mme King.

– Qu'avez-vous répondu ?

– Que Mme King était souffrante. C'est là qu'elle a demandé à vous parler.

– Parfait", dis-je. Elle doit vouloir que je lui donne un coup de main lors d'une vente de gâteaux ou pour une conduite accompagnée. À moins que je ne sois contraint d'être bénévole à une soirée dansante. Ça ne rate jamais en période de crise. Ma femme est dans le coma, mais la vie ne s'arrête pas pour autant. Entre l'école de Scottie, les heures que je dois facturer, ce trust que je dois revoir, je ne sais plus où donner de la tête.

Esther sort de la cuisine avec un seau rempli de produits d'entretien. Je me sers du téléphone de la cuisine pour appeler

Mme Higgins. La vaisselle du déjeuner a été faite et rangée. La grosse marmite noire est retournée sur l'égouttoir. Le sol brille, il est glissant. Mon visage se reflète sur le plan de travail.

Une femme me répond d'un "allô" qu'elle chante ou presque. J'aime cette façon de répondre au téléphone. Ou plutôt, j'aime quand les femmes répondent de cette façon. "Bonjour, c'est vous madame Higgins ?

– Oui ?" répond-elle.

Les démarcheurs par téléphone doivent l'adorer. "Bonjour, ici Matt King, le père de Scottie. Vous m'avez appelé, je vous rappelle. À vrai dire, je ne suis même pas sûr que votre fille soit une amie de Scottie, j'ai juste présumé que...

– Oui, Lani est une camarade de classe de Scottie", répond-elle. La voix a perdu sa cadence harmonieuse.

"Je vous prie de m'excuser, ma femme n'est pas bien. Elle n'est pas en mesure de vous rappeler. En quoi puis-je vous être utile ?

– Eh bien, dit-elle, Voyons. Par où devrais-je commencer ?"

Je suppose qu'il s'agit là d'une question de pure forme, mais elle semble attendre que je lui dise où commencer. "Je pense que vous devriez commencer au commencement, dis-je.

– Très bien, dit-elle. Voici le commencement. Il semblerait que votre fille envoie à la mienne des SMS absolument affreux, et je souhaiterais que ça cesse.

– Oh ! dis-je. Par exemple ?

– Elle l'appelle Lani Piggins et Lani Moo."

Lani Moo est la vache du dessin animé d'une laiterie locale.

"Hum ! J'en suis navré. Mais les gosses s'appellent par toutes sortes de noms, parfois. C'est une forme d'affection." Je regarde ma montre. Je pense à Joanie l'achetant pour moi.

"Elle écrit *Jolie chemise* à ma fille ou *Joli pantalon*.

– C'est plutôt gentil, dis-je.

– Voyons, c'est du cyber-sarcasme, ça !" hurle-t-elle, et j'éloigne le récepteur non parce que ce cri me perce les oreilles, mais parce qu'il est bas, râpeux et me rappelle celui d'une louve.

"Mais peut-être qu'il ne s'agit pas de cyber-sarcasme et que c'est un compliment ?

– Elle signe CS après ça. Et CS ça signifie cyber-sarcasme ! Elle appelle aussi ma fille Lani-kai, insinuant qu'elle est à elle seule aussi large que tout un quartier."

Je ne dis rien. Je souris presque parce que c'est astucieux.

"Et en plus, poursuit-elle, votre fille raconte qu'elle a peur d'être sa partenaire d'escalade parce qu'elle ne veut pas tomber dans la raie du cul de ma fille. Ça n'a même pas de sens."

Je me retiens de rétorquer que Scottie pourrait ainsi sous-entendre que la raie des fesses de Lani est plus proche d'une crevasse, vu les proportions du reste de son corps. C'est une suite logique de la plaisanterie sur son embonpoint.

"C'est terrible, dis-je.

– Tenez, dit Mme Higgins, pourquoi est-ce que je ne vous transmets pas sa dernière trouvaille : *On sait tous que ta toison a poussé cet été*. Voilà ! Elle ne cesse d'envoyer des petits messages de ce genre, sans aucune raison. Ma fille ne l'ennuie absolument pas."

Je revois Scottie en train de déjeuner et je me demande si justement elle n'envoyait pas un SMS à Lani depuis le comptoir de la cuisine.

"Terrible, je répète. Et ça ne lui ressemble pas. Elle est gentille comme tout. Je dois dire que sa mère n'est pas bien, et sans doute que ça explique ce comportement. C'est peut-être sa façon de réagir.

– Je me fous pas mal de la situation, monsieur King.

– Oh !

– Tout ce que je sais c'est que ma fille rentre de l'école en pleurs. Oui, je reconnais qu'elle est un peu précoce, ce qu'elle vit très mal. Elle ne s'habille peut-être pas chez Neiman Kids ou au même endroit que Scottie.

– Bien sûr, je comprends. Je suis désolé, Sincèrement désolé."

Je n'ai pas lu de blogs consacrés aux injures et Esther ne m'a pas du tout préparé à ce genre de situation. Scottie m'a bien eu. *Qui es-tu vraiment ?* Cette question me brûle les lèvres.

"S'il y en a une qui devrait être désolée, c'est Scottie. Je veux qu'elle vienne s'excuser et qu'elle se fasse tirer les oreilles.

– Je lui parlerai, dis-je. Je veux découvrir le fin mot de l'histoire. Je crains que nous ne soyons très occupés cette semaine compte tenu de la... situation, mais je suis vraiment désolé et je vais tout de suite parler à Scottie.

– Ce sera un bon début, dit-elle. Mais je veux qu'elle s'excuse auprès de Lani. Et je ne veux plus jamais qu'elle lui réécrive.

– Sauf pour lui dire de gentilles choses !" J'entends une voix en bruit de fond.

"À vrai dire, j'aimerais qu'elle passe aujourd'hui, sinon je parlerai au proviseur. Vous n'allez pas vous en tirer à si bon compte.

– Pardon ? De quoi parlez-vous ?

– À vous de choisir, monsieur King. Dois-je dire à Lani que vous allez passer dans l'après-midi ou préférez-vous, vous et votre fille, régler cette affaire avec l'école ?"

Je prends son adresse. Je fais des promesses. La vie suit son cours.

5

En nous rendant chez les Higgins, qui habitent près de chez nous, à Kailua, je prépare Scottie à notre entrevue. Nous ne ferons qu'entrer et sortir.

"Tu dois t'excuser et pas juste du bout des lèvres. J'ai du travail, alors il ne faut pas que ça traîne."

Elle se tait. Je lui ai pris son portable, elle a encore les paumes ouvertes, vides, sur ses genoux.

"Pourquoi l'as-tu traitée de tous ces noms d'oiseaux ? Comment peut-on être aussi méchant envers quelqu'un ? Où tu trouves le temps de taper tous ces mots ?

– J'en sais rien, répond-elle furieuse.

– Tu l'as fait pleurer. Pourquoi veux-tu faire de la peine aux autres ?

– Je ne pensais pas qu'elle se vexait pour un rien. Vu qu'elle me renvoie parfois des messages mdr, je me suis dit qu'elle allait pas en faire tout un plat.

– Qu'est-ce que ça veut dire, *mdr* ?

– Mort de rire, marmonne-t-elle.

– Tu te fais aider pour ça ou quoi ?"

Elle ne répond pas. Nous longeons les magasins d'antiquités et le concessionnaire d'une marque de poids lourds, de vrais mastodontes. Nous suivons ensuite une allée aux boutiques plus récentes, où les gamins s'entraînent sur leurs skate-boards à l'ombre des banians. Comme tous les passants, nous nous arrêtons chaque fois pour les regarder, avant de prendre Kailua Road.

"Tu écris tranquillement tes vacheries, et puis tu vaques à tes occupations comme si de rien n'était ?

– Non.

– Alors, quoi ?

– Je les écris avec Reina. Ça la fait rire, et après elle les montre à Rachel, à Brooke et aux autres.

– Je savais bien qu'elle avait quelque chose à voir là-dedans. J'en étais sûr !"

Reina Burke. Douze ans, Je la croise au club, elle porte des bikinis string et se met du rouge à lèvres. Elle a cet air réfléchi qui ne sied pas à une gamine de douze ans. Elle me rappelle Alexandra – belle et précoce, prête à se défaire de son enfance comme d'une mauvaise habitude.

"À partir de maintenant plus question que tu traînasses avec elle, dis-je.

– Mais papa, j'ai quelque chose de prévu pour jeudi avec elle et sa mère !

– Tu as quelque chose de prévu avec ta mère à toi.

– Maman n'arrive même pas à ouvrir les yeux ! Elle ne les ouvrira plus jamais !

– Bien sûr que si. Tu es folle ou quoi ?" Elle regarde dans le vide. "Tu dois être avec ta mère à toi et pas avec je ne sais quelle autre mère.

– Reina peut m'accompagner à l'hôpital ? Je ne vois plus personne depuis que je ne vais plus en classe."

Je suis étonné qu'elle réclame une amie à l'hôpital, mais après tout, si Reina est là, Scottie fera peut-être un effort pour communiquer avec Joanie. Elle ne restera pas assise à regarder sa mère si son amie est présente.

"Très bien, dis-je. Tu t'excuses auprès de cette fille. Tu promets d'être gentille avec elle et Reina pourra t'accompagner jeudi.

– Alors j'ai besoin de mon BlackBerry pour la prévenir et aussi dire des trucs sympa à Lani Moo.

– Tu peux reprendre ton foutu téléphone et n'appelle plus Lani comme ça !"

Nous traversons Kailua qui vient d'être réorganisée pour ressembler à n'importe quel centre commercial d'une banlieue chic américaine. Les touristes qui jusqu'ici boudaient notre ville affluent désormais. Je sais que, le jour où je vendrai le terrain, son acheteur se lancera dans un projet d'aménagement similaire. Après tout, j'aime les centres commerciaux et Joanie aussi. Elle aime l'embourgeoisement.

"On peut boire un smoothie ? demande Scottie.

– Non.

– On peut acheter des hamburgers ?"

Ça me tente. "Non.

– Oh ! Tu vas pas me faire croire que t'as pas envie d'un Big Mac !

– Scottie, tu sors de table !

– Bon, dans ce cas, un milkshake au beurre de cacahuètes !"

J'en ai l'eau à la bouche. "Ça suffit, Scottie. C'est non, non et non !"

La circulation ralentit, nous nous traînons entre deux feux. Sur le bas-côté de la route, une famille avance à la même allure que nous, le père transporte un kayak en plastique jaune en équilibre sur sa tête. Les deux gosses, les parents et deux autres adultes arborent le même T-shirt : FISCHER FAMILY REUNION.

"Débiles", lâche Scottie.

Nous les dépassons, nous arrêtons, ils nous dépassent. Le feu passe au vert, les voitures repartent. Au moment de les dépasser, Scottie se penche par la fenêtre et hurle : "Débiles !" Le père tend le bras pour retenir sa femme et les enfants, comme s'il voulait les empêcher de s'élancer.

"Scottie ! C'était quoi, ça ?

– Je croyais que ça te ferait rire."

Je regarde la famille Fischer dans le rétroviseur. Le père fait de grands gestes en direction du fils aîné, qui retire son T-shirt et le jette par terre. Mon sang ne fait qu'un tour. "Remonte ta vitre ! dis-je.

– Tourne ici, dit Scottie.

– Tu sais où elle habite ?

– Elle m'invite à son anniversaire tous les ans, si tu veux savoir.

– Arrête de faire comme si j'étais censé tout savoir."

– C'est ici, cette maison.

– Laquelle ?

– Celle-ci."

Je freine à mort et me gare le long du trottoir. Je vois une maison, elle ressemble à la moitié de celles du quartier d'Enchanted Lakes : une porte d'entrée que personne n'emprunte et une porte grillagée ouverte à côté du garage devant laquelle des tongs et des chaussures attendent sur un paillasson en caoutchouc. Nous descendons de voiture. En remontant l'allée je la questionne au sujet de Lani : "Vous étiez amies ?

– Ouais, jusqu'à son dernier anniversaire où elle m'a fichue à la porte de chez elle et que j'ai dû passer la journée dehors pendant qu'ils rigolaient tous." Elle montre une table dans le garage. Encore une particularité d'Enchanted Lakes : personne ne se sert de son garage pour y ranger sa voiture. Il peut tenir lieu de terrasse couverte pour un repas ou abriter le réfrigérateur supplémentaire. "Elle se croyait la star, mais j'ai commencé à avoir du succès, ça lui a foutu les boules et le monde a tourné...

– La chance, rectifiai-je. La chance a tourné."

Mme Higgins apparaît derrière la porte grillagée. Elle l'ouvre, nous entrons. Je lui serre la main, lui dis bonjour et, comme elle tient encore la porte ouverte, je me retrouve si près d'elle qu'on croirait que nous allons soit nous embrasser, soit en venir aux mains.

"Merci d'être passés, dit-elle d'un ton plein de sous-entendus, comme si elle me faisait un grand honneur en disant cela.

– C'est normal." Je fais des efforts surhumains pour ne pas lui dire que ma femme est dans le coma, mais je me suis promis, dès le début, de ne jamais me servir de l'état de Joanie comme d'un alibi.

Elle regarde nos chaussures, je regarde ses pieds et je me rends compte que je suis censé me déchausser, un rituel que je déteste. Je retire mes chaussures et reste planté là dans mes chaussettes noires dont l'une est plus foncée que l'autre. Scottie fait quelques pas, puis glisse sur le parquet en faisant claquer son chewing-gum. Je veux lui dire d'arrêter de mastiquer, ça lui donne un petit air insolent. Mme Higgins nous emmène dans la salle de séjour. Une fille qui doit être Lani est assise en tailleur sur le canapé. Elle arbore une afro châtain, soyeuse, version blanche. Son nez retroussé lui a valu son surnom de Lani Piggins. On voit tout de suite qu'elle aime bien Scottie à la façon dont son visage s'éclaire, dont elle décroise les jambes et se penche en avant.

Je regarde sa mère, version amincie de ce qui est sur le canapé, de quoi redonner espoir à la fille. Les yeux de Lani sont d'un beau bleu, sa peau est blanche et lisse. D'ici quelques années, elle pourrait être splendide, ou pas.

"Scottie, dis-je, n'y a-t-il pas quelque chose que tu aimerais dire à Lani ?

– Pardon, répond Scottie.

– Sans rancune, dit Lani.

– Parfait, dis-je. Eh bien j'ai été heureux de faire votre connaissance à toutes les deux.

– Écoute, Scottie, ce que tu as dit était vraiment méchant."

Du regard, j'essaie de dire à Scottie : *Encaisse et tais-toi.*

"Je me demande ce qui a bien pu t'arriver dans la vie pour que tu deviennes une telle peste !

– Eh ! Eh ! dis-je. Elle s'est excusée. Les gosses sont méchants. Ils veulent montrer aux autres gosses qu'il ne faut pas les embêter, d'accord ?

– Elle doit apprendre à être la même personne dans ses SMS que dans la vie réelle, dit Mme Higgins.

– Je suis d'accord avec vous.

– Il faut qu'elle apprenne à ne pas se bagarrer à coups de SMS. C'est dans le règlement de l'école, si je ne m'abuse.

– Tu as compris, Scottie ?" dis-je. Je me mets à genoux pour la regarder droit dans les yeux, une astuce qu'Esther prétend avoir apprise grâce à un programme sur les nounous militantes. "Vous devez parler aux gens en les regardant droit dans les yeux."

Scottie se retranche dans des hochements de tête exagérés, son menton oscille entre le ciel et sa poitrine.

"Elle ne comprend pas." Mme Higgins affiche un sourire rageur qui ne me plaît pas. "Elle va continuer, je le vois.

– Non, dis-je, c'est terminé. C'est comme le jour où Scottie a été renvoyée de cette maison pendant que Lani célébrait son anniversaire avec ses amis. C'était vraiment méchant et toi, Lani, tu l'as sans doute fait pour frimer, non ?"

Lani fait un signe de tête, puis elle se ravise et se fige.

"Scottie a passé toute la journée sur le pas de la porte.

– Je n'en savais rien, dit Mme Higgins.

– Vous m'avez pourtant apporté une part de gâteau, précise Scottie.

– Vous lui avez apporté une part de gâteau, je répète. Et si c'était à Lani de s'excuser, puisqu'il semblerait que cet incident ait été à l'origine de ces... « méchancetés », comme vous dites si bien." *Vous avez affaire à un avocat, ma petite dame, je pourrais continuer pendant des heures, même avec mes chaussettes dépareillées.*

"Pardon", dit Lani.

Debout, les bras verrouillés sur la poitrine, Mme Higgins paraît frustrée par la façon *dont le monde a tourné*, pour reprendre l'expression de Scottie.

Je me tape sur les cuisses.

"Bon ! Fantastique ! Tu devrais venir à la maison un de ces jours, Lani. Viens donc nager, te balader ou faire du scrapbooking.

– D'accord", dit Lani. Scottie me lance un regard noir, mais je sais qu'elle me remerciera plus tard. Dans la vie, il faut avoir des amis qui vous font vous sentir très supérieur.

"Encore une fois, madame Higgins, et toi aussi, Lani, pardon pour ces moments pénibles et ces larmes. J'espère vous revoir toutes les deux un jour en des circonstances plus plaisantes."

Mme Higgins se dirige vers la porte.

"*SYL*, dit Scottie

– *SYL*", répond Lani.

See you later. À plus. Je pige. Nous allons jusqu'à la porte grillagée, je regarde Scottie, j'essaie de la déchiffrer. Mais sitôt que je crois y être parvenu, elle m'attend au tournant avec autre chose. Nous avons beau avoir résolu les détails techniques, le problème n'en demeure pas moins. Scottie s'est montrée cruelle envers une amie et je ne comprends pas le fond de l'affaire. S'agit-il d'un symptôme propre aux filles de cet âge ou de quelque chose de beaucoup plus sérieux ?

"J'ai du travail à la maison, dis-je à Scottie en me rechaussant, mais Esther m'a dit que tu avais un cours, un cours de chant ou je ne sais pas quoi.

– Les cours de chant me font chier, riposte-t-elle. Elle peut m'emmener à la plage, tu as dit."

Je cherche du regard Mme Higgins pour lui dire au revoir. Je m'agenouille pour nouer mes lacets. Je me retrouve au milieu d'une armée de godasses, Mme Higgins a une collection de sandales éculées. Elles ont des talons plutôt bas, un ou deux centimètres. À quoi bon ? Sans trop savoir pourquoi, j'examine un de ces petits talons. Certains talons de Joanie, eux, sont de la hauteur d'une main.

Si Joanie meurt avant moi, je me demande si je me remettrai un jour en ménage avec une autre femme. Je ne me vois pas repassant par tous les préliminaires : le baratinage, les grandes conversations, les dîners. Il me faudrait la sortir, lui expliquer mon histoire, inventer des plaisanteries, la noyer de compliments, retenir mes pets. Je devrais lui dire que je suis veuf. Je suis persuadé que Joanie, elle, n'aurait jamais de liaison. Cela paraît trop compliqué.

Mme Higgins est debout derrière moi. Je repose sa chaussure. Elle me décoche un regard furieux et j'ai peur qu'elle ne me flanque un coup de pied.

"Bonne chance pour la vente", dit-elle, et je me relève en secouant la tête. Je me rends compte qu'elle en veut moins à Scottie pour ses SMS que pour son appartenance à ma famille.

"Alors où ça en est ? demande-t-elle. Pourquoi vous vous retrouvez avec tout cet argent ?

– Vous voulez vraiment savoir ?" Je me relève et lui fais face. Elle recule d'un pas.

"Bien sûr, dit-elle.

– Papa, gémit Scottie. On y va ?"

Je m'éclaircis la voix.

"Eh bien, mon grand-père était Edward King. Ses parents étaient missionnaires, mais il a suivi une voie différente : il est devenu banquier puis le conseiller financier du roi Kalakaua. Il était le fondé de pouvoir de la princesse Kekipi, la dernière descendante du roi Kamehameha."

Je fais une pause. Avec un peu de chance, elle va se lasser... Hélas, elle fronce les sourcils et attend que je continue.

"Si j'allais chercher mon scrapbook pour le lui montrer ? demande Scottie.

– Non, dis-je.

– Mais si", reprend Mme Higgins.

Scottie ouvre la porte grillagée et va jusqu'à la voiture.

"Bon, la suite, c'est que... Kekipi devait épouser son frère, comme le veut une bizarre tradition de la famille royale hawaiienne. Rien que ça ! Au moment où ils allaient s'unir à jamais, elle a eu une liaison avec Edward, le gestionnaire de son patrimoine, et ils se sont mariés. L'annexion de Hawaii par les États-Unis a suivi peu après : aussi, épouser un homme d'affaires blanc, à l'époque, c'était plutôt gonflé. Toujours est-il qu'ils avaient à eux deux un joli magot et, à la mort d'une autre princesse, Kekipi hérita de cent cinquante mille hectares de terre et la fortune de la défunte princesse.

"Kekipi mourut la première, Edward en hérita. Il institua un trust en 1920 et, à sa mort, sa fortune nous est revenue."

Scottie réapparaît, elle ouvre la première page de l'album. Elle y a collé plusieurs pages déchirées à mon insu dans trois livres sur l'histoire locale, et son album sent les vieilles malles en cèdre. On y voit Edward, l'œil cave, l'air sérieux. Il porte des bottes qui lui montent jusqu'au genou et son haut-de-forme est posé sur une table derrière lui. Il y a Kekipi, dont le nom signifie "rebelle". Elle a un visage brun et joufflu, des sourcils en broussaille. Chaque fois que je regarde sa photo, je me dis que nous nous serions bien entendus. Je ne peux m'empêcher de sourire en la voyant.

Mme Higgins se penche pour regarder les photos.

"Et alors ? demande-t-elle.

– Mon père est mort l'an dernier, son décès signifie la fin et la dissolution du trust. De ce fait, nous, les bénéficiaires, riches par les terres que nous possédons mais sans liquidités, nous avons décidé de vendre notre portefeuille... à quelqu'un. Je ne sais pas encore à qui.

– Et votre décision aura un impact considérable sur les transactions immobilières de Hawaii", lance-t-elle, sarcastique. Sans doute cite-t-elle une phrase lue dans la presse. Ce qui m'agace c'est que tout ce que je viens de dire, elle le savait sans doute déjà. Je referme l'album de Scottie.

Mme Higgins pousse la porte grillagée. Je jette un coup d'œil en direction du banc et de la table de pique-nique et j'imagine Scottie assise là, toute seule.

"Esther peut m'emmener au club plutôt qu'à mon cours de chant ? demande Scottie. Tu as dit qu'on irait à la plage. Alors, elle peut ?"

Mon regard croise celui de Mme Higgins par-dessus la tête de Scottie.

"C'est ce dont j'ai hérité, c'est comme ça et puis c'est tout.

– Mes condoléances pour votre père, dit-elle.

– Merci."

Je guette l'instant propice pour partir. Dès qu'elle se tait, je me dirige vers la voiture avec Scottie. Je suis épuisé, comme si je venais de prononcer un sermon, mais cet effort oratoire m'a mis dans l'état d'esprit approprié. J'étudierai les dossiers des acheteurs potentiels en gardant présentes les images d'Edward et de Kekipi. Après ça je n'aurai plus à y penser. J'ai froid, je suis préoccupé par mes affaires quand Joanie, elle, est allongée là-bas, embarquée pour un long et pénible vol de nuit.

"Elle peut ? Dis, papa, Esther peut m'emmener au club ?

– Bien sûr. C'est une excellente idée."

Nous montons dans la voiture, je démarre. "Tu vas te comporter convenablement avec Lani ?" Je revois Tommy Cook, un garçon pâle comme un drap qui souffrait de psoriasis. Nous l'attachions à une chaise avec des sandows, le mettions au milieu de la route et filions nous cacher. Peu de voitures empruntaient

Rainbow Drive, mais les rares qui s'y aventuraient ralentissaient et contournaient la chaise, à mon grand étonnement. Pas un seul conducteur ne descendait de son véhicule pour secourir Tommy, à croire qu'ils étaient de mèche avec nous. J'ignore comment Tommy s'est laissé prendre au piège à plusieurs reprises. Peut-être aimait-il être le centre de l'attention.

"J'essaierai, promet Scottie. Mais ça sera pas facile. Quand on la voit, on a envie de la frapper !

– Je sais ce que tu veux dire", dis-je, en pensant à Tommy, mais je me rends compte que je ne suis pas censé m'identifier à elle. Je reprends : "Qu'est-ce que tu veux dire par là ? Quand on la voit, on a envie de la frapper. D'où tu sors, ça ?"

Il m'arrive de me demander si Scottie sait ce qu'elle dit ou si elle ne fait que débiter des trucs comme ces gosses qui ont appris par cœur la Déclaration d'indépendance.

"C'est quelque chose que maman a dit à propos de Danielle.

– Je vois." Adulte, Joanie a conservé sa méchanceté juvénile. Elle envoie à l'*Advertiser* des photos peu flatteuses de ses anciennes copines pour pimenter la rubrique mondaine. Il faut toujours qu'il y ait du drame dans sa vie, toujours une amie à laquelle je ne suis pas censé adresser la parole ou que je ne dois pas inviter à l'un de nos barbecues. Souvent je la surprends au téléphone en train de jacasser au sujet du dernier scandale, aussi outrée qu'excitée.

"Tu ne vas pas le croire, s'exclame-t-elle. Franchement, tu ne le croiras jamais !"

Est-ce d'elle que Scottie tient son côté vachard ? Vu la cruauté avec laquelle sa mère se divertit aux dépens des autres, elle a été à bonne école. Je suis assez fier d'en être arrivé à ces conclusions sans le secours des blogs ni celui d'Esther et j'ai hâte de raconter tout ça à Joanie pour lui prouver que j'ai été capable de me débrouiller seul.

6

J'étudie les offres : projets, propositions, historiques, références. Je suis sur notre lit. En l'absence de Scottie et d'Esther, la maison est calme. Je pensais qu'il me suffisait de choisir un acquéreur, mais ce n'est pas aussi simple que ça ! Je veux prendre la bonne décision. Ces images me trottent dans la tête et j'ai le sentiment que je dois en tenir compte. En ce qui concerne le terrain, les projets sont à peu près identiques : condominiums, centres commerciaux, golfs. Les uns veulent y mettre un Target, les autres un Wal-Mart, un Whole Foods ou un Nordstrom.

Michael Nasser, notre avocat, penche en faveur de l'offre de Holitzer Properties, ce qui exaspère mes cousins, parce que ce n'est pas la plus élevée. En outre, la fille de Michael Nasser est l'épouse du directeur financier de l'entreprise. Parmi mes cousins, quelques-uns crient au délit d'initié, mais je pense qu'il faut opter pour un acquéreur dont l'histoire est ancrée ici. Je me souviens que Joanie partageait ce point de vue. Elle en parlait souvent, à ma surprise. Elle connaissait bien les acquéreurs et les chiffres, ce qui m'agaçait. Elle ne s'était jamais intéressée à mon travail. Sitôt que j'essayais de parler d'une affaire en cours, elle se bouchait les oreilles et secouait la tête.

Combien de fois le soir, quand elle me demandait où en était la vente, montrant ainsi un intérêt bien peu caractéristique, ma gratitude se muait-elle en paranoïa, et ce avant même que je ne trouve le mot. Avait-elle l'intention de divorcer après la vente de mes parts ? Mais dans ce cas, est-ce qu'elle n'aurait pas insisté pour que je vende au plus offrant plutôt qu'à Holitzer ?

"Vends donc à Holitzer et passe à autre chose", m'avait-elle dit un soir. Nous étions sur le lit, elle feuilletait une brochure de cuisines. "Les autres pourraient se défiler. Holitzer, lui, est un gars d'ici. Sa famille est originaire de Kauai. Il est issu d'un milieu ouvrier. Crois-moi, c'est l'homme qu'il te faut.

– Pourquoi tu plaides la cause de ce type ? avais-je demandé.

– Il me semble que c'est le bon choix, c'est tout.

– Je crois que je vais opter en faveur des New-Yorkais, dis-je à seule fin de voir sa réaction.

– Je suis curieuse de voir comment ça va se terminer." Elle avait tourné une page de son magazine. "J'adore cet évier, regarde."

J'avais jeté un œil sur l'évier. "Ce n'est qu'une cuvette. On ne peut rien y mettre.

– Exactement : pas de vaisselle qui traîne, facile à nettoyer. Quelquefois, le moins pratique est aussi le plus judicieux."

Elle avait esquissé un sourire, j'avais éclaté de rire. Elle n'avait pas son pareil pour faire passer des messages.

"Joanie, tu es incroyable !" m'étais-je exclamé.

J'étudie la meilleure offre, évaluée à près d'un demi-milliard de dollars. Elle émane d'une société new-yorkaise cotée en bourse. J'hésite à donner un terrain aussi vaste à des New-Yorkais. Ça ne me dit rien qui vaille, et c'était peut-être aussi l'avis de Joanie. Elle voulait que notre terre demeure en de bonnes mains.

Je repense à l'enterrement de mon père, à tous ces gens qui se disputaient les premiers rangs à l'église, comme si sa mort était un spectacle à ne pas rater.

"Les gens n'attendent qu'une chose, c'est que je meure", m'avait-il confié un jour. Nous étions chez lui, assis dans la pièce du fond. Il aimait farfouiller dans ses livres, où il gardait des coupures de presse.

"Reste en vie", lui avais-je dit.

Il avait feuilleté un livre sur Oliver Wendell Holmes Jr et en avait sorti une coupure de presse pour me la lire : "« Les pluies devinrent de plus en plus violentes au moment de la mort de la princesse Kekipi. *Kulu ka waimaka, uwe 'opu*, disaient les Hawaiiens, s'il pleuvait à la mort d'une personne ou à son enterrement. Autrement dit, "Les larmes coulent, les nuages pleurent". Les dieux mêlent leurs larmes à celles de ceux qui pleurent un être cher et lui disent un dernier *aloha*. »

"Il pleut tous les jours en novembre, avait-il ajouté en replaçant la coupure de journal dans le livre. Ils ne voulaient qu'une chose, faire main basse sur ce terrain. Ils n'ont pas réussi, et maintenant ils attendent mon tour."

Ça doit faire un drôle d'effet de savoir qu'on attend votre mort, mais mon père n'est plus de ce monde et les vingt et un ayants droit n'ont plus à attendre. Holitzer me plaît parce qu'il est du coin, mais prendre la meilleure offre d'un étranger m'assurerait une transaction sans accroc ni procès. Je ne veux pas avoir à remettre mon nez dans cette affaire plus tard.

J'étudie le tout. J'essaie même de déchiffrer des documents et des lettres qui datent de 1920, d'imaginer ce que souhaiteraient deux personnes que je n'ai jamais rencontrées. La princesse, dernière en titre de la famille royale. Mon arrière-grand-père, ce fringant jeune Blanc. Quel scandale ils ont dû causer ! Ce qu'ils ont dû s'amuser ! Cet amour, cette ambition ! Que voulez-vous que je fasse, mes tourtereaux, mes rebelles ? Que voulez-vous maintenant ?

En examinant le portefeuille de Holitzer, je remarque que son nom a été entouré de points d'exclamation : Joanie a dû fouiner dans mes affaires. Des passages sont soulignés à mon intention et annotés dans la marge. Je me glisse de son côté du lit et j'ouvre une boîte en bois de koa qu'elle garde sur sa table de nuit. Une chaîne en argent à laquelle est accroché un porte-bonheur en forme de cœur est tout ce que j'y trouve. Un cadeau que je lui ai fait il y a des années. Elle ne le porte jamais. Je ne sais pas ce que je cherche, mais je me lève et continue à fouiller dans ses affaires – sacs à main, cartons à chaussures, tiroirs et poches. Je me rends ensuite dans la chambre d'Alex. Il faut que j'apaise ce sentiment qui m'envahit.

Je retourne les tiroirs de ma fille aînée, à la recherche d'une éventuelle procédure de divorce. J'inspecte sa salle de bain, le dessous du lavabo, je regarde derrière les toilettes, entre les piles de serviettes. Je feuillette des livres et finis par me laisser distraire par des reliques de son enfance : de vieilles peluches (un singe, un ver de terre, un Schtroumpf) et des livres que j'ai lus dans ma jeunesse, la plupart sur des animaux rebelles ou qui ont de graves problèmes psychologiques. Je tombe sur des photos d'Alex avec ses amies en colonie de vacances sur les îles San Juan, en bateau sur Puget Sound, ou allumant des feux de camp devant des ti-pis. Je repère une pile d'albums de promo et lis les nombreux commentaires conseillant à ma fille de *rester cool*. Rédigés dans une langue étrangement codée, certains remplissent toute une page : *N'oublie pas les mini-shorts et Christine la Cochonne ! Sumac vénéneux et Apporte-ton-propre-seau ! C'est des fourmis, ça ??? Point, le minibus, c'est le renne préféré de maman.*

J'imagine Alex relisant ça dans ses vieux jours et n'y pigeant plus que dalle. Les filles passent un temps fou à organiser le passé. Je trouve de nombreux collages retraçant ses week-ends entre amies. Les témoignages de ce bon temps semblent s'arrêter avec son passage en première et son départ en pension. Joanie venait souvent dans cette chambre. Elle me disait y remettre un peu d'ordre, peut-être la transformer en chambre d'amis. Je regarde le coffret à bijoux dans lequel Joanie avait trouvé la drogue. Elle m'avait montré un minuscule sac à fermeture à glissière qui contenait une pierre dure transparente.

"Qu'est-ce que c'est que ça ?" lui avais-je demandé. Je n'avais jamais pris de drogue, donc je n'en avais pas la moindre idée. De l'héroïne ? De la Cocaïne ? Du crack ? De la glace ? "Qu'est-ce que c'est ? avais-je crié à Alex qui m'avait répondu sur le même ton :

– C'est pas comme si je me piquais !"

Une danseuse en plastique se met à tourner lentement sur une musique sifflante et discordante. Le satin rose qui tapisse le coffret est sale. En dehors d'un collier de perles noires, je n'y trouve que des trombones rouillés et des élastiques autour desquels des cheveux bruns d'Alex sont restés attachés. Je remarque un petit mot collé au miroir. Je prends la boîte, écarte la ballerine qui virevolte contre mon doigt. *Je ne les cacherais pas deux fois au même endroit...* conseille le petit mot sur le miroir.

Je soupire. *Très bonne, Alex.* Je referme le coffret, secoue la tête. Elle me manque terriblement, ma fille. Je regrette qu'elle soit retournée en pension et je ne parviens pas à comprendre pourquoi elle est subitement revenue sur sa décision. Pourquoi est-ce qu'elles se sont disputées ? Qu'a-t-il donc pu se passer de si grave ?

Je retourne dans ma chambre, honteux d'avoir fouiné comme ça. Ma femme se souciait de cette vente. Elle appréciait Holitzer. Elle pensait que cette transaction changerait notre vie. Ma femme avait des amis qu'elle retrouvait à l'*Indigo*. Les homosexuels et les mannequins raffolent de ce restaurant. Ma femme conservait des souvenirs de son passé. Ma femme avait une vie en dehors de cette maison. C'est pas plus compliqué que ça.

7

Mardi. Aujourd'hui j'ai rendez-vous avec le médecin et je ne vais pas me défiler. J'ai prévenu l'accueil que j'étais là.

Je l'imagine en train de me dire : "Un rétablissement qui sera lent, mais progressif. Quand elle reviendra à elle, elle aura besoin de vous. Il faudra que vous l'aidiez pour les tâches les plus élémentaires, tous ces petits gestes élémentaires. Elle aura besoin de vous. Vraiment."

Scottie et moi arpentons le couloir. Sur son T-shirt on lit : Mme Clooney, et elle porte des sabots qui claquent à chaque pas. L'hôpital a tout d'une ruche, on se croirait dans un magasin, au milieu des soldes avant fermeture. L'air impatient, Scottie remue les lèvres, comme si elle répétait ce qu'elle va dire à Joanie. Elle m'a confié ce matin qu'elle avait une histoire formidable pour maman, je meurs d'envie de l'entendre. Sans doute devrai-je moi aussi parler à Joanie, il faudra que je lui retransmette ce que le Dr Johnston m'aura dit.

En arrivant dans la chambre, j'aperçois une visiteuse. Une amie de Joanie que je ne connais pas bien. Je l'ai déjà croisée ici. Elle s'appelle Tia ou Tara. Elle pose pour des photos de mode avec ma femme. Je me rappelle l'avoir vue sur une pub du journal. Ça devait être juste avant l'accident. Dans la pub, elle buvait de l'eau minérale, un sac en raphia à la main et au poignet un bracelet de diamants qui devait coûter une fortune. Je n'ai pas lu ce qui était écrit, du coup j'ignore si la pub concernait le bracelet, l'eau minérale, le sac ou autre chose, comme un projet de condominium ou une assurance vie. Elle était en compagnie d'un homme et ils avaient trois enfants, chacun de race différente, qui pointaient le doigt vers le ciel. Je me revois disant à Joanie : "C'est censé être ses enfants ? Ils ne lui ressemblent pas. C'est une pub pour quoi ?"

Joanie avait regardé le journal.

"Pour les magasins Hilo Hattie. Ils aiment avoir dans leurs pubs des Asiatiques, des Hapas et des Philippins.

– Mais les parents sont blancs. On a du mal à les prendre pour une vraie famille.

– Peut-être qu'ils sont adoptés.

– C'est carrément idiot, dis-je. Pourquoi ne pas choisir une mère asiatique et un père philippin ?

– Ils ne se marieraient jamais entre eux.

– Et une mère hapa et un père asiatique ?

– Pour les pubs, ce qu'ils veulent, c'est des adultes blancs et des gosses typés.

– Bon, et si l'homme est noir ? Oui, pourquoi ne pas y mettre un gamin noir ?

– Les quelques Noirs qui vivent ici sont dans l'armée. Ils ne constituent pas le cœur de cible."

Je referme le journal, agacé par la conversation.

"Bon sang, mais qu'est-ce qu'ils voient là-haut dans le ciel, ces gosses ?

– Leur brillant avenir", avait répondu Joanie, pince-sans-rire.

J'avais ri, elle aussi et, quand les filles étaient entrées dans la cuisine et avaient demandé ce qu'il y avait de si drôle, Joanie et moi avions répondu en chœur : "Rien du tout !"

La copine de Joanie s'installe sur le lit. Je ne sais pas quoi faire. Je veux repartir. En général, je n'aime pas me retrouver ici avec d'autres personnes, mais il est trop tard : elle nous aperçoit, nous sourit et allume.

"Salut, dis-je.

– Salut", répond-elle. Je surprends de sa part à l'égard de Scottie le même air de commisération que j'avais à l'égard de Lani.

"On peut rester pour regarder ? dis-je.

– Bien sûr, je n'en ai pas pour longtemps." Un plateau sur les genoux, elle passe en revue des pinceaux identiques avant d'en choisir un et de se mettre à l'œuvre sur le visage de Joanie, en évitant la sonde. Elle trempe le pinceau dans une palette de gels rosés qu'elle applique par petites touches sur les lèvres de ma femme, à la manière des peintres pointillistes. Même si ça me paraît absurde, je dois admettre que Joanie apprécierait. Elle aime être belle. Elle aime être radieuse et ravissante, comme elle le dit elle-même. Bonne chance, lui disais-je. Bonne chance pour ça !

On ne se comporte pas très bien l'un envers l'autre, je suppose. Déjà au début c'était comme ça. Comme si le petit démon des sept ans de mariage nous avait taquiné dès notre rencontre. Le jour où elle est tombée dans le coma, je l'ai entendue dire à sa copine Shelley que j'étais irrécupérable, que je laissais mes chaussettes pendre à toutes les poignées de porte. Quand nous assistons à un mariage, nous levons les yeux au ciel devant le spectacle de cet amour en pleine éclosion, les promesses habituelles qui se transformeront, nous le savons, en serments d'un autre genre : je m'engage à ne pas t'embrasser quand tu essaieras de lire. Je te supporterai quand tu seras malade et t'ignorerai quand tu seras en pleine forme. Je promets de te laisser regarder ce programme stupide sur les *people*, puisque tu es tellement déçue par ta propre vie.

Barry, le frère de Joanie, nous a poussés à nous faire suivre par un conseiller conjugal, comme tout ménage digne de ce nom. Barry est un accro du divan, un fervent de la thérapie hebdomadaire, de la pensée positive et de la prise de pouls. Un jour, il a voulu nous apprendre des exercices auxquels il s'était entraîné lors de sessions avec sa petite amie. Il nous demanda d'exprimer les raisons, abstraites ou spécifiques, pour lesquelles nous restions ensemble. J'ai commencé par dire que Joanie se soûlait, prétendait que j'étais un autre et m'octroyait de petites douceurs avec sa langue. Joanie, elle, a répondu que j'étais un avantage fiscal.

Barry n'a pas caché ses larmes. Sa deuxième femme venait de le plaquer pour quelqu'un qui comprenait qu'un homme ne fasse pas de bénévolat.

"Arrête ça, Barry, s'était exclamée Joanie. Ressaisis-toi. C'est comme ça qu'on fonctionne."

J'étais d'accord. Quand elle a dit à Shelley que j'étais irrécupérable, j'ai perçu le sourire dans sa voix et compris qu'elle faisait semblant d'être agacée. À vrai dire, elle n'aurait su que faire si je n'avais pas été irrécupérable, tout comme moi je n'aurais su que faire sans ses jérémiades. Je reviens sur ce que j'ai dit. Il s'agit moins d'un manque d'égards réciproque que d'une liberté en vertu de laquelle sarcasmes et indifférence nous aident à surnager et nous évitent d'avoir à regarder où nous posons les pieds.

"Vous êtes de vrais glaçons tous les deux", avait déclaré Barry ce soir-là. Nous étions chez *Hoku*, sur la plage de Kahala. Avec son jean et son haut blanc au décolleté plongeant, Joanie n'avait pas la tenue adéquate. Je me souviens de mes regards furtifs vers ses seins. Elle était toujours trop habillée pour les petits restaurants de quartier et jamais assez pour les restaurants chics. Je me souviens qu'elle avait commandé de l'onaga et moi une côtelette de porc *kiawe*, ce soir-là.

"Fantastique ! s'était-elle exclamée en goûtant mon plat. Ce que c'est bon !"

J'avais échangé mon assiette contre la sienne et nous avions continué à profiter du repas et de la vue sur l'océan avec ce sentiment de satisfaction d'avoir choisi le restaurant idéal. J'avais levé mon verre et elle avait trinqué avec moi dans un moment d'intimité. Barry avait beau dire ce qu'il voulait, Joanie et moi, nous formions une équipe.

Tia ou Tara a cessé de maquiller ma femme, elle regarde Scottie d'un air désapprobateur. Le rayon de lumière qui frappe le visage de cette femme me permet de voir qu'elle ferait sans doute mieux de s'inquiéter de son propre maquillage. Son teint rappelle ces enveloppes en papier kraft. Elle a des sourcils poivre et sel et son anticernes ne cache rien. Il est évident que ma fille ne sait que faire du regard critique de cette femme.

"Quoi ? dit Scottie. Je ne veux pas de maquillage." Du regard, elle m'appelle au secours, et c'est déchirant. Tous les mannequins qui travaillent avec Joanie éprouvent le besoin débile de maquiller ma fille, persuadées qu'elles lui rendent service d'une façon ou d'une autre. Elle n'est pas aussi jolie que sa sœur aînée ou que sa mère, du coup ces bonnes femmes s'imaginent qu'une touche de blush la rassurera sur son charme. On dirait des missionnaires. Des prêtresses du mascara.

"J'allais dire que je pensais que ta mère profitait de la vue, dit Tia ou Tara. Il fait un temps splendide. Tu devrais laisser entrer un peu de soleil."

Ma fille regarde le rideau, sa petite bouche entrouverte. Elle tortille une mèche de cheveux.

"Écoutez-moi, T. Sa mère ne profitait pas de la vue. Sa mère est dans le coma. Et elle ne doit pas être exposée à une lumière trop vive.

– Je ne m'appelle pas T, répond-elle, je m'appelle Allison.

– Très bien. Dans ce cas, Ali, laissez ma fille tranquille, s'il vous plaît.

– Je suis en train de devenir une jeune demoiselle remarquable, déclare Scottie.

– Parfaitement." Mon cœur martèle ma poitrine, comme les sabots de Scottie martèlent le couloir. Je ne sais pas pourquoi je me suis emporté comme ça.

"Excusez-moi, reprend Allison. Je me disais juste qu'un peu de lumière serait la bienvenue.

– Non, c'est moi qui vous prie de m'excuser : je ne voulais pas crier comme ça."

Elle fouille dans son sac, en sort un petit pot puis elle examine le visage de Joanie comme un chirurgien avant une intervention. Elle applique je ne sais trop quoi, par petites touches, sur les joues de ma femme, fronce les sourcils, remet le pot dans son sac, en ressort un autre identique et se remet à l'œuvre avec, cette fois, un léger sourire de satisfaction. Je ne vois aucune

différence. Le maquillage est une des choses les plus mystérieuses qui soient.

"Tu veux parler ?" dis-je à Scottie en faisant un geste en direction de sa mère sur le lit.

Elle se tourne vers Allison. "Je préfère attendre." Elle allume
la télévision. Malheureusement, je suis à court de jouets, d'idées
pour la distraire. D'habitude, j'arrive à faire un jouet de n'importe quoi, que ce soit une cuillère, un sachet de sucre en poudre
ou une pièce de monnaie. C'est mon boulot de la distraire. C'est
mon boulot de veiller à ce qu'elle ait encore la vie d'une gamine
de dix ans.

Je me souviens que j'ai apporté une banane pour qu'elle
mange quelque chose de sain. J'attrape son sac à dos Roxy, j'en
sors le fruit et je me rappelle un jeu que j'ai inventé à l'intention
de Joanie qui a besoin, elle aussi, qu'on la distraie sans arrêt. Sans
enfants à l'époque, nous étions en train de dîner, de boire du vin
et elle me regardait, l'air de dire : *Regarde la vie ennuyeuse qu'on
mène ! Tu as tué tout ce qui faisait mon charme. Moi qui avais un
tempérament volcanique, je suis devenue un vrai paillasson, j'ai
pris deux kilos, et le samedi soir je reste à la maison à bouffer des
bonbons pendant que tu t'empiffres et avales tes rots !* Ce genre de
regard.

Elle venait d'emménager chez moi, dans la maison où nous
vivons actuellement. À vingt-deux ans, elle avait un premier
aperçu de la vie à Maunawili : la grande et belle maison, la gi-
gantesque propriété à la végétation luxuriante, et tout le tralala.
Nous avons des jaques, des bananes, des mangues, mais tous ces
fruits pourrissent et attirent les mouches. Nous avons une magnifique piscine mais, le soir venu, elle disparaît sous les feuilles,
tout comme la grande allée circulaire fissurée par les racines du
gros banian. Les arbres à thé jaunissent, il faut les arracher. Nous
avons de l'herbe des singes et des fleurs de Tahiti, des plantes et
des jasmins qui ont besoin d'être arrosés. Nous avons des par-
quets splendides, mais nous devons aussi nous coltiner des pu-
naises, des araignées, des termites et des millepattes friands de
ces belles lattes en bois et de leurs chevrons.

Je lui ai dit que nous avions une fois par semaine les services d'un jardinier et d'une femme de ménage, mais que le reste du temps c'était à nous de nous occuper de la propriété. Si elle ne m'aidait pas, je ferais mon possible en plus de mon boulot à plein temps, mais je l'ai prévenue que ça ne suffirait pas. Elle devrait elle aussi travailler. Ça ne lui a pas plu, elle m'a jeté un regard noir. Je me suis levé, j'ai pris une banane et je me suis versé un autre verre de vin. Je me suis concentré sur mon travail, m'efforçant de ne pas laisser son regard m'atteindre au plus profond de moi-même. J'ai tranché la banane en rondelles et j'en ai posé une sur une serviette en lin, le but étant d'expédier la rondelle en l'air et de la faire adhérer au plafond. Un jeu auquel ma mère jouait avec moi après quelques cocktails, une fois la vaisselle faite et la cuisine en ordre. J'ai tiré. La rondelle a collé au plafond. Joanie me regardait, feignant l'indifférence, mais je savais que je la tenais, qu'elle ferait tout pour marquer un point sur moi.

Elle a avalé ce qu'elle avait dans la bouche, bu une grande gorgée de vin, disposé les rondelles sur sa serviette, s'est mise en position et a tiré. La rondelle de banane est retombée.

"Zéro à un", a-t-elle dit, et le jeu a continué jusqu'à ce que nous soyons à court de vin et de projectiles.

Je montre à Scottie le jeu auquel je jouais avec sa mère.

Elle se détourne de la télévision et décide de me rejoindre. Elle lance une rondelle de banane en tirant un bout de langue. La rondelle retombe, mais qu'importe. Elle rit et y va de toutes ses forces pour expédier dans les airs le malheureux morceau de fruit. Une rondelle colle enfin au plafond.

"J'ai marqué un point!" s'écrie-t-elle, ce qui lui vaut d'être foudroyée du regard par Allison. Elle attrape la peau de la banane, je retiens son bras, du coup elle s'empare du plus gros morceau. Elle est surexcitée, ce genre d'exaltation spontanée, anormale, revient souvent ces temps-ci, ça ne me dit rien qui vaille. Après un "Hi-ya!" comme au karaté, elle tire, mais son étrange énergie expédie la banane à l'autre bout de la pièce, où elle se plaque au plafond et retombe. Sur sa mère. Allison éloigne prestement son pinceau de maquillage et esquive le projectile. Silence. Le morceau de banane a atterri sur le drap blanc, sur Joanie. Allison se tourne vers moi, puis elle contemple la banane avec de grands yeux comme s'il s'agissait d'une crotte.

Scottie a l'air d'une gamine qui a fait une grosse bêtise. Je lui tends un autre morceau.

"Tiens, Scottie, réessaie. Un petit mouvement du poignet devrait suffire. Pas besoin d'y aller... comme une brute."

Elle ne prend pas la banane, elle recule d'un pas et s'accroche au pan de ma chemise. Je la force à lâcher prise.

"Tiens, ce n'est pas bien grave.

– On va quand même pas laisser ça sur maman", dit-elle.

Je regarde la banane.

"Eh bien, dans ce cas, retire-la."

Elle ne bouge pas.

"Tu veux que je l'enlève moi ?"

Elle fait oui de la tête.

Je me dirige vers le lit et ramasse ce qui reste de la banane.

"Voilà, pas de problème, vas-y, prends-la, dis-je en la tendant à Scottie. Allez, réessaie." Mais elle se détourne de moi. Elle me repousse, je la gêne. Notre jeu est fini. Elle revient se réfugier auprès de la télévision. Je lance la banane au plafond, elle y reste, je m'assieds. Allison étudie le plafond.

"Qu'est-ce qu'il y a ?" dis-je. Qu'elle aille se faire foutre. Allison.

"Vous vous y prenez d'une bien curieuse façon avec les enfants, dit-elle. Cette manière de vous comporter...

– Cette façon de nous comporter a fait ses preuves, merci."

Elle regarde Scottie qui zappe et choisit un jeu télévisé où des hommes participent à une compétition qui consiste à lancer des pneus.

"Je vois", rétorque Allison. Et elle reprend ses efforts pour restaurer l'éclat de ma femme.

"Les parents ne devraient jamais abdiquer leur personnalité", marmonne Scottie.

J'ai déjà entendu Joanie dire ça à Alex qui se plaignait que sa mère s'habillait trop jeune. "Les parents ne devraient jamais abdiquer leur personnalité", avait répondu Joanie. Alex lui avait alors demandé si sa personnalité était celle d'une prostituée et ma femme avait répliqué, "Oui, oui... dans un sens..."

"Très bien, Scottie. Vas-y. Tu as quelque chose à dire. Le médecin va arriver, et j'aurai besoin de lui parler seul à seul, donc, vas-y.

– Non, à toi de parler."

Je me tourne vers Joanie et je réfléchis.

"Écoute, Joanie, j'ai deux ou trois choses à te dire." J'ai beau me creuser la cervelle, je m'aperçois que ce n'est pas si facile. "Tu nous manques. J'ai hâte que tu reviennes à la maison."

Scottie reste de marbre.

"Quand tu seras sortie d'ici, on ira chez *Buzz*", dis-je. *Buzz* est l'un des restaurants préférés de Joanie, nous y allons souvent. Chaque fois, elle finit au bar et je me retrouve seul à ma table, mais j'apprécie ce calme. J'aime la regarder en compagnie d'autres gens. J'aime son magnétisme, son courage et son amour-propre. Mais n'est-ce pas simplement parce qu'elle est dans le coma et ne ressemblera peut-être plus jamais à ce qu'elle était ? Difficile à dire.

Un soir, la gérante du restaurant m'a remercié : Joanie mettait de l'ambiance et donnait envie de boire aux clients.

J'entraperçois le visage de Joanie. Elle est jolie. Pas ravissante, simplement jolie. Ses taches de rousseur apparaissent sous le fard à joues. Seul trait encore saillant : ses yeux clos frangés de cils sombres, spectaculaires. Tout le reste a été adouci. Elle est jolie, mais peut-être trop divine, comme si elle était enchâssée ou allongée dans un cercueil.

Quoi qu'il en soit, j'apprécie l'œuvre d'Allison. La seule tâche qui m'incombe désormais, c'est de rendre Joanie heureuse, de lui donner tout ce qu'elle veut, et ce qu'elle veut, c'est être belle.

"Merci, Allison, dis-je. Je suis sûr que Joanie est contente.

– Voyons, réfléchissez : elle n'est pas contente ! réplique Allison. Elle est dans le coma."

Je la regarde, sous le choc. J'en frissonne.

"Mon Dieu ! s'exclame Allison qui se met à pleurer. Comment ai-je pu dire une chose pareille ? Je vous imitais, c'est tout. J'essayais de vous ramener à la réalité. Mon Dieu !"

Elle range sa trousse de maquillage, fait tomber un ou deux pinceaux. Je me précipite pour les ramasser, elle me les arrache des mains et s'en va en reniflant.

"Pauvre de moi, dis-je. Je suis un con.

– Un con, répète Scottie.

– Oui, un vrai con.

– Un vieux con.

– Pauvre de moi !"

Je contemple ma femme. *J'ai besoin de toi. J'ai besoin de toi pour nous aider, les filles et moi. Je ne sais pas parler aux gens. Je ne sais pas vivre.*

J'entends une voix à l'interphone : "Monsieur King, le docteur passera vous voir dans une vingtaine de minutes."

Scottie regarde l'interphone, puis elle se tourne vers moi. "T'inquiète pas, dis-je. Ça va aller."

8

Je laisse Scottie regarder la télé. Je m'efforce de rester calme, mais je ne tiens pas en place. J'espère toujours qu'elle va parler à Joanie. Je finis par prendre la parole.

"Tu m'avais dit que tu avais une histoire à raconter à maman. J'aimerais que tu le fasses, maintenant. Tu veux bien ? Maintenant qu'Allison est partie ? Ça serait bien, tu sais. Ça aiderait maman."

Elle jette un coup d'œil vers le lit. "Laisse-moi d'abord essayer sur toi.

– D'accord. Vas-y. Je t'écoute.

– Pas *ici*", répond-elle en tournant son regard vers Joanie. D'un signe de tête, elle montre le couloir.

Je me lève et cache ma déception. Tout allait bien la première semaine de l'hospitalisation de Joanie, je me demande ce qui a pu changer la donne, ce qui lui passe par la tête. Le médecin prétend que c'est normal, que ce n'est pas évident de parler à quelqu'un qui ne réagit pas, qui plus est si c'est votre mère. Dans le cas de Scottie, c'est différent. Comme si elle avait honte de sa vie. Elle s'imagine qu'il faut qu'elle ait une histoire incroyable à raconter. Je la pousse toujours à lui parler de ce qu'elle fait à l'école, mais Scottie a peur de l'ennuyer et elle ne voudrait surtout pas que sa mère la trouve rasoir.

Nous passons dans le couloir.

"OK. Aujourd'hui, c'est le jour J. Tu vas parler à maman.

– Je crois que j'ai une histoire qui lui plaira." Elle se met sur la pointe des pieds, lève les bras pour former un *o*, balance une jambe d'avant en arrière. Elle prend des cours de ballet parce que sa sœur en suivait aussi, mais elle n'a ni sa grâce, ni son style. Son sabot claque le sol. *Slap !* Elle regarde par terre avant de relever la tête.

"Calme-toi. Raconte-moi ton histoire.

– D'accord. Imagine que tu es maman. Ferme les yeux et ne bouge pas."

Je ferme les yeux.

"Bonjour, maman", commence-t-elle.

Je manque de lui répondre, me reprends. Je reste immobile.

"Hier, je suis partie toute seule explorer les récifs devant la plage publique. J'ai des tas d'amis. Ma meilleure copine, c'est Reina Burke, mais j'avais envie d'être seule."

Au nom de "Reina Burke", j'ouvre les yeux, mais les referme aussitôt et me replonge dans son récit.

"Il y a un mec super mignon qui tient un stand sur la plage. Reina l'aime bien, aussi. Il a des yeux de girafe. Je suis allée faire un tour dans les récifs, en face de son stand. La marée était basse. J'ai vu des tas de choses. À un endroit, le corail était d'une très jolie couleur assez sombre, mais en m'approchant, j'ai vu que c'était pas du corail. C'était une anguille. Une murène. J'ai eu la frousse. Il y avait des centaines d'oursins et quelques concombres de mer. J'en ai même ramassé un que j'ai pressé entre mes mains, comme tu m'as appris à faire.

– Super, Scottie. Retournons auprès de maman, elle va adorer.

– J'ai pas fini."

Je ferme les yeux. J'aimerais pouvoir m'allonger. C'est plutôt agréable.

"Donc, j'étais accroupie dans les récifs, j'ai perdu l'équilibre et je suis tombée. Une de mes mains a atterri sur un oursin qui y a planté ses piquants. Ma main ressemblait à une pelote d'épingles. J'ai eu super mal, mais j'ai survécu. J'y suis arrivée. Je me suis relevée."

Je lui prends les mains, les examine. Les piquants ont laissé leur vésicule venimeuse dans sa paume gauche. On dirait de minuscules étoiles de mer noires décidées à élire domicile dans la main de ma fille. Je remarque d'autres étoiles de mer au bout de ses doigts.

"Pourquoi tu ne m'as pas dit que tu t'étais fait mal ? Pourquoi tu ne m'as rien dit ? Esther est au courant ?

– Je vais bien, murmure-t-elle comme si sa mère était là et qu'elle ne voulait pas qu'elle entende. Je m'en suis sortie. Je ne suis pas vraiment tombée.

– Comment ça ? Ce sont des marques de stylo ?

– Oui ?"

Je regarde de plus près. J'appuie sur les marques.

"Aïe, dit-elle avant de retirer sa main. C'est pas du stylo. C'est des vraies marques.

– Pourquoi tu as menti ?

– J'en sais rien. J'ai pas vraiment menti. Je suis pas vraiment tombée.

– Tu veux dire que l'oursin t'a sauté dessus et t'a attaquée, c'est ça ?

– Non, répond-elle.

– Alors quoi ?

– J'ai posé la main dessus. Mais ce n'est pas ce que je vais dire à maman.

– Quoi ? Comment ça, tu as mis la main dessus ? Scottie. Réponds-moi. Est-ce que Reina a quelque chose à voir là-dedans ?"

Elle semble surprise, elle redoute ma colère. "Je voulais avoir une bonne histoire à raconter." Elle pointe le pied devant elle, penche la tête sur le côté.

"Ne fais pas ta petite innocente, dis-je, avec moi ça ne prend pas."

Elle retire son pied.

"Tu n'as pas eu mal ?" J'imagine les aiguilles dans sa main, le sang, le sel sur ses piqûres. *Ça relève de la folie*, ai-je envie de dire. *Tu as un problème, ma fille.*

"Pas tant que ça.

– Tu parles ! Ça a dû te faire un mal de chien. Je n'en reviens pas. Franchement. Où était Esther ?

– Tu veux entendre la suite de l'histoire ?"

J'enfonce mes ongles coupés à ras dans ma paume pour avoir une idée de ce qu'elle a dû ressentir. Je secoue la tête. "Si tu veux.

– OK. Fais semblant d'être maman. Tu n'as pas le droit de m'interrompre.

– Je n'arrive pas à croire que tu te sois fait ça exprès. Qu'est-ce qui t'a...

– Tu n'as pas le droit de parler ! Tais-toi ou tu ne connaîtras jamais la suite."

Scottie poursuit son récit. Il y a tous les ingrédients d'une bonne histoire : scènes visuelles, point culminant, suspense, violence, tout y est. Elle me décrit les épines qui ressortaient de sa main, comment elle a escaladé la jetée comme un crabe à qui il manquerait une pince. Avant de regagner le rivage, elle prétend avoir contemplé l'océan, observé des nageurs autour des catamarans. Ceux qui étaient coiffés de bonnets de bain blancs ressemblaient, d'après elle, à des balises à la dérive.

Je ne la crois pas. Je suis certain qu'elle n'a pas pris le temps de regarder la mer : elle a dû filer retrouver Esther ou l'infirmière du club. Elle invente les détails, pose le décor, enjolive l'histoire pour sa mère. Avec Alexandra, c'était la même chose : que n'aurait-elle fait pour attirer l'attention de Joanie. Ou, qui sait, pour détourner un peu l'attention qu'on portait à sa mère. À mon avis, Scottie a pigé le stratagème.

"Grâce aux cours barbants de papa sur l'océan, je savais que ce n'était pas des aiguilles que j'avais dans la main, mais des petites arêtes pointues – des lamelles de calcite que le vinaigre aiderait à dissoudre."

Je souris. C'est bien, ma fille.

"Dis, papa, elle n'est pas barbante, mon histoire, si ?

– « Barbante » n'est pas le qualificatif que j'utiliserais. C'est le dernier adjectif qui me viendrait à l'esprit !

– Bon. Redeviens maman et tais-toi. Alors, maman, j'ai pensé que ce serait une bonne idée d'aller à l'infirmerie du club.

– C'est bien, ma fille.

– Chut, dit-elle, mais au lieu de ça, je suis allée voir le garçon mignon et je lui ai demandé de faire pipi sur ma main.

– Excuse-moi ?

– Oui, maman. C'est exactement ce que je lui ai dit. Je lui ai dit *Excuse-moi*, et je lui ai expliqué que je m'étais fait mal. Il a répondu *Oh là là ! Ça va ?* comme si j'étais une gamine de huit ans.

– Attends, dis-je. Pause ! Je ne suis pas ta mère.

– Il n'a pas compris, poursuit Scottie, du coup, j'ai posé la main sur le comptoir du stand.

– Scottie. J'ai dit *pause*. Qu'est-ce que tu racontes ? Tu mens ou pas ? Dis-moi que c'est une de tes inventions. Dis-moi que tu es juste une fille pleine d'imagination, archi-créative, et que tu as inventé tout ça."

J'ai lu que, vers cet âge-là, les enfants mentaient beaucoup. Je suis censé expliquer à ma fille que mentir peut nuire à autrui. "Écoute, dis-je, c'est une super histoire. On va la raconter à maman, mais entre toi et moi, est-ce que c'est vrai tout ça ?

– Oui", répond-elle, et j'ai le malheur de la croire. Je la crois. Je ne dis plus rien. Je me contente de hocher la tête.

Scottie poursuit. D'abord sur ses gardes, puis elle replonge dans son récit catastrophe.

"Il s'est mis à dire plein de gros mots. Je répéterai pas ce qu'il a dit. Après, il m'a dit d'aller à l'hôpital. « À moins que tu ne sois membre du club ? » il a ajouté. Il a proposé de m'y accompagner, j'ai trouvé ça super gentil. Il est sorti par l'arrière de son stand et j'ai fait le tour pour le rejoindre. Je lui ai dit ce qu'il devait faire pour que les épines sortent. Il a cligné des yeux je sais pas combien de fois, il a lâché d'autres gros mots. Il avait une espèce de peluche dans les cils. J'ai presque réussi à la retirer. Il regardait partout pour trouver de l'aide, mais on était seuls et je lui ai répété ce qu'il devait faire... Tu sais. Pipi. Alors il m'a raconté qu'il avait vu une scène dans *Alerte à Malibu* où un sauveteur aspirait le poison logé dans l'entrecuisse d'une femme. « Mais ensuite, elle a eu une crise, il m'a dit. Elle a été prise de convulsions sur le sable ! »"

Scottie imite la voix du garçon comme s'il était analphabète.

"« J'ai pas été formé pour ça, il disait. Moi, je vends juste des crèmes solaires, et il est pas question que je te pisse sur la main. »

Alors je lui ai dit ce que toi, maman, tu dis toujours à papa quand tu veux qu'il fasse une chose qu'il a pas envie de faire. Je lui ai dit « Arrête de faire ta chochotte », et ça a marché. Il m'a demandé de tourner la tête de l'autre côté, et de lui parler ou de siffloter pendant ce temps-là.

– Je peux pas écouter ça.

– J'ai presque fini, geint Scottie. Donc, pour le distraire pendant qu'il pissait, je lui ai parlé de tes courses de bateaux, mais je lui ai dit que t'étais pas une gouine, que t'étais mannequin mais que t'étais pas une chochotte. Je lui ai dit qu'au club tous les hommes étaient amoureux de toi, mais que, toi, tu n'aimais que papa.

– Scottie, dis-je. Il faut que j'aille aux toilettes.

– OK. De toute façon, j'ai fini. Tu la trouves pas hilarante, mon histoire ? C'était pas trop long, hein ?"

Je me sens nauséeux. J'ai besoin d'être seul.

"Elle est bien. Elle est super. Va la raconter à maman. Va lui parler." *Elle peut pas t'entendre de toute façon. Enfin j'espère.*

Je descends le couloir. Je prie pour que quelqu'un me tombe du ciel et me dise quoi faire. Scottie ne devrait pas avoir à inventer des drames pareils. Elle ne devrait pas en être réduite à se faire mal. À ce qu'on lui pisse dessus. Le problème, c'est que Joanie la trouverait hilarante, cette histoire. Je me souviens d'elle à l'époque où on sortait ensemble. Elle adorait inventer des histoires tragiques pleines de souffrance, d'hommes et de sexe.

"C'est fini entre nous, m'a-t-elle dit je ne sais combien de fois. Je ne peux pas rester à la maison tous les soirs à jouer au papa et à la maman. Je pense qu'on devrait voir du monde." Elle ne l'a jamais fait. Elle est restée. Après des moments d'euphorie, elle sombrait parfois dans l'amertume ou la tristesse, mais jamais elle n'est partie. Je me demande pourquoi.

9

J'entre dans la chambre. Scottie est assise sur le lit. La voir si près de sa mère me fait presque peur. Un polaroïd de Joanie est posé sur le lit. Joanie maquillée. Son vingt-quatrième jour. Je n'aime pas cette photo. Joanie a l'air d'avoir été embaumée.

"Je n'aime pas ça, dis-je en montrant la photo.

— Je sais", répond Scottie. Elle prend la photo et en fait une boule.

"Tu lui as parlé ?

— Je vais retravailler mon histoire, dit Scottie. Parce que si maman la trouve drôle, qu'est-ce qu'elle va faire ? Et si le rire se mettait à circuler en boucle dans ses poumons ou dans un coin de son cerveau, vu qu'il peut pas ressortir ? Et s'il finissait par la tuer ?

— Ça ne marche pas comme ça, dis-je, sans pour autant avoir la moindre idée de la façon dont ça marche.

— J'ai pensé que si je rendais mon histoire plus triste, ça lui donnerait envie de revenir.

— C'est déjà assez triste comme ça."

Elle me regarde, l'air de ne pas comprendre.

"Pas besoin de trop compliquer les choses, Scottie, dis-je avec rudesse.

— Pourquoi tu cries ?

— Il faut que tu parles.

— Je parlerai quand elle se réveillera. Pourquoi t'es en colère ?"

Comment lui expliquer que je suis en colère parce que j'ai l'impression de ne plus contrôler la situation ? Comment lui expliquer que je veux prouver à sa mère que je me débrouille très bien avec ma fille, que je la lui rends en meilleur état qu'elle ne l'était ? Comment lui expliquer que j'éprouve, sans savoir pourquoi, ce besoin désespéré qu'elle parle à sa mère, comme s'il n'y avait plus beaucoup de temps ?

Assis sur le lit, je contemple ma femme : la Belle au bois dormant. Ses beaux cheveux vous fileraient entre les doigts, comme après chacun de ses accouchements. Je pose l'oreille là où bat son cœur. J'enfouis mon visage dans sa chemise de nuit. Il y a longtemps que nous n'avons pas partagé une telle intimité. Qu'est-ce qui te pousse, Joanie ? Joanie, ma femme, la championne de hors-bord, le mannequin, la fille toujours prête à lever le coude. Je pense au petit mot. Au petit mot bleu.

"Tu m'aimes, dis-je. Nous avons notre fonctionnement et ça marche. Tu vas t'en sortir. D'accord ?

– Qu'est-ce que tu fais ?" demande Scottie.

Je lève la tête et me dirige vers la fenêtre. "Rien.

– Faut qu'on parte, reprend Scottie. J'ai besoin d'une nouvelle histoire."

Je lui explique que nous ne pouvons pas partir avant un moment. Nous devons attendre le Dr Johnston. À peine ai-je achevé ma phrase qu'il entre dans la pièce en lisant son dossier.

"Bonjour, Scottie, bonjour, Matthew", dit-il. Il lève la tête sans nous regarder dans les yeux. "Je t'ai fait signe, hier, tu ne m'as pas vu ?

– Non.

– Bonjour, docteur, dit Scottie, je viens de raconter à maman une histoire absolument sensationnelle."

Menteuse. Pourquoi ment-elle ? "Écoute, Scottie, tu ne veux pas aller à la boutique chercher un tube d'écran solaire pour la plage ?

– J'en ai un dans mon sac à dos", répond-elle.

Ce fichu sac à dos, il y a toujours tout là-dedans. On pourrait vivre dessus une dizaine d'années !

"Ils ont des bonbons, je parie", reprend le Dr Johnston. Il sort de sa blouse une carte en plastique de l'hôpital. "Tiens, paie avec ça." Il semble optimiste, franchement positif.

"J'ai pas faim, je veux rester ici, savoir comment va maman."

Le Dr Johnston me regarde. Il paraît soudain dépassé par les événements, épuisé. Ses épaules sont voûtées, le dossier pend contre sa blouse, comme s'il allait le lâcher.

Je le regarde et secoue la tête. Assise sur la chaise, jambes croisées, mains sur les genoux, Scottie attend.

"Eh bien, voilà." Il se redresse. "Comme vous le savez, sa réaction aux stimuli, qui, jusqu'ici, avait été encourageante, a baissé cette semaine. Disons toutefois que des patients avec des scores très faibles ont parfaitement récupéré, tout comme des patients avec des scores plus élevés n'ont montré aucune amélioration, mais dans ce cas précis, nous... nous...

– Écoute, Scottie, j'ai besoin de parler seul à seul avec le Dr Johnston.

– Eh bien non, c'est tout.

– Enfin, nous devrions en savoir davantage plus tard quant à combien de temps encore... elle restera dans ce service, à ce stade... achève le médecin.

– C'est bon signe, alors ? interrompt Scottie.

– Ce qu'il faut savoir, c'est que si un patient dans le coma survit sept à dix jours après un traumatisme crânien, on peut s'attendre à une survie à long terme, mais...

– Maman est ici depuis plus longtemps que ça ! Bien plus d'une semaine.

– Non, Scottie, dis-je.

– Elle peut survivre, mais la qualité de cette survie sera bien piètre, poursuit le médecin.

– Elle ne pourra plus faire ce qu'elle faisait autrefois", dis-je. Je regarde le Dr Johnston pour voir s'il est de mon avis. "Plus de moto. Plus de bateau.

– Comme ça, elle pourra plus se faire mal, conclut Scottie.

– Allez, viens, on part à la plage."

J'observe le Dr Johnston, ses sourcils broussailleux, ses mains tavelées, labourées de rides. Je le revois lors de réunions entre amis à Hanalei, ou lors des vacances de Noël que nos familles passaient ensemble dans de veilles maisons de planteurs, aux planchers vermoulus qui grinçaient, aux pièces mal éclairées, voilées de moustiquaires, peuplées de fantômes. Caché la plupart du temps derrière un chapeau de cow-boy, il passait ses journées à pêcher ou à jouer de la guitare, un talent que mon père n'avait pas et qui séduisait et apaisait les gamins que nous étions. Mon père partait pêcher en haute mer, un jour il avait rapporté un marlin dont le nez en forme d'épée pointait d'un air accusateur. La plupart du temps, il rapporterait du thon. On assistait alors à un renversement des rôles : les hommes prenaient d'assaut la cuisine, faisaient des tas d'histoires pour une malheureuse sauce ou pour que le barbecue soit à la bonne température.

Je me demande s'il se souvient, lui aussi, de ces moments, où, jeune garçon, je le regardais bouche bée jouer de la guitare. Une situation comme celle-ci doit être difficile pour lui, il doit se sentir mal à l'aise. Il me connaît depuis ma naissance, depuis cet instant où, nu comme un ver, je lui ai filé entre les mains. Il note quelque chose sur la feuille d'observation. Je dois me retenir pour ne pas m'accrocher à lui en le suppliant de m'aider, parce que je n'y connais rien. De me dire exactement ce qui va se passer. De me jouer un morceau. De me sortir d'ici.

"Donc maman va bien", conclut Scottie. Le Dr Johnston ne dit rien, et je n'en sais toujours pas plus si ce n'est que ça n'augure rien de bon. Scottie ramasse ses affaires. À peine s'est-elle détournée que le Dr Johnston pose la main sur mon épaule. Son air impassible m'effraie.

"Tu pourrais repasser plus tard ? me demande-t-il, il faut qu'on parle seul à seul.

— Bien sûr."

Il sort de la chambre et, au moment où il s'engage dans le couloir, j'entrevois son profil, décidé, presque rageur.

"À la plage !" s'exclame Scottie qui sort de la pièce sans même un regard pour sa mère. Je demande en silence à ma femme de m'excuser de la laisser ici, de ne pas m'en vouloir pour ses mauvais résultats que je ne sais pas interpréter, de nous pardonner d'aller à la plage et, qui sait, d'y passer un moment agréable. Restera-t-elle paralysée ? Saura-t-elle encore lire et écrire ? Je l'embrasse sur le front et je lui dis que je prendrai soin d'elle. Quoi qu'il arrive, je serai toujours là pour elle. Je lui dis que je l'aime, parce que c'est vrai.

10

Les buissons du club disparaissent sous les planches de surf. Une houle est arrivée du sud, un vent fort gonfle les vagues. Nous suivons l'allée de sable le long du restaurant, une terrasse aux colonnes de corail. Au plafond, des ventilateurs brassent l'air. Grand amateur de sports nautiques, le cousin de mon grand-père a fondé ce club, il y a une centaine d'années, après avoir affermé pour dix dollars par an ce terrain en front de mer hérité de la reine. Dans l'entrée, à côté d'un portrait de Duke Kahanamoku, on lit sur une plaque : QU'EN CE LIEU L'HOMME SOIT EN PARFAITE COMMUNION AVEC LE SOLEIL, LE SABLE ET LA MER, QU'IL Y RÈGNE UNE BONNE CAMARADERIE ET L'ESPRIT *ALOHA*, ET QUE LES SPORTS TRADITIONNELS DE HAWAII Y AIENT À JAMAIS LEUR PLACE. Aujourd'hui, chacun peut se sentir en parfaite communion avec le soleil, le sable et la mer après avoir acquitté un droit d'entrée démarrant à quinze mille dollars, plus une cotisation mensuelle et un rite d'initiation destiné à blackbouler les candidats dont le pedigree laisserait à désirer. J'ai essayé de l'expliquer à Scottie le jour où le père de son amie a vu sa demande d'admission rejetée : les membres du comité le soupçonnaient d'entretenir des liens avec les yakusas. Elle n'a pas compris.

"Un pedigree qui laisse à désirer ? avait-elle dit. Comme pour un pékinois ?"

On déteste ces petits chiens.

"Plus ou moins. En fait, non. Ce n'est pas comme ça qu'il faut voir les choses, ma puce." Je l'aimais bien, le père de son amie. Il était du genre discret alors que tant de gens vous bassinent les oreilles. Chaque fois que je l'ai vu, nous ne nous sommes jamais tombés dans les banalités. Nos brefs échanges ont toujours été plaisants. La rumeur qui le reliait à la mafia japonaise me le rendait encore plus sympathique. Qui ne voudrait pas avoir un ami dans la mafia ?

Scottie passe devant les grandes fenêtres aux volets en bois. Je la suis. Elle va jusqu'à la terrasse, gravit les marches du restaurant, relativement vide car tout le monde est dehors. Ici, on pratique aussi bien les sports traditionnels de Hawaii que les plus récents – le club serait à l'origine du beach-volley, d'où ces ballons qui atterrissent constamment sur le crâne des fervents du bronzage.

"On partira pas avant que quelque chose de drôle, de triste ou d'horrible me soit arrivé ! déclare Scottie.

– Je t'ai à l'œil, toi.

– Dans tes rêves !

– Non, pas dans mes rêves ! Je n'ai pas l'intention d'être dans tes pattes, mais je ne te laisserai pas seule une seconde.

– C'est pas juste. C'est trop la honte." Elle regarde autour d'elle.

"Fais comme si je n'étais pas là. Ce n'est pas négociable. De toute façon, tous tes amis sont en classe." Je devrais l'y renvoyer. Je travaillerais, elle étudierait. Je ne sais pas pourquoi j'éprouve le besoin de l'avoir en permanence sous les yeux en ce moment.

Scottie me montre les tables près du restaurant, elle me suggère de m'y asseoir. À l'une d'elles, des dames font une partie de cartes. Elles me plaisent, ces octogénaires en tenue de tennis, même si je doute qu'elles y jouent encore.

Scottie se dirige vers le bar. Le garçon, Jerry, me fait un signe de tête. Je regarde ma fille grimper sur un des tabourets. Jerry lui prépare un daïquiri sans alcool avant de la laisser goûter à l'une des mixtures dont il a le secret. "J'aime bien le cocktail à la goyave, mais le citron vert ça m'excite", déclare-t-elle.

Je lis le journal emprunté à l'une de ces dames. Curieux d'écouter et d'observer, j'ai changé de table, je me suis rapproché du bar.

"Comment va ta mère ? demande Jerry.

– Elle dort toujours." Scottie se tortille sur son tabouret. Ses jambes n'atteignent pas le repose-pieds, elle s'assied en tailleur et s'efforce de garder son équilibre.

"En tout cas, tu lui diras bonjour de ma part. Dis-lui qu'on l'attend tous ici."

Scottie réfléchit. "Je ne lui parle pas", avoue-t-elle à Jerry. Son honnêteté me surprend.

Jerry rajoute de la chantilly dans son verre, elle boit une gorgée de son daïquiri et se frotte la tête. Elle recommence. Elle pivote sur son tabouret, prend une photo de Jerry et se met à chanter : "Tout le monde m'aime, mais mon mari m'ignore, je vais devoir avaler le ver. Sers-moi un Cuervo Gold, Jerry chéri."

Jerry nettoie les bouteilles, histoire de faire du bruit.

Je me demande si Joanie la fredonnait souvent, cette petite chanson, si ce n'était pas sa façon habituelle de commander de la tequila.

"Donne-moi deux verres de tout ce que t'as", crie Scottie, qui se prend pour sa mère. Je voudrais aider Jerry, mais je ne bouge pas. Je ne suis pas en mesure de lui venir en aide pour le moment.

"Qu'est-ce que tu aimes d'autre comme chanson ? demande-t-il. Si tu en chantais une ?"

Les ventilateurs brassent l'air. Le soleil chauffe mon côté droit, je m'enfonce dans mon siège. Je me concentre sur le journal que je feignais de lire et je tombe sur la rubrique hebdomadaire "Les gosses de Creighton Koshiro". Elle porte sur la vie des enfants de l'île – ceux qui incarnent l'esprit *aloha* et qui sont les premiers de leur classe, ceux qui ont accompli un exploit comme courir le marathon avec une jambe en moins ou qui ont eu un geste charitable, comme donner leur collection de poupées Bratz à des petites filles du Zimbabwe. Cette chronique m'insupporte autant que les autocollants qui vantent la présence d'un bachelier mention très bien à bord d'une voiture. Jamais une de mes filles ne sera une de ces gosses-là.

J'entends Scottie, je baisse mon journal et la vois qui se contorsionne pour regarder ses fesses par-dessus son épaule. Elle remue son popotin en chantant : "*I like it like that*. Fais-moi bouger cette graisse."

Ça suffit. Je m'apprête à me lever, mais Troy s'avance vers le bar. Troy le Grand, Troy le Magnanime, le Fils à Papa. Je me cache vite fait derrière mon journal. Ma fille se tait : Troy lui a gâché son effet. Je suis sûr qu'il a hésité à venir quand il l'a vue, mais il était trop tard pour faire demi-tour.

"Salut Scottie, dit-il. Regarde-moi ça !

– Et toi, regarde-toi, répond-elle d'une voix étrange, presque méconnaissable. Tu as l'air éveillé. Allez, fais *cheese*." J'entends le clic de l'appareil photo.

"Euh, merci, Scottie."

Euh, merci, Scottie. Troy est un attardé. Son arrière-grand-père a inventé le caddie pour aider les ménagères à faire leurs courses. Troy n'a donc rien d'autre à foutre de ses journées que de coucher avec toutes les femmes qu'il rencontre et de plonger ma femme dans le coma. Ce n'était pas sa faute, mais il s'en est tiré sans une égratignure. Joanie était la seule femme à participer à cette course annuelle, elle faisait équipe avec Troy sur un catamaran à moteur de douze mètres. Troy m'a raconté que, au virage n° 8, ils suivaient de près un autre bateau. Il a voulu le dépasser. Faute de place, il a dû se rabattre sur la gauche pour ne pas dévier de sa trajectoire.

"Comment ça, *tu* as essayé de le dépasser ? lui ai-je demandé.

– C'est moi qui conduisais, m'a-t-il répondu. Joanie était aux manettes cette fois et moi, je voulais vraiment être au volant."

Au moment où ils contournaient une balise, Troy a tenté une nouvelle fois de dépasser l'autre bateau. Une vague les a fait décoller et partir en vrille. Joanie a été éjectée. Elle ne respirait plus quand les sauveteurs l'ont sortie de l'eau. De retour de la course, Troy n'arrêtait pas de répéter : "Clapot et creux de vague. Clapot et creux de vague." C'était la première fois qu'il conduisait. D'habitude, c'était Joanie.

"Tu es passé la voir à l'hôpital ? demande Scottie.

– Oui. Ton père y était.

– Qu'est-ce que tu lui as dit ?

– Je lui ai dit que le bateau était en état. Qu'il attendait son retour. Que c'était une femme courageuse."

Un vrai primate. Je ne supporte pas qu'on dise qu'une personne est courageuse alors qu'elle ne fait que survivre. Joanie n'aimerait pas ça non plus.

"Sa main a remué, Scottie. Je crois vraiment qu'elle m'a entendu."

Troy est torse nu. Il ne porte jamais de chemise. Ce type a des muscles dont je ne soupçonnais pas l'existence. Il est à la fois athlétique, plein aux as et con comme la lune. Ses yeux ont la couleur d'une piscine d'hôtel. Tout à fait le genre de type avec lequel Joanie copine.

Au moment où je vais poser mon journal, j'entends ma fille déclarer : "Le corps a des réflexes naturels. Tu tranches la tête d'un poulet, tu le vois qui continue à courir, mais ça reste un poulet mort."

Jerry tousse, Troy discourt sur la vie, les citrons et les tirants de botte.

Quand je finis par me montrer, Troy est en train de s'éloigner. Scottie sort en courant de la salle à manger. Je la suis. Elle se dirige vers la digue. Je la rattrape avant qu'elle ne saute. Les larmes lui montent aux yeux. Elle relève la tête pour les retenir. En vain. Je veux pleurer moi aussi. Me mettre à genoux et pleurer.

"Je voulais pas dire poulet mort ! gémit-elle. C'est juste que maman bouge tout le temps, qu'elle a tout plein de tics. Ça veut rien dire !

– On rentre, dis-je.

– Pourquoi est-ce que tout le monde fait tellement de sport, ici ? Maman, Troy et toi vous vous croyez tellement cool. Comme tout le monde ici. Pourquoi vous faites pas partie d'un club de lecture ? Pourquoi maman peut pas juste se relaxer à la maison ?"

Je la prends dans mes bras, elle me laisse faire.

"Je veux pas que maman meure, dit-elle.

– Bien sûr que non." Je l'éloigne de moi, je sonde ses yeux noirs. "Bien sûr que non.

– Je veux pas qu'elle meure comme ça, dit-elle. Pendant une course ou une compétition. Je l'ai déjà entendue dire qu'elle partirait d'un coup. Moi, j'espère qu'elle partira en s'étouffant avec un grain de maïs ou en glissant sur un bout de papier-toilette quand elle sera très vieille.

– Bon sang, Scottie. Où est-ce que tu vas chercher tout ça ? Rentrons. Tu ne penses rien de ce que tu dis. Je n'aime pas t'entendre parler comme ça. Et d'ailleurs maman ne va pas mourir."

Son visage est bouffi. Elle a les cheveux gras. Et cet air dégoûté. Un air très adulte.

"Écoute-moi. Ta mère te trouve géniale. À ses yeux, tu es la fille la plus jolie et la plus futée qui soit.

– Elle pense que je suis une trouillarde.

– Non, ce n'est pas vrai. Pourquoi penserait-elle une chose pareille ?

– J'ai pas voulu monter avec elle sur le bateau et elle a dit que j'étais une poule mouillée.

– Elle plaisantait, c'est tout. Elle pense que tu es la fille la plus courageuse du monde. Elle m'a dit que ça l'effrayait, de voir à quel point tu étais courageuse.

– C'est vrai ?

– Mais oui." Joanie disait souvent que nous élevions deux petites froussardes, mais de tous les mensonges que je raconte, celui-ci est vital : je ne veux pas que Scottie en vienne à détester sa mère comme Alexandra, elle, a pu la détester et la déteste peut-être même encore.

"Je vais nager, déclare Scottie.

– Non, dis-je. Ça suffit pour aujourd'hui.

– Oh ! Papa, s'il te plaît !" Elle s'accroche à mon cou et chuchote : "Je veux pas qu'on voie que j'ai pleuré. Laisse-moi juste faire un saut dans l'eau.

– Bon. Je reste ici." Elle range son appareil photo dans son sac à dos, se déshabille, me jette ses vêtements, me tend deux photos, saute depuis la digue, atterrit sur la plage et se précipite vers la mer. Elle plonge, réapparaît au bout d'une minute. Assis sur la digue de corail, j'observe Scottie, les autres enfants et leurs mères. Elles en trimballent un barda, les mères ! Goûter, jouets, parasols, serviettes de bain... Je n'ai rien de tout ça, pas même une serviette pour accueillir Scottie à sa sortie de l'eau. À ma gauche, j'aperçois un petit récif, des oursins noirs sont lovés dans les anfractuosités des rochers. Comment Scottie a-t-elle bien pu flanquer la main sur l'un d'eux ?

Je regarde la photo de Jerry, puis celle de Troy. Son sourire est sincère, ses muscles sont aussi luisants que s'il les huilait. La terrasse du restaurant se remplit de clients qui sirotent des boissons glacées roses, rouges ou blanches. Un vieil homme sort de l'eau, un canoë à une place en équilibre sur l'épaule. Un sourire las tremblote sur son visage, comme s'il revenait d'une bataille en haute mer.

Sur la terrasse et sur la jetée, les torches s'allument. Je distingue encore les ferries qui passent devant la manche à air pour regagner le rivage. Le soleil n'est plus qu'une tache frémissante à l'horizon. C'est presque l'instant du rayon vert. Pas tout à fait, mais presque. Au moment où le soleil va sombrer, un rayon vert semble parfois jaillir de la mer. Le guetter fait partie du folklore local. Il est temps que je ramène Scottie à la maison et que je retourne à l'hôpital.

Les enfants sortent de l'eau et courent vers les serviettes que leur tendent leurs mères. Lointaine, mais distincte, la voix de l'une d'elles m'arrive de l'océan. "Viens ici, ma chérie. Il y en a partout."

Scottie est la seule encore dans l'eau. Je ramasse ses affaires, j'enjambe le mur et je crie : "Scottie ! Scottie ! Sors tout de suite !

– Attention, il y a des physalies par là-bas", me signale la femme. Un jeune enfant s'accroche à sa jambe, elle essaie de s'en débarrasser. "C'est sans doute la houle qui les a amenées. Elle est à vous, cette gamine ? ajoute-t-elle, montrant du doigt Scottie qui s'éloigne des catamarans et nous rejoint à la nage.

– Oui", dis-je. Elle est à moi, et je ne sais pas quoi faire d'elle.

Scottie finit par sortir de l'eau. Elle tient une minuscule physalie. Le corps gélifié de l'animal, le flotteur, cette espèce de ballon d'un bleu translucide, est posé sur sa paume, un tentacule plus foncé est enroulé autour de son poignet.

Armé d'un bâton, je l'en débarrasse. "Qu'est-ce que tu as fait ? Pourquoi tu as fait ça ?" Je perce le ballon pour que l'animal ne pique pas d'autres enfants.

Les gamins ont les yeux rivés sur le bras de ma fille marqué d'une ligne rouge. Ils reculent. Le plus jeune est attiré par la physalie.

"Ballon ?" Il tend la main vers l'animal. Sa mère intervient, il se roule dans le sable en pleurnichant.

"Vous voulez que j'appelle un maître nageur ? demande la femme.

– Je m'en occupe, dis-je. Scottie, file te rincer le bras." Elle part vers la terrasse. "Non. Dans la mer.

– Y en a pas que sur mon bras, marmonne-t-elle. Je nageais au milieu de toute une colonie de ces bestioles.

– Ça va ?" demande la femme. Les autres enfants retournent vers l'océan. "Je vous interdis de mettre les pieds dans l'eau ! hurle-t-elle, si fort qu'on la prendrait pour un arbitre de tennis.

– Ne vous inquiétez pas pour ma fille", dis-je. Mon Dieu, faites que cette femme s'en aille et que son gosse cesse de brailler, c'est pénible à la fin ! Elle ne peut pas lui fourrer une tétine ou un bonbon dans le bec ?

Je lui tourne le dos et me dirige vers l'océan.

"Pourquoi tu es restée là-dedans, Scottie ? Comment tu as pu supporter ça ?"

J'ai été piqué des centaines de fois par ces saloperies. Ce n'est pas si douloureux que ça, mais les enfants pleurent toujours quand ils se font piquer. À tous les coups.

"Je me disais que ça serait drôle de raconter à maman que j'avais été attaquée par une colonie de *pissenlits*.

– Voyons, c'est pas des *pissenlits* et tu le sais très bien." Quand elle était enfant, j'aimais boire une bière sur la plage devant les récifs face au couchant tandis que Joanie faisait sa musculation. Scottie me montrait des spécimens de la faune marine, et je leur inventais des noms. J'appelais ainsi les physalies "pissenlits" et rebaptisais le poisson-globe "crève-ballon", l'oursin "porc-épic de l'océan" et la tortue de mer "bouclier des eaux salées". Ça m'amusait, mais maintenant, je crains que Scottie ne connaisse pas les choses sous leur vrai jour, que mes leçons d'histoire naturelle ne nous jouent de mauvais tours.

"Bien sûr que je le sais, idiot, riposte Scottie. Je les appelle pissenlits pour m'amuser. Maman va adorer."

Elle retourne dans l'eau.

"Oh." Elle sort de l'eau, commence à se gratter. Des stries apparaissent sur sa poitrine et sur ses jambes.

"Ça ne va pas, dis-je. Tu dois juste dire à maman qu'elle te manque. Elle n'a pas besoin qu'on lui raconte une histoire.

– Très bien. Dans ce cas, rentrons. Je lui raconterai juste ce qui s'est passé.

– Il faut qu'on rentre, qu'on mette de la pommade et de la glace sur ces piqûres. Le vinaigre ne ferait qu'aggraver les choses, alors si tu pensais demander à ton copain aux yeux de girafe de faire pipi dessus, faudra que tu repasses."

Elle acquiesce comme si elle s'était préparée à cette idée : la punition, les médicaments, le gonflement, la douleur présente et à venir. Elle semble accepter que je ne sois pas d'accord. Elle a son histoire, après tout. Elle commence à comprendre que la douleur physique est beaucoup plus facile à supporter que la douleur psychologique. Je regrette qu'elle doive apprendre cette leçon à un si jeune âge.

"Il y a sûrement de la pommade et de la glace à l'hôpital", dit-elle.

Nous remontons l'allée de sable jusqu'à la terrasse du restaurant. Troy est assis à une table avec des gens que je connais. Je regarde Scottie, elle est en train de lui faire un doigt d'honneur. Tous poussent un cri, mais je comprends que c'est à cause du soleil couchant et du rayon vert... On l'a raté, ce fameux rayon. Le soleil a disparu. Le ciel est rose. Je tente de saisir la main provocatrice, mais décide plutôt de corriger le geste.

"Regarde, Scottie. Ne laisse pas ce doigt tout seul en l'air. Lève un peu les autres. Voilà. C'est comme ça qu'on fait quand on est cool !"

Troy nous regarde avec des yeux ronds, un vague sourire aux lèvres. Cette fois, il ne sait plus du tout où il en est.

"C'est bon, ça suffit." Tout d'un coup, Troy me fait pitié. Il doit être vraiment mal à l'aise.

Je pose la main dans le dos de Scottie pour la guider. Elle sursaute. Je me rappelle qu'elle a mal partout, je retire ma main.

"On peut aller à l'hôpital ?" demande-t-elle. Nous passons devant les vestiaires avant de regagner le parking.

"Je te ramène à la maison, dis-je.

– J'ai une histoire, et je veux la raconter à maman."

Sa voix résonne dans le parking. Elle refuse d'avancer.

Je me retourne. "Allez, viens."

Elle secoue la tête. Je la rejoins, l'attrape par la main, mais elle se dégage. "Je veux voir maman ! Sinon, je vais oublier ce que j'ai à lui dire."

Je saisis son poignet avec plus de fermeté. Elle hurle. Je regarde autour de moi et continue à marcher. Elle continue à crier. Bientôt, nous hurlons tous les deux dans le parking souterrain. Nos cris de colère rebondissent sur les murs.

Dans la voiture, Scottie boude. Je décide de téléphoner au Dr Johnston. Je ne veux pas retourner à l'hôpital. J'ai trop à faire. Je demande à une infirmière de le biper. Il me rappelle. Scottie donne un coup de klaxon. Je l'ignore.

"Matthew, dit-il.

– On peut parler ? Dites-moi tout." Debout dans le parking, j'observe Scottie.

"La pression intracrânienne a augmenté, dit-il. On a drainé du liquide céphalorachidien et on pourrait l'opérer, mais compte tenu de son degré de coma, je crains que ça ne serve à rien. Tu as sans doute remarqué que, ces derniers temps, elle n'a ni ouvert les yeux ni bougé aucun membre. Les lésions cérébrales sont très graves. Je suis désolé. On a déjà évoqué la possibilité de..."

Je veux l'aider. Je ne veux pas qu'il ait à prononcer ces mots, à annoncer ça à un garçon qu'il connaît depuis toujours.

"D'un plan B ?" dis-je. C'était le terme que j'avais employé.

"Oui, je le crains. Un plan B.

– D'accord. Oui, d'accord. On en reparle. Je vous verrai demain. Vous commencez maintenant ? Vous allez tout débrancher dès maintenant ?

– J'attends de te voir demain, Matthew.

– D'accord, Sam." J'éteins mon téléphone. J'ai peur de retourner à la voiture où une gamine attend que j'arrange les choses. Une gamine persuadée que sa mère va s'en tirer et que son père pourra ainsi retourner dans les coulisses familiales et limiter ses apparitions au soir, pour les distraire et dîner, et au matin, pour un petit-déjeuner sur le comptoir de la cuisine. Après avoir enjambé manuels scolaires, cartables, gadgets et fringues, il prendra la porte et disparaîtra pour la journée. Debout, immobile dans le parking, je pense au plan B. Ce plan signifie que ma femme est dans un état végétatif persistant. Qu'elle souffre de graves dysfonctionnements neurologiques. On va venir me parler de don d'organes. Le plan B signifie qu'on va cesser de l'alimenter, de la soigner, de l'aider à respirer. On arrêtera les perfusions. On arrêtera les médicaments. Autrement dit, on la laissera mourir.

J'entends le bruit des pneus d'une voiture qui prend un virage. Je la vois descendre dans notre sous-sol. Les larmes me montent aux yeux, je les essuie. La conductrice m'aperçoit, elle s'arrête. *Qu'est-ce qui vous donne le droit de vivre si longtemps ?* ai-je envie de dire à cette vieille femme qui peine à voir par-dessus le volant de sa Cadillac auquel elle s'agrippe de toutes ses forces. Je la regarde baisser sa vitre et je reste là, curieux de savoir comment elle va s'y prendre pour me faire bouger.

"Puis-je passer ? demande-t-elle.

– Désolé", dis-je et je lui laisse la voie libre.

11

Nous sommes sur l'autoroute H1, coincés dans les bouchons derrière un 4x4 dont la vitre arrière nous offre l'image d'une femme aux seins ronds comme des saladiers. Je n'arrive pas à repérer la raison de cet embouteillage, mais il n'y en a sans doute pas. La circulation est un concept aussi mystérieux que le cerveau, le maquillage ou les filles de dix ans. Les piqûres de Scottie sont devenues des lésions toutes rouges. Je lui prends la main dès qu'elle commence à se gratter. Sa peau est mouchetée de taches grises, parce que je l'ai empêchée de se rincer à l'eau claire pour permettre au sel de mer d'activer la cicatrisation.

Je lui demande : "Tu as la tête qui tourne ? Tu as mal au cœur ?"

Elle renifle. "Je crois que j'ai un rhume." Jamais elle n'admettra que sa baignade au milieu d'invertébrés venimeux y est pour quelque chose. Elle est mal en point et elle n'insiste plus pour retourner à l'hôpital parce qu'elle a fini par se rendre compte que son histoire n'est pas si bonne que ça.

Pour lui remonter le moral, je lui dis : "Demain, quand on sera à la maison, il faudra que tu te rases les jambes pour enlever le reste des nématocystes."

Elle contemple ses jambes au duvet brun clair et sourit. "C'est Reina qui va flipper ! Et après, je serai forcée de me raser tout le temps. Ça va être chiant !

– Non. Tu ne le feras que cette fois.

– Tu crois que j'ai fait aussi mal à l'oursin que lui m'a fait mal ?

– Aucune idée." J'entends la musique du 4x4, ou plutôt je sens ses vibrations qui font trembler nos vitres. Je repense à l'oursin. Je n'avais pas pensé qu'il pouvait avoir mal.

"Pourquoi mes amis les appellent parfois des « pissenlits » ?

– On mâche les mots et on finit par oublier d'où ils viennent.

– Ou les papas mentent, ils inventent des noms.

– C'est possible aussi."

La circulation redevient fluide, comme par magie. Je dépasse la sortie habituelle pour rentrer à la maison. Scottie ne le remarque pas.

La semaine dernière, quand le Dr Johnston a évoqué l'inimaginable alternative, il m'a expliqué que dans le cas d'une personne comme Joanie, dont les dernières volontés interdisaient l'intubation et la respiration artificielle, le protocole habituel était de réunir la famille et les proches pour un dernier au revoir.

"Laisse-les prendre toutes les dispositions. Dire ce qu'ils ont à dire. Le moment venu, ils seront prêts. Du moins, aussi prêts qu'on peut l'être en pareilles circonstances."

Je l'ai écouté de la même oreille que j'écoute une hôtesse de l'air m'expliquer les mesures de sécurité en cas d'amerrissage.

Le plan B.

Des feux arrière rouges à perte de vue. Je ralentis. À présent, je dois rassembler tout le monde et leur annoncer qu'il faut la laisser partir. Je ne le dirai à personne par téléphone parce que je n'ai pas apprécié que le médecin m'apprenne la nouvelle comme ça. Comme il l'a dit, j'ai environ une semaine devant moi pour prendre les dispositions nécessaires. Nécessaires, mais non moins accablantes. Comment apprendre à mener une famille ? Comment dire adieu à quelqu'un que j'aime tellement que j'ai oublié à quel point je l'aime en réalité ?

"Pourquoi est-ce qu'on les appelle des méduses ? demande Scottie. Parce que leurs filaments ressemblent à des serpents, comme les cheveux de Méduse ?

– Une physalie n'est pas une méduse, dis-je, une réponse qui n'en est pas une. Voilà une bonne question. Tu deviens trop futée pour moi, Scottie !"

Je ne suis pas sûr d'avoir fait le bon choix en l'amenant avec moi, mais je me dis que je ne peux plus m'en remettre à Esther. Ni à personne. Je dois reprendre mes filles en mains, et j'ai décidé qu'elles dormiraient toutes les deux à la maison ce soir.

J'aperçois la sortie d'autoroute qui mène à l'aéroport. Je regarde l'heure.

"Qu'est-ce que tu fais ?" finit par demander Scottie. Un jet passe en vrombissant au-dessus de nous. Je lève la tête et j'aperçois le gros ventre gris qu'il hisse dans le ciel.

Je prends la sortie. "On va chercher ta sœur."

DEUXIÈME PARTIE

Le chemin du Roi

12

Chaque fois que j'atterris sur la Grande Île, j'ai l'impression de remonter le temps. Hawaii paraît désolée, comme si elle venait d'être frappée par un tsunami.

J'emprunte la route familière bordée de caroubiers épineux, de plages de sable noir, de cocotiers dans lesquels babillent des perroquets sauvages. L'air fraîchit. Un léger *vog* – ce mélange de brouillard et de cendres volcaniques qui sent la poudre à canon – recouvre tout, accentuant cette impression d'abandon et de destruction. Je roule entre les champs de lave noire, striés de cette roche crayeuse qu'utilisent les jeunes pour leurs déclarations d'amour. Ce sont les graffitis de notre île. *Keoni aime Kayla*, *Fierté hawaiienne*, et le plus élaboré : *6 tu lis ça T Gay*. Parmi les rochers aux arêtes brutales, j'aperçois des *heiau* et des pierres empilées sur des feuilles de thé, des offrandes aux dieux.

"C'est quoi ça ?" me demande Scottie. Elle est recroquevillée dans son siège, je ne vois pas son visage.

"C'est quoi quoi ? dis-je, sondant le vide du regard.

– C'est une piste."

Je finis par distinguer le couloir de pierres bousculées par les eaux entre les coulées de lave. "C'est le King's Trail, le chemin du Roi.

– Ça s'appelle comme ça à cause de nous, les King ?

– Non. Tu n'en as jamais entendu parler en classe ?

– Peut-être.

– Tu es une drôle de Hawaiienne !

– Je suis ta fille, c'est tout !"

Nous contemplons le chemin qui s'étire sans fin autour de l'île.

"C'est le roi Kalakaua qui l'a fait construire. Ou plutôt qui l'a remis en état. C'est celui qu'empruntaient tes ancêtres." Nous le suivons comme s'il s'agissait d'une grand-route des temps anciens. Ce que c'est, au fond. Creusé par les bagnards, il a été nivelé par le piétinement des troupeaux et les allées et venues des hommes. Ce sont ceux qui n'avaient pas payé leurs impôts qui ont construit cette piste, je me suis toujours souvenu de ce détail.

"Il date de quand ? me demande-t-elle.

– D'il y a très longtemps. Du XIXe siècle.

– C'est très vieux, ça." Elle ne quitte pas des yeux le chemin et sa bordure de roches, mais à l'approche des collines et des ranchs de Waimea, je m'aperçois qu'elle dort. Le jour, les collines verdoyantes sont tachetées de vaches et de chevaux, mais à cette heure-ci, les animaux ne sont plus là. Je franchis des barrières disloquées, j'ouvre la vitre pour respirer l'air frais, l'odeur des pâturages, du fumier et des selles de cuir. Les senteurs de Kamuela. Mes grands-parents possédaient un ranch dans le coin. Enfant, lors de séjours chez eux, je ramassais des fraises, montais à cheval et conduisais des tracteurs. Un monde étrange, une alchimie de soleil, de fraîcheur, de cow-boys, de plages, de volcans et de neige que dominaient le Mauna Kea et son observatoire. Je me revois gesticulant, imaginant que les astronomes me regardaient moi plutôt que leurs silencieuses planètes.

Je prends le sentier de terre battue, longe les écuries, les bâtiments de l'école et finis par arriver à l'internat.

J'ai hâte de revoir ma fille. Et je suis un peu inquiet. Quand je lui ai parlé, la semaine dernière, elle avait une drôle de voix. Je lui ai demandé ce qui n'allait pas : "Le prix de la coke, m'a-t-elle répondu.

– Arrête tes bêtises, quoi d'autre ? ai-je rétorqué.

– Qu'est-ce qu'il pourrait y avoir d'autre ?"

Elle a prétendu que c'était une plaisanterie. Une horrible plaisanterie, compte tenu des circonstances.

Je ne sais pas ce que j'ai fait de travers, mais on dirait que quelque chose en moi incite mon entourage à s'autodétruire. Joanie avec ses hors-bord, ses motos et son alcoolisme. Scottie avec son oursin, Alex avec la drogue et sa carrière de mannequin. Alex m'a confié avoir commencé à prendre de la drogue pour effrayer sa mère, mais peut-être qu'en réalité elle cherchait à savoir quel effet ça faisait d'être sa mère. Alexandra donne l'impression d'aimer et de mépriser sa mère avec la même intensité, mais ces conflits intimes ont sûrement disparu maintenant, ou ne vont plus tarder à le faire. On ne peut pas en vouloir à une mourante.

Je repense au *Buzz*, la gérante m'avait confié que Joanie y mettait l'ambiance. Je suis sûre que si elle meurt – quand elle mourra –, elle affichera une photo de ma femme, parce que c'est le genre de la maison : des photos des célébrités locales et des clients défunts tapissent les murs. Je trouve triste qu'il faille que Joanie en passe par là pour que sa photo soit au mur, ou pour que je commence à vraiment tout aimer en elle, ou pour qu'Alex lui pardonne ce qu'elle a pu faire de mal.

Je vais lentement à cause des nids-de-poule. Je jette un œil sur Scottie, elle dort toujours. Je trouve plutôt bien que l'école n'ait pas encore pavé le chemin.

Au moment où je gare la voiture sur le parking et où je coupe le contact, Scottie ouvre les yeux.

“On y est”, lui dis-je.

13

Il est dix heures du soir. La maîtresse d'internat me dévisage comme si elle avait devant elle l'être le plus irresponsable de la planète. Dehors, il fait froid et Scottie est en short, les jambes dévorées par les moustiques. Je suis dans un dortoir, où je suis venu chercher ma fille, alors que j'aurais pu le faire à une heure décente. Nous sommes sur le seuil de la chambre de la maîtresse d'internat. Au fond, j'aperçois une télé. Elle porte une ignoble chemise de nuit en flanelle. Apparemment elle regardait *American Idol*. Je ne sais plus où me mettre.

Elle nous conduit à un escalier, Scottie le gravit quatre à quatre. Essoufflée, la femme ralentit.

Je me réjouis de constater que tout le monde dort et que ce n'est pas le dortoir habituel où la vie commence à dix heures du soir. Je fais part à la maîtresse d'internat de mon heureuse surprise. Je sais que c'est une des meilleures écoles privées de Hawaii, mais ça fait tout de même plaisir de voir des jeunes loin de chez eux aussi respectueux de la discipline.

"Nous nous efforçons de reproduire le rythme qu'ils auraient chez eux, dit-elle. À cette heure-ci, la plupart des jeunes qui vivent chez leurs parents sont au lit ou lisent tranquillement. Le week-end, c'est un peu différent, mais le niveau des études est tel qu'entre le travail scolaire et le sport, nos élèves ont un emploi du temps très chargé la semaine et que, le soir, ils sont épuisés. Vous trouverez Alexandra au bout du couloir." Debout en haut des marches, se tenant à la rampe, la responsable nous montre le chemin.

Scottie nous précède en courant.

"Quelle porte ?" hurle-t-elle.

Et moi de lui répondre tout aussi fort : "Baisse la voix !" Ce qui nous vaut un regard désapprobateur de la femme qui me prévient qu'elle va frapper et entrera la première au cas où Alex et sa camarade seraient en petite tenue. Nous attendons qu'elle reprenne son souffle et parvienne au bout du couloir. Je regarde l'heure. Scottie la devance, elle frappe à la porte. Furieuse, la femme manque de la gifler.

"C'est pas la bonne porte !" s'exclame-t-elle.

Une fille passe la tête, je me détourne, au cas où.

"Pardon de vous avoir dérangée, Yuki, dit la maîtresse d'internat. Nous nous sommes trompées de porte.

– Je peux me recoucher ? Je dormais.

– Oui, rendormez-vous.

– Bonsoir", dis-je, ahuri de constater le silence feutré du pensionnat. J'imagine des rangées de filles qui rêvent, blotties sous leur couette.

La maîtresse d'internat frappe à la bonne porte. Pas de réponse. Ma fille rêve, blottie sous sa couette.

"Je vais la réveiller", décide la femme, plongeant dans l'obscurité.

Scottie se dévisse le cou pour entrevoir la chambre de sa grande sœur. Je réfléchis à ce que je vais dire à Alex. Comment vais-je lui annoncer qu'elle est en train de perdre sa mère ? Ils font tout drôle ces mots : perdre une mère... Nous perdons une mère. Ma femme sera bientôt morte.

La maîtresse d'internat ressort de la chambre et referme la porte.

"Elle dort ?

– Non."

J'attends qu'elle continue. "Elle s'habille ?

– Non, répond-elle, la main sur la poignée de la porte. Alexandra n'est pas ici."

Nous la cherchons dans la salle de bain, dans la salle d'étude, dans la salle télé. Nous jetons un coup d'œil dans les chambres de ses copines.

La responsable est dans tous ses états, moins inquiète de la sécurité de ma fille que des incidences négatives que l'absence d'Alexandra pourrait avoir sur sa réputation. Elle parle et parle, un véritable moulin à paroles. J'ai l'impression qu'on essaie de me vendre quelque chose.

"Les filles doivent regagner les bâtiments de l'internat à sept heures", dit-elle. Nous redescendons au rez-de-chaussée pour réveiller une autre camarade d'Alexandra. "Elles sont censées être en salle d'étude jusqu'à neuf heures. Pas de jeux, pas de films, pas de bavardage."

Scottie ne tient pas en place. Sous les néons du couloir, ses rougeurs virent à l'écarlate. Sur son T-shirt on peut lire : VOTEZ POUR PEDRO. Je n'ai pas la moindre idée de ce que ça veut dire. Ses cheveux se dressent par endroits, à d'autres on dirait de l'étoupe. Près de l'oreille, ils sont collés par une substance bizarre. Elle a bu du punch aux fruits dans l'avion, ses lèvres et son menton ont la couleur de la viande crue. Elle me rappelle ces animaux qui gisent sur le bord de la route, victimes d'automobilistes.

"Je suis sûr qu'elle est avec une amie, dis-je, comme toutes les filles de son âge.

– Elles parlent garçons, intervient Scottie.

– Ici, le règlement est très strict en ce qui concerne l'extinction des lumières. Ce serait un grave écart de conduite.

– Qu'est-ce qui va lui arriver ? demande Scottie. Elle va être punie ? C'est ce qui m'arrive à moi. Je n'ai plus le droit de regarder la télé, mais avec mon TiVo j'enregistre quand même mes programmes préférés. Esther ne sait pas ce que c'est qu'un TiVo.

– Moi aussi j'ai un TiVo, répond la femme.

– Esther est la personne qui nous aidait à la maison, dis-je.

– Elle continue de le faire, précise Scottie. Elle fait la cuisine, le ménage et elle me frotte le dos."

Je ris. "Voyons, Scottie, ne fais pas ta petite sotte.

– Je fais pas ma petite sotte.

94

– Elle est où, cette copine ?" dis-je. Le couloir semble interminable. La femme s'arrête enfin devant une chambre. Elle frappe, entre, referme la porte. Nous nous retrouvons face à deux noms, HANNAH et EMILY, dessinés au feutre violet sur un carton bleu lavande, entourés de fleurs découpées dans du carton jaune. Je reconnais l'odeur d'un Crayola violet. Quelqu'un a dû passer un temps fou à réaliser ce truc, et je suis content qu'Alexandra profite de cette camaraderie de filles de son âge. Des filles qui dessinent sur un bout de carton et se lancent dans des découpages de fleurs très compliqués.

La maîtresse d'internat ressort de la chambre, et rien qu'à la voir, je flaire un problème. "Emily n'est pas ici non plus. Retournons à la chambre d'Alexandra. Elle doit être revenue.

– Sinon sa camarade de chambre nous dira peut-être ce qui se passe", dis-je.

La copine finit par craquer. Ça prend un bout de temps. Elle dit qu'Alex lui bottera le cul pour avoir cafté, je la rassure. Sa pauvre camarade de chambre. Difficile d'imaginer un couple plus mal assorti. Elle a l'air d'une demeurée, avec sa bouche grande ouverte, ses cheveux hirsutes et son rhume des foins. De son côté de la chambre, il y a des peluches sur sa couette bleu marine, mais aucune affiche, ni photo, ni vraiment quoi que ce soit qui donne une idée de ses goûts, de sa popularité ou des revenus de ses parents. La partie de la chambre qui lui est réservée trahit sa solitude, alors que celle d'Alexandra disparaît sous les hommages à sa personne et à ses choix. Je vois briller des photos sur papier glacé, je repère aussi des affiches de garçons faisant du moto-cross, des CD, des produits de maquillage, des vêtements, des chaussures et des sacs à n'en plus finir.

Nous nous dirigeons tous les trois vers le terrain de foot. Je ne sais pas ce que nous y trouverons et je crois que la maîtresse d'internat et moi, nous avons un peu peur. Elle a enfilé un anorak sur sa chemise de nuit, et je me frotte les bras pour me réchauffer. Scottie me donne la main. On n'y voit pas à deux mètres. Le terrain est inégal, Scottie trébuche. L'herbe est mouillée. Le revers de mon pantalon aussi. Je regarde les chevilles nues de Scottie. Elle fait du bruit en respirant parce que le fond de l'air est froid et qu'elle voit son souffle, à sa plus grande joie.

Enfin, j'aperçois deux silhouettes avec ce qui ressemble à des clubs de golf. Une balle blanche traverse le ciel, suivie de cris enthousiastes. Ma fille joue au golf au clair de lune avec sa copine. J'ai soudain la nostalgie d'une vie que je n'ai jamais connue : l'internat, une adolescence de fille.

"Mesdemoiselles !" hurle la maîtresse d'internat.

Elles se tournent vers nous.

J'appelle : "Alex !" Ses cheveux ont poussé, ils lui arrivent en dessous des épaules, et même d'ici je peux apprécier sa beauté, la régularité de ses traits.

"Papa ?

– Alex ! hurle Scottie. C'est moi !"

L'autre fille décampe, mais elle ne va pas très loin, elle se casse la figure, son club à la main. Je me précipite et la trouve la figure dans la boue, étalée de tout son long comme si elle prenait un bain de soleil. Elle se retourne, la bouche ouverte, les yeux fermés. Je me rends compte qu'elle rit et qu'elle est complètement soûle. Quand elle peut enfin parler, elle dit : "J'ai fait le par, putain !"

Alexandra s'appuie sur moi en se tordant de rire. "Qu'est-ce que tu fiches ici, papa ?

– Madame Murphy, dit l'autre fille d'une voix pâteuse, vous venez faire un parcours avec nous ? Dix-huit trous ?"

Et c'est reparti : les filles se retiennent une seconde, puis elles éclatent de rire. Alexandra tombe à genoux. "Mon Dieu, dit-elle. Oh ! Mon Dieu !"

Scottie rit à son tour, elle imite sa sœur complètement ivre.

"Dix-huit trous." L'amie d'Alex reprend son souffle entre deux éclats de rire. "Dix... Hu... it trous !"

"Mesdemoiselles !" n'arrête pas de hurler Mme Murphy. Je ne sais pas comment leur faire comprendre que ça suffit, que nous devons regagner l'aéroport pour attraper le dernier vol qui me ramènera à Oahu où je dois réunir nos proches pour leur dire que cette fois ça y est, Joanie, la vaillante Joanie a perdu la bataille.

Scottie parvient à les calmer. "Alex, dit-elle, maman va rentrer à la maison."

Alex se tourne vers moi pour vérifier, je lève la tête et regarde le ciel. La nuit est claire. Sans les lumières d'Oahu, les étoiles envahiraient le ciel. "Non, dis-je. Ce n'est pas vrai.

– Alors, qu'est-ce qui se passe ? Elle va mieux ?"

Alex s'appuie sur son club de golf avec un sourire narquois.

"Je vais te ramener à la maison, maman n'est pas bien.

– Qu'elle aille se faire foutre, maman", rétorque-t-elle. Là-dessus, elle s'éloigne d'un pas décidé, puis elle expédie son club dans l'obscurité. Nous levons les yeux, regardons autour de nous, mais aucun de nous ne voit le club atterrir.

De retour à la maison, Scottie regagne sa chambre sans dire un mot. Je porte Alex. Ce qu'elle est lourde ! Comme si elle avait besoin d'être essorée. J'ai du mal à aller jusqu'à sa chambre. Je pourrais m'arrêter et la laisser dormir sur le canapé, mais je tiens à ce qu'elle passe la nuit dans son lit et puis j'aime la porter, la sentir blottie contre moi, comme un bébé.

Je lui retire ses chaussures et ramène les couvertures sur elle. Elle ressemble à Joanie. Je la regarde dormir. *Que s'est-il passé ?* Cette phrase résonne en boucle dans ma tête. Je quitte la pièce sans fermer les volets. Demain, le soleil se lèvera sur le Ko'olaus, et un jour sans pitié frappera son visage.

14

J'essaie de donner à Alex la possibilité et le temps de s'excuser pour son comportement. Nous sommes à la cuisine, elle boit un Coca et mange des céréales qui ressemblent à celles qu'on donne aux lapins.

"Comment tu te sens ?" dis-je.

Elle hausse les épaules et mâchonne puis elle approche le bol de ses lèvres.

"Maman te laisse boire du Coca au petit-déjeuner ?

– Elle m'a jamais vue prendre mon petit-déjeuner.

– Où est Scottie ?"

Elle hausse à nouveau les épaules.

"En tout cas, je suis content de te voir, Alex. Bienvenue à la maison."

Elle dessine des cercles dans les airs avec sa cuillère, puis elle se lève et va mettre son assiette dans l'évier.

"Mets-la dans le lave-vaisselle", dis-je.

Elle sort de la cuisine et je vais rincer son bol dans l'évier avant de le mettre dans le lave-vaisselle. Elle réapparaît. Cette fois elle parle au téléphone. Elle a pris avec elle ses lunettes de soleil, un livre, une serviette et un autre Coca.

"Alex, dis-je. J'aimerais te parler.

– Je vais me baigner.

– Bon, dans ce cas je vais nager, moi aussi.

– Parfait."

Dans la piscine, elle sautille d'un pied sur l'autre. Elle renverse la tête en arrière et s'essore les cheveux. Je plonge, espérant produire mon effet, et quand je refais surface, elle regarde l'eau, l'air dégoûté. L'eau est froide, des nuages cachent le soleil. En traversant le bassin, je zigzague entre les feuilles mortes du manguier et les restes ambrés des termites.

"Sid va venir, dit-elle.

– Qui est-ce ?

– Mon ami. Tu vas le rencontrer. Je viens de l'appeler, il arrive.

– Quel ami ? Un garçon de HPA*?

– Non, il est d'ici. On était dans la même classe à Punahou, ça fait des années qu'on se connaît.

– Ah. Bon.

– Il a des problèmes. Il va sans doute rester ici un peu, il sera là pour moi, avec toute la merde qui nous arrive.

– Bon, dis-je. Tu as tout prévu. Où est-ce qu'il habite ?

– À Kailua.

– Tu crois que je connais ses parents ?

– Non." Elle me regarde droit dans les yeux.

"Je serai heureux de faire sa connaissance", dis-je.

On entend des coups dans la porte coulissante par laquelle on accède à la piscine. Scottie, en body noir, traverse en courant le patio en briques.

– Qu'est-ce que tu fous là-dedans ! crie Alex. Je t'interdis de prendre mes affaires !

– Ne lui crie pas dessus comme ça, dis-je.

– Y en a marre, putain ! Elle porte mes sous-vêtements !

– Et après ? Tu trouves que ça vaut vraiment la peine d'en faire toute une histoire ?" Je regarde Scottie. Ce n'est quand même pas rien. Le body flotte sur sa poitrine et entre ses jambes. "Allez, Scottie, rentre mettre un vrai maillot de bain.

– Pourquoi ?

– File."

J'ai droit à un doigt, dans les formes, comme je le lui ai appris, après quoi elle se précipite dans la maison.

"Tu fais un super boulot, commente Alex.

---

* *Hawaii Preparatory Academy*, une école hawaiienne.

– Que Scottie te chipe tes petites culottes, c'est pas bien méchant, que mes performances en tant que parent soient à améliorer, sans doute, en revanche, ce qu'il y a de beaucoup plus grave à mes yeux, c'est de te retrouver ivre, en pension, alors que tu es censée t'acheter une conduite.

– J'avais bu, c'est tout, papa ! Je me suis acheté une conduite, comme tu dis. Ça va bien mieux, mais vous n'avez jamais rien remarqué. Personne n'a dit que je faisais des efforts, personne ne m'a félicitée pour la façon dont j'ai joué dans cette pièce idiote que vous vous êtes même pas donné la peine d'aller voir. Alors qu'est-ce que ça peut te foutre si tu me trouves bourrée le soir où tu te pointes là-bas ? Hein ?

– Calme-toi, dis-je. Reprends-toi, et calme-toi.

– Atterris, papa !

– Comment ça ?

– Tu piges rien à rien. Je veux retourner à la pension." Elle lève la tête vers le ciel pour laisser flotter ses longs cheveux châtains dans l'eau. Ils en ressortent tout brillants. Assise sur la marche dans la piscine, elle repêche des termites et les aligne sur le bord.

"Pourquoi elle s'est tartinée de crème, Scottie ?" demande-t-elle.

Je lui raconte l'incident de l'oursin, des physalies, Lani Moo.

"C'est dingue, dit-elle.

– J'ai besoin de ton aide." Je pose les bras sur les briques tièdes du patio et je laisse mes jambes s'agiter dans l'eau derrière moi.

Elle s'éloigne de la marche, plonge et refait surface avec une petite feuille en forme de losange piquée sur ses cheveux. Je la retire et la pose sur l'eau.

"Peut-être que je devrais lui parler", dit Alex. Elle penche la tête vers le soleil et ferme les yeux. C'est pas une mauvaise idée. Il faut que quelqu'un lui parle.

"Ce serait bien. Il ne faut plus que tu te mettes dans cet état avec elle, même si elle t'a piqué tes sous-vêtements. De toute façon, qu'est-ce que tu fabriques avec ce genre de sous-vêtement ?

– C'est maman qui me l'a donné. Je ne le porte même pas.

– Bon, quoi qu'il en soit, sois gentille avec elle.

– Peut-être, on verra. Personne n'a jamais été gentil avec moi et je m'en suis sortie. Forte comme un bœuf." Elle sort le bras de l'eau et exhibe son biceps.

Un geste qui me fait chaud au cœur et m'attriste à la fois, parce que nous ne pouvons pas plaisanter, la vie n'a rien de drôle ces temps-ci et peut-être qu'elle ne le sera plus jamais. Il faut que je lui dise.

Alex se retourne et se hisse sur le bord de la piscine, laissant flotter le bas de son corps. Je pense à ses cartes postales : pourquoi Joanie l'a-t-elle laissée poser ?

"Écoute, Alex, ta mère n'est pas bien.

– Sans blague, répond-elle.

– Fais attention à ce que tu dis. Je ne veux pas que tu dises des choses que tu pourrais regretter, comme hier soir. Elle ne va pas se réveiller. Les médecins vont arrêter les soins. Tu comprends ce que je te dis ? On arrête."

Elle demeure immobile.

"Tu as entendu ce que je viens de te dire ? Viens là.

– Quoi ? Qu'est-ce que tu veux ?

– Rien. Juste te consoler.

– Ah ouais. Ouais, je vois.

– Pourquoi tu cries comme ça ?

– Il faut que je me tire d'ici !" Elle ramène les mains dans l'eau, grimace en éclaboussant son visage. "Arrête ça ! hurle-t-elle, écarlate et dégoulinante.

– Arrête quoi ? Je n'ai rien dit."

Elle se cache le visage derrière ses paumes.

"Alex." J'essaie de l'attirer à moi, mais elle me repousse.

"Je comprends pas ce qui se passe, dit-elle.

– Nous lui disons au revoir. Voilà ce qui se passe.

– Je peux pas." Après deux inspirations rapides et bruyantes, ses épaules se mettent à trembler.

"Je comprends, dis-je. Nous allons nous aider mutuellement dans cette épreuve, je ne vois pas ce qu'on peut faire d'autre.

– Et si elle s'en sort ?

– Je vais demander au Dr Johnston de te parler. Tu comprendras mieux. Maman a voulu que ce soit comme ça. Elle a écrit dans ses dernières volontés que c'était ce que nous devions faire.

– C'est tellement bizarre." Des larmes ruissellent, sa respiration est précipitée. "Pourquoi tu me dis ça dans cette piscine à la con ?

– Je sais. Je sais. Ça s'est trouvé comme ça, OK ?

– Et puis je suis pas en état d'assumer ça, en ce moment, crie-t-elle.

– Je sais. On va aller la voir. Si on y allait maintenant ? Tu veux y aller maintenant ?

– Non, répond Alex. J'ai besoin d'un peu de temps...

– Je comprends. Je pensais à nos amis hier soir. Ils devraient être mis au courant de la situation. Et je me suis dit que je devrais les prévenir, mais en personne. Par respect pour eux, tu vois. Pour ta mère aussi. Tu pourrais peut-être m'accompagner ?"

Nous nous retrouvons à présent au centre de la piscine, sans trop savoir comment. Nous flottons, en agitant les jambes et en chassant l'eau avec les bras. Je sens qu'elle se fatigue.

"Nous pouvons parler de ta mère avec nos amis, nous consoler mutuellement et honorer sa mémoire."

Alex se met à rire.

"Je sais, ça fait bidon, dis-je. On le ferait uniquement pour ses amis intimes, et pour Barry et tes grands-parents. Même si ça se résume à leur dire simplement ce qui se passe. On n'est pas forcé de rester, mais j'aimerais les mettre au courant en personne.

– C'était pas pour ça que je riais.

– Alors, tu viens avec moi ? On pourrait commencer par Racer et continuer par tes grands-parents. J'ai beaucoup réfléchi à qui prévenir et j'ai décidé que ce serait juste la famille et ceux qui aiment ta mère et la connaissent le mieux."

Hier soir, j'ai revu la liste des noms en contemplant l'autre moitié du lit, les deux oreillers de Joanie l'un près de l'autre, comme elle les aime. Je n'ai pas l'habitude de dormir seul, et j'ai beau avoir davantage de place, je me cantonne de mon côté du lit, je n'empiète jamais sur le sien. C'est ici qu'on regardait la télé, qu'on parlait de notre journée. Le soir, c'était aussi le moment où on se rendait compte à quel point on se connaissait bien, tous les deux. Personne d'autre ne pouvait partager une telle intimité ni nous comprendre. "Tu imagines si quelqu'un enregistrait notre conversation ? disait-elle en riant. Il nous prendrait pour des cinglés."

Je me suis aussi souvenu de toutes ces nuits où elle sortait tard avec des copines et rentrait titubante, sentant la tequila et le vin. Elle revenait à des heures impossibles, et parfois elle n'était même pas soûle. Elle se glissait sous les couvertures sans bruit, avec grâce, voilée de son parfum au gardénia. Je me demande si une part de moi-même ne se satisfaisait pas qu'elle soit occupée, ça me permettait de me concentrer sur mon travail, de créer mon propre héritage plutôt que d'emprunter celui de mes ancêtres. Oui, une part de moi-même devait apprécier la solitude.

Alex est pâle et essoufflée. Elle me lance un regard déchirant, suppliant. Je ne peux pas t'aider, voudrais-je lui dire. Je ne sais pas comment t'aider. "Accroche-toi", lui dis-je.

Elle hésite, puis elle s'accroche à mes épaules comme autrefois. Je la ramène en nageant vers le petit bain. Arrivés au bord, je pose la main sur son dos. Le soleil apparaît et se cache aussitôt. L'eau est sombre, aussi sombre qu'en pleine mer.

"Allons tous chez Racer, puisque c'est à deux pas d'ici, de là nous irons chez tes grands-parents puis à l'hôpital, d'accord ? C'est un bon itinéraire.

– Je vois vraiment pas l'intérêt, dit Alex. Tu n'as qu'à leur passer un coup de téléphone. Je refuse de parler de maman avec tout le monde. C'est ridicule.

– Écoute, Alex, il faut que tu oublies tous les soucis que tu as pu avoir avec ta mère à Noël. Ce n'est rien du tout. Tu aimes ta mère, ta mère t'aime. Laisse tomber et passe à autre chose !

– J'arrive pas à passer à autre chose ! s'écrie-t-elle.

– Comment ça ? Qu'est-ce qu'il y avait de si grave ?

– Toi, répond-elle, c'est à cause de toi que je me suis disputée avec elle."

Le soleil se montre à nouveau. J'aime cette sensation de chaleur sur mes épaules. "À cause de moi ?"

Elle me regarde puis contemple l'eau. "Elle te trompait."

J'observe son visage, impassible, sans expression. Seul son nez remue un peu sous l'effet de la colère. Là-dessus, j'entends un bruit, comme si quelqu'un appuyait de façon répétée sur la touche d'une machine à écrire. Je lève la tête : un hélicoptère s'élève au-dessus d'Olomana.

Je devrais ressentir quelque chose, normalement : un violent frisson, une chaleur intense ou mon sang qui se glace dans mes veines, mais tout ce que je ressens, c'est que je viens d'apprendre une chose que je savais déjà. Comme si le vent de panique qui m'agitait était soudain tombé. Je songe au petit mot sur ce bout de carton bleu et je souffle bruyamment.

"Elle te l'a dit ? Tu les as surpris ?

– Non. Bon, plus ou moins. Je les ai plus ou moins surpris.

– Raconte-moi, dis-je. Vite. C'est invraisemblable." Je me hisse hors de l'eau et m'assieds sur le bord de la piscine. Elle fait pareil et nous laissons nos jambes pendre dans l'eau.

"J'étais rentrée pour Noël, je partais en voiture chez Brandy et je l'ai vue avec lui.

– Tu allais où ?

– Chez Brandy, sur Kahala Avenue.

– Et alors, tu l'as vue marcher en compagnie d'un autre homme et tu en as déduit qu'il se passait quelque chose ?

– Non, j'entrais dans Black Point et je les ai vus dans l'allée menant à sa maison à lui.

– Il habite Black Point ?

– Apparemment.

– Et alors quoi ?

– La main dans le dos de maman, il l'a fait entrer dans la maison ou, du moins, dans le jardin.

– Et alors ?

– Alors, plus rien. Elle est entrée dans la maison. Il avait toujours la main dans le dos de maman.

– Et qu'est-ce que tu as fait ?

– J'ai continué jusque chez Brandy, je lui ai raconté ce qui s'était passé et nous en avons parlé toute la journée ou presque.

– Tu as dit quelque chose à maman ? Pourquoi tu ne m'en as pas parlé ?

– J'en sais rien. Tout ce que je voulais, c'était m'en aller. La voir près de toi me rendait malade. J'étais furieuse contre elle et j'étais vraiment triste pour toi. À vrai dire, je suis retournée en classe en me disant que cette fois c'était fini entre elle et moi. Elle savait que je savais. C'est pour ça qu'elle m'a renvoyée en pension. Elle ne voulait pas de moi à la maison." Alex ramène ses genoux contre elle. "J'avais décidé de tout te dire, mais il y a eu l'accident, et du coup j'ai changé d'avis. J'aurais attendu qu'elle soit de retour, je crois.

– Je suis désolé, Alex. Tu ne devrais pas être mêlée à ce genre de problèmes.

– Sans blague !

– Je ne peux pas... On ne peut pas lui en vouloir dans ces circonstances."

Alex se tait. Nous observons l'hélicoptère qui continue à tourner autour du même endroit.

"À quoi il ressemblait ?"

Alex hausse les épaules. "J'en sais rien.

– Comment elle a su que tu savais ?

– Je lui ai dit que je ne pouvais plus supporter de la voir et que je savais ce qu'elle faisait. Mais je lui ai jamais jeté en pleine figure. On s'est disputées. Je suis partie. Et tout le monde a été bien content que je reparte.

– Écoute, Alex, il faut qu'on fasse un effort pour nous entendre."

Elle détourne le regard, ce qui signifie en général qu'elle est plus ou moins d'accord.

"Il faut que je sache qui c'est", dis-je.

Alex se laisse glisser dans l'eau. Je la suis, je touche le fond, elle et moi faisons du surplace, décrivant de petits cercles avec nos jambes et nos bras. Ses cheveux ondoient au-dessus de sa tête. L'eau scintille le long de son corps. Mon gros orteil effleure le fond de la piscine. Nous nous regardons jusqu'à ce que des bulles jaillissent de sa bouche. Elle fait un appel du pied et je remonte derrière elle pour respirer.

"Je vais chez les Mitchell, dis-je. Tu veux m'accompagner ?

– Pour quoi faire ?

– Pour les mettre au courant de l'état de maman et leur demander qui est ce type.

– Il faut que j'attende Sid", répond-elle.

Nous sortons de l'eau. Je dois avoir une sale tête, parce que ma fille n'arrête pas de me demander si je me sens bien. Nous rentrons dans la cuisine, mon short dégouline sur le carrelage. Scottie empile des boules de crème glacée sur un bagel, je vois le bout de sa petite langue pointer au coin de ses lèvres à mesure qu'elle se sert. Je suis au bord des larmes. Alex me touche le poignet, je tressaille et me tourne vers elle avec un sourire, mais j'ai les lèvres qui tremblent.

"Je vais chez les Mitchell", dis-je à nouveau.

Esther revient avec une pile de torchons. Elle regarde les filles, me regarde. Je dois être pâle comme un linge. Je dois avoir l'air complètement paumé, parce qu'elle secoue la tête et fait claquer sa langue contre son palais. Elle range les torchons dans un tiroir, murmure quelque chose à l'oreille d'Alex, puis se dirige vers moi d'un pas décidé. Je recule, mais elle m'attrape par la tête et m'attire contre sa poitrine. Horrifié, je regarde ses seins, mais je me laisse faire et, pour la première fois, je verse de chaudes larmes, comme si je venais de prendre conscience de ce qui arrive à ma femme, à ma famille et à moi. Ma femme ne va pas revenir, ma femme ne m'aimait pas, et maintenant c'est à moi de mener la barque.

15

Je me gare dans l'allée des Mitchell. Le jardin foisonne de fougères et d'arbres à thé, une végétation si luxuriante et si touffue que les piliers de l'auvent disparaissent sous les vrilles de la vigne vierge. Alex m'a conseillé de leur apporter des gâteaux, mais je crois surtout qu'elle espère profiter de ceux qui resteront. Elle est capable de manger toute une boîte de *malasadas* à elle seule.

Je gravis le perron avec les pâtisseries, qui me paraissent brusquement incongrues. Je ne les ai pas avertis par téléphone de ma visite pour qu'ils ne puissent pas répéter leurs réponses.

"Y a quelqu'un ?" Je regarde à travers la porte grillagée. Je rentre et je crie : "C'est moi, c'est Matt !"

Ils dévalent l'escalier, le visage tout rouge. Mark et Kai Mitchell sont nos amis, mais ils sont plus proches de Joanie que de moi. Mark paraît gêné d'être surpris en bas de pyjama. On dirait qu'ils viennent de faire l'amour, mais je doute que ce soit le cas. Les gens mariés ne font pas l'amour le matin, j'en suis à peu près sûr.

"Vous dormiez ? Je suis désolé."

D'un geste, Kai me met à l'aise. "Non, nous nous disputions, rien de plus. Assieds-toi. Tu veux une tasse de café ?

– Avec plaisir, j'ai apporté des gâteaux."

Je pose ma contribution au petit-déjeuner sur la table de la cuisine, mais Mark brandit une boîte de céréales.

"Blé complet, précise-t-il.

– Ah."

Tous deux s'asseyent devant leur tasse de café, leurs céréales au blé complet et leurs vitamines. J'attrape une vache en porcelaine remplie de crème fleurette que je verse dans mon café.

"Pourquoi vous vous disputiez ?

– Oh ! un truc stupide, répond Mark.

– Ça n'a rien de stupide. Monsieur veut donner des soirées, inviter du monde et qui se tape tout le boulot ? Ma pomme !

– Mais ce que j'essaie de te dire c'est que, cette fois, tu n'auras pas à remuer le petit doigt. Tu n'auras ni à nettoyer la maison, ni à faire les courses, ni à aller te chercher une nouvelle tenue, ni même à te creuser la cervelle pour trouver un thème. J'inviterai les gens, on boira et on rigolera, c'est tout !

– C'est pas aussi simple que ça.

– Bien sûr que si ! C'est ce que je veux te montrer.

– Oh ! Mon Dieu ! s'exclame Kai. Dis-nous, Joanie... Ça va ? On est en train de parler pour ne rien dire...

– Oui, disons qu'elle va bien, pour le moment." Je m'interdis de continuer, imaginant leur tête quand j'assénerai la nouvelle. Je veux les laisser finir leurs céréales tranquillement. Je ne veux pas de condoléances, je ne veux ni en donner ni en recevoir, et je comprends que je ne vais pas pouvoir faire ça avec tous ceux qui sont sur ma liste.

"J'essaie d'accepter certaines choses", dis-je. Je regarde Kai. J'ajoute : "De tourner la page.

– Je comprends", répond-elle.

Mark est silencieux. Il peut rester des heures sans ouvrir la bouche. Il a l'air perpétuellement abasourdi.

"Qui est-ce ?" je demande.

Ils restent là, chacun sa tasse contre ses lèvres, pendant un temps fou. Mark attrape une tartelette à la crème anglaise qu'il enfourne presque en entier dans sa bouche.

"Est-ce qu'elle l'aime ? Qui est-ce ?"

Kai fait glisser sa main sur la table, elle touche presque la mienne. "Matt, dit-elle.

– Je sais que je vous mets tous les deux mal à l'aise, mais il faut absolument que je sache. J'aimerais vraiment savoir qui baise ma femme." Et aussitôt, je me rends compte que, de chaleureux au départ, le ton de ma voix est devenu glacial.

Kai ramène sa main vers elle. "Tu es en colère, dit-elle.

– Sans blague ?" J'enfourne une tartelette pour m'empêcher de parler, mais j'ajoute néanmoins : "Bien sûr que je suis en colère !

– C'est pour ça !" murmure Kai.

Mark écarquille les yeux.

Je mâche la pâtisserie. Elle est si bonne que je fais presque la remarque à voix haute. "C'est pour ça que quoi ?"

Silence. Je souris parce que Kai est dans de sales draps maintenant. "Alors, c'est pour ça qu'elle me trompait, parce que je parle la bouche pleine, ou que je jure comme un charretier ? Parce que je suis grossier et mal élevé ?

– Oh. Je pense qu'on ferait mieux de parler de tout ça une autre fois. Tu as besoin de te calmer."

Je me tourne vers Mark. "Je ne pars pas d'ici.

– Tu ne le connais pas, répond Mark.

– Mark, tu n'as pas intérêt à... intervient Kai. Tu es l'ami de Joanie, tu devrais avoir honte !

– N'oublie pas que je suis aussi un ami de Matt. Et puis c'est une situation particulière."

Kai se lève. "C'est ce qu'on appelle trahir quelqu'un.

– Pardon ? dis-je. Trahir quelqu'un ! Et moi, dans l'affaire ? Elle me trompait, tu te rappelles ?

– Écoute", dit Kay. Elle pose le coude sur la table et pointe le doigt sur moi. "Ce n'est pas sa faute. Elle a des besoins. Elle se sentait très seule.

– Et ça a continué jusqu'à l'accident ?"

Mark fait oui de la tête.

J'insiste : "Qui est-ce ?

– Je suis resté en dehors de tout ça, répond Mark. Chaque fois que Kai abordait le sujet, je m'éloignais.

– Et toi, je parie que tu buvais ça comme du petit-lait", dis-je à Kai. À mon tour, de pointer le doigt. "Tu l'as sûrement encouragée à avoir une liaison, histoire de pimenter un peu ta vie sans prendre de risques.

– Tu es ignoble." Elle ponctue sa phrase d'un gémissement, mais avec moi, ça ne prend pas.

"Vous pouvez me dire qui vous protégez, au juste ? Joanie n'a pas besoin de votre protection. Elle va mourir, dis-je, la gorge serrée.

– Ne dis pas ça ! s'exclame Kai.

– Elle ne se remet pas. Son état se détériore. Nous allons la débrancher."

Kai fond en larmes, je me sens soulagé. Je décide de la réconforter, Mark fait de même. "Pardon, dis-je. Je ne suis pas moi-même, je ne voulais pas m'en prendre à vous."

Kai hoche la tête, histoire de me faire savoir, sans doute, qu'elle partage mon avis.

"Elle l'aime ?"

Mark me regarde, l'air absent. Il n'en a visiblement pas la moindre idée. Ce sont des histoires de femmes.

"Comment tu peux nous poser des questions sur lui alors qu'elle va mourir ? dit Kai. Qu'est-ce que ça peut bien faire ? Oui, elle l'aime. Elle était folle de lui. Elle prévoyait de demander le divorce.

– Arrête, Kai, intervient Mark. Boucle-la, nom de Dieu !

– Elle allait demander le divorce ? Tu plaisantes ou quoi ?"

Kai cache son visage en pleurs dans ses mains. "J'aurais mieux fait de me taire. Surtout maintenant. Qu'est-ce que ça peut faire, à présent ?

– Mais c'est vrai ?

– Je te demande pardon, Matt, dit-elle. Vraiment pardon. Je ne sais pas ce qui m'a pris."

Mark ferme les yeux, respire à fond et s'écarte un peu de sa femme.

"Donc, Joanie avait une liaison, dis-je. Elle avait une liaison et elle aime cet homme et pas moi. À l'heure qu'il est, ma femme est en train de mourir, je suis effondré, et vous ne m'avez toujours pas dit qui était ce type.

– Brian, répond Mark. Brian Speer."

Je me lève. "Merci."

Kai continue de pleurer. Son visage ruisselant me rappelle celui de Luke, leur fils : il ressemblait à ça quand il pleurait. Je me souviens que, plus jeune, il n'acceptait de répondre qu'au nom de Spider-Man. Même les professeurs cédaient à ce caprice et, sitôt qu'il levait la main en classe, ils lui disaient : "Oui, Spider-Man ?" C'est moi qui l'ai aidé à sortir de cette phase et à répondre à son vrai nom. La façon dont je m'y suis pris restera toujours un secret entre lui et moi. Qui sait si Luke lui-même s'en souvient ?

Je sors de la cuisine, j'emporte mes pâtisseries. Je pense au nombre de fois où j'ai vu les Mitchell l'an passé : comment est-il possible qu'ils n'aient jamais seulement fait allusion à un problème entre Joanie et moi ? C'est embarrassant. Mark me raccompagne jusqu'à la porte. Il l'ouvre, baisse la tête et je sors sans dire un mot. Je ne suis pas près de leur reparler.

En me dirigeant vers la voiture, je pense au soir où j'ai aidé Luke à redevenir lui-même. Joanie et moi étions invités à dîner chez les Mitchell et j'admirais leur jardin, pendant que Luke essayait d'attraper des crapauds. D'une main, il tenait l'éprouvette dont ils se servaient pour nettoyer la piscine, de l'autre sa figurine Spider-Man, et il commençait à se décourager.

"Regarde, Luke, y en a un juste ici !"

Luke s'était retourné, le regard vague.

"Luke", avais-je répété. Ses parents et Joanie bavardaient près du bar, ils venaient de fumer un joint, ils étaient bruyants et faisaient les idiots. Je me suis agenouillé près de Luke. "Écoute, Luke, j'ai quelque chose à te dire : Spider-Man a un vagin !"

Luke m'a regardé, puis il a regardé la figurine dans sa main.

"Vérifie toi-même, lui dis-je en lui montrant l'entrejambe de Spider-Man. Aucune bosse, rien, tu vois ?"

Il a tâté l'entrejambe en plastique.

"Spider-Man est un loser. Les autres super-héros le traitent de tapette. Ils lui disent : « Allez, dégage, espèce de grosse tapette rouge ! »" Je ne sais pas pourquoi je lui ai dit ça, mais j'ai entendu le rire inimitable de ses parents défoncés à l'herbe, et j'ai compris pourquoi.

Luke a regardé la figurine.

"Et après ça tu voudrais encore que je t'appelle Spider-Man ?"
Il a fait non de la tête.

Je m'éloigne du quartier de Nu'uaniu. Sur l'autoroute de Pali, je ne pense qu'à deux choses : *ma femme va mourir, et son amant s'appelle Brian Speer.*

16

Sid est là. C'est un grand échalas. "Cool!" s'est-il exclamé quand Alex nous a présentés l'un à l'autre. Il m'a pris la main, m'a tiré vers lui, m'a flanqué une grande tape dans le dos et m'a repoussé.

"Ne refais jamais ça", ai-je dit et il est parti d'un petit rire entrecoupé de hoquets. Au moment où il est arrivé, nous étions sur la pelouse. Je lui ai proposé quelque chose à boire, comme je le fais quand des amis s'arrêtent. Je lui ai servi son Seven up dans un verre. Le voir verre et serviette cocktail à la main m'a paru dépasser les bornes du ridicule : comme si je rencontrais mon futur gendre, ce qui, j'espère, n'est pas le cas.

En sa présence, Alex est silencieuse, décontractée, je me sens gêné pour elle.

"Dis-moi, Alex, tu veux toujours m'accompagner chez Racer et ensuite chez papy ? Parce que je ne vais pas tarder à y aller...

– Vous connaissez quelqu'un qui s'appelle Racer ? interrompt Sid.

– J'ai dit que j'irais, répond-elle. On va venir tous les deux." Elle s'appuie sur Sid. Il évalue la maison du regard tout en retirant une peluche sur l'épaule de ma fille.

Je regarde les chaussures de Sid, elles sont étonnamment blanches et propres. "Il n'a pas besoin de venir, dis-je. Il ne devrait pas être mêlé à ça.

– Je ferai tout ce qu'Alex voudra, dit-il. Je suis le mouvement.

– Est-ce qu'il sait ce qu'on fait ?

– Oui, répond Alex. Il sait tout."

Je ne m'y attendais pas, mais je suis jaloux. "C'est une affaire de famille, dis-je. Cette semaine, qu'elle soit longue ou brève, est réservée à la famille.

– Écoute, papa, je t'avais dit qu'il serait ici. Laisse tomber, d'accord ? Je me conduirai mieux s'il est avec moi, crois-moi."

Sid ouvre grands les bras et hausse les épaules. "Je ne sais pas quoi dire !"

Je me tourne vers Alex, j'espère qu'elle sent ma déception. Je demande à Sid : "Tu n'as pas cours ?

– J'ai cours quand je veux, répond-il.

– Bon. Allez chercher Scottie. On y va."

Scottie s'assied à l'avant, Alex et Sid sur la banquette arrière. J'ai rarement vu Scottie aussi silencieuse. Je remarque qu'elle a laissé son appareil photo et son scrapbook à la maison.

"Vous connaissez E. T. ? demande Sid. Vous vous souvenez de E. T. ?"

Je regarde dans le rétroviseur, je ne sais pas à qui il parle. Il a les yeux bleu nuit et une barbe de plusieurs jours. Il regarde par la fenêtre, il ne s'adresse à personne en particulier.

"Qu'est-ce qu'ils voulaient ? demande-t-il. Et d'abord pourquoi les E. T. sont-ils venus sur terre ?

– Ne fais pas attention à lui, dit Alex. Il est comme ça dès qu'il monte dans une bagnole.

– Qui c'est, E. T. ? demande Scottie.

– Je n'en sais rien", dis-je. Je ne veux pas avoir à me lancer dans des explications. Nous arrivons à Lanikai, j'aperçois la maison de Racer. Racer est un de nos bons amis. Il était surtout proche de moi, mais entre nous deux ce n'est plus comme avant. Sa rue est à sens unique, je suis forcé de faire le tour du quartier, même si je suis tenté de la prendre en sens inverse vu qu'elle est déserte. J'aime cette rue calme, sa chaussée saupoudrée de sable blanc, son petit air abandonné qui vous donne l'impression d'avoir survécu à quelque chose.

"Et si E. T. était l'idiot de sa planète ? dit Sid. Et si tous les Terriens partaient sur une nouvelle planète et que, par exemple, Screech ou Don Johnston étaient les seuls à rester sur notre vieille Terre ? Ils auraient une impression complètement fausse de nous.

– C'est passionnant." Je me gare dans l'allée. "Restez dans la voiture, les philosophes, j'en ai pour deux minutes."

Je me dirige vers la porte de service. À mon grand étonnement, Racer, en robe de chambre sur la petite terrasse, contemple la plage à marée basse et les moutons d'écume, une tasse de café fumante entre les mains.

Il m'aperçoit. Il esquisse un sourire las. Ma visite ne le surprend pas outre mesure.

"Salut, Racer", dis-je. J'approche une des chaises qui sont autour de la table, mais le siège est mouillé.

"Salut, Matt", répond-il. Il regarde le siège humide. "Si on rentrait ?" Il se lève, et je constate que l'arrière de sa robe de chambre est trempé.

Nous passons à la cuisine, il me sert une tasse de café.

"Merci, dis-je. Tu n'aurais pas un peu de crème, par hasard ?

– Non.

– T'en fais pas."

Il se met à fouiller dans les placards. "On a peut-être de ce truc en poudre. Impossible de trouver quoi que ce soit ici ! C'est Noe. Elle a tout rangé à sa façon. Il n'y a plus de lait.

– Comment va Noe ?"

Il s'assied à la table de la cuisine. "J'ai annulé le mariage. Elle est partie.

– Comment ça ? Tu plaisantes ? Qu'est-ce qui s'est passé ?"

Il pianote sur la table. Des mangues talées sont posées sur un bout de journal. "Ça collait pas." Il tient sa tête entre ses mains. "Mes parents ne l'aimaient pas. Ils n'ont jamais rien dit, mais c'était clair et je n'arrivais pas à passer outre. C'est une nounou, tu sais. Et une danseuse. Elle n'est pas de notre milieu, c'est tout."

Je pense à sa famille, une autre famille de planteurs, d'héritiers de sucreries. Quoi qu'il en dise, ses parents sont si chaleureux que j'ai du mal à croire qu'ils n'acceptent pas Noe. Un des bons côtés de Hawaii, c'est qu'il n'y a pas trop de snobs.

"Ça ne devrait pas entrer en ligne de compte, mais ça compte quand même, tu vois.

– Oui, bien sûr.

– J'ai senti que je faisais le mauvais choix." Il se redresse sur sa chaise. "Mais c'est comme ça. Ça va aller. Ça devait pas se faire, c'est tout." Il prend un air absent, puis pose son regard sur moi. "Tu t'es juste arrêté pour dire bonjour ?"

Je regarde les mangues et bois une gorgée de café noir. "Ouais, ça faisait un bout de temps que je t'avais pas vu. Alors je me suis dit que j'allais m'arrêter en allant à..." J'agite la main en direction de Kailua et soudain je m'aperçois que sa maison n'est sur le chemin de nulle part, elle est comme au fond d'une impasse.

"Comment va-t-elle ? demande-t-il.

– Ça va", dis-je. Je n'ai jamais vu Racer s'émouvoir pour grand-chose et je ne voudrais pas en quelque sorte forcer sa porte. Perdre sa fiancée est un mauvais moment à passer, je ne tiens pas à en rajouter. Je pense à ses parents qui n'acceptaient pas son choix, à moi qui n'accepte pas Sid, au père de Joanie qui ne m'acceptait pas.

"Tu sais, la princesse Kekipi, eh bien, figure-toi qu'elle s'est mariée contre la volonté de ses parents, dis-je. Je pense qu'on fait tous ça. Tu devrais faire ce que tu veux."

Racer hoche la tête. "Il n'est pas trop tard, conclut-il.

– Non", dis-je.

Il baisse les épaules. Je me demande ce qu'il fera.

"Il faut que j'y aille, mes gosses m'attendent dans la voiture." Je m'apprête à repartir, même si je n'ai bu que quelques gorgées de ma tasse de café. Il ne semble pas remarquer que cette visite est ridiculement courte, sans objet. Il me raccompagne jusqu'à la porte. Je vois une couette sur le canapé ; une bouteille de vin sur le guéridon, et un programme télé avec des émissions surlignées en rouge. Il me tient la porte, l'autre main en visière pour se protéger du soleil. Il fait des signes à ma famille. "Ça va s'arranger", dis-je. Il acquiesce, et referme la porte. Je regagne la voiture un peu abasourdi, espérant vraiment qu'il épousera cette fille. Je ne sais pas pourquoi ça me tient tellement à cœur, mais c'est comme ça.

"Je n'ai pas pu, dis-je en m'asseyant dans la voiture.

– Faire quoi ? demande Scottie.

– Eh ben, avec les suivants, tu seras bien obligé", dit Alex.

Somme toute, Racer m'a servi de mise en condition. Le prochain arrêt, c'est le grand moment. À présent, je me sens prêt à affronter des gens qui ne me portent pas particulièrement dans leur cœur. Je démarre la voiture, je sors de l'allée et nous nous dirigeons vers notre prochain arrêt.

17

Nous sommes assis sur la véranda qui fait le tour de la maison, c'est
là que Scott se trouvait à notre arrivée, assis dans un fauteuil en
osier, un verre en équilibre sur les genoux. Dans le jardin, j'aperçois Scottie, en compagnie de sa grand-mère à qui elle montre du
doigt les différentes choses qu'elles voient. Je l'imagine lui disant :
"Rocher", "Étang". La mère de Joanie est atteinte de la maladie
d'Alzheimer. Malgré l'état de son épouse et la présence de l'infirmière, Scott continue à travailler dans le jardin et à faire ses lon-
gueurs de piscine. Le spectacle de cet homme sortant la tête de
l'eau pour respirer, avec ses lunettes de natation et son bonnet de
bain, le visage ruisselant, la bouche tordue telle la créature du *Cri*
de Munch, a quelque chose de déchirant. Boire est un autre de ses
passe-temps. C'est de famille. Son haleine sentait le scotch quand
il a accueilli Scottie avec son éternel : "Bingo !"

Je lui ai annoncé la nouvelle et lui ai remis le testament de
vie de Joanie, qu'il parcourt à présent. Sid est resté silencieux, ce
dont je lui suis reconnaissant, mais, en le regardant de plus près,
immobile sur sa chaise longue, lunettes de soleil sur le nez, cas-
quette baissée, je m'aperçois qu'il dort. Alex est assise contre ses
jambes. Ça m'exaspère de la voir tout le temps collée à lui.

"C'est du chinois, ce truc-là ! grogne Scott en feuilletant le
document.

– Je sais, dis-je.

– Qu'est-ce que c'est ?

– C'est un testament de vie. Vous en avez un, vous aussi.

– Oui, mais le mien, c'est pas du charabia. Là, j'ai l'impression de lire une autre langue.

– Je suis sûr que le vôtre est pareil. Vous voulez que je vous le résume ?"

Il m'ignore et se concentre sur sa lecture. Il ne veut probablement pas que je lui explique quoi que ce soit. Il ne m'a jamais apprécié. Au début de notre mariage, il a tenté de m'associer à ses projets, mais je lui ai toujours répondu que, par principe, je ne faisais jamais d'affaires ni avec les amis ni avec la famille. Un simple prétexte de ma part pour me tenir à l'écart de ses grands projets, des restaurants à thèmes pour la plupart. Je me suis farci ses boniments je ne sais combien de fois ! La plupart du temps, il prétendait que telle ou telle ville avait tout pour devenir le nouveau Waikiki. Une fois, j'ai failli mordre à l'hameçon, histoire de ne plus l'avoir sur le dos mais, Dieu merci, je ne l'ai pas fait.

"Du charabia, marmonne-t-il.

– Je vais vous l'expliquer. Je sais, ce n'est pas un langage évident. C'est compliqué, mais c'est mon boulot. Je peux vous aider." Je pense aux différentes formulations, à ces sortes de vœux par lesquels notre moi en bonne santé engage notre moi mourant : *Si je suis dans un coma irréversible, je refuse que ma vie soit prolongée à l'aide de machines et je refuse les procédures de maintien en survie. J'autorise l'arrêt momentané ou définitif des procédures de maintien en survie, de nutrition et d'hydratation artificielles, de soins palliatifs.* Comme si Joanie refusait tout soulagement, toute dépendance. Si Scott est apte à comprendre un passage de ce testament, c'est bien ces lignes dans lesquelles elle dit clairement qu'elle ne veut pas vivre.

"Voulez-vous qu'on le lise ensemble ? dis-je à nouveau. Ce sont ses dernières volontés – en gros, ses instructions concernant les procédures médicales qu'elle souhaite ou ne souhaite pas. Pas de respiration artificielle, pas de...

– Je ne veux pas entendre ça. Je sais exactement ce que ça dit. Ça dit qu'elle ne veut pas qu'on reste là à attendre qu'elle pourrisse sur place. Ça dit que les médecins n'ont rien le droit de faire et qu'elle préfère s'en aller ailleurs.

– Papy, dit Alex. Ça va ?

– Oui. Je m'y suis préparé, et je suis content que Joanie ait eu le bon sens d'écrire ce truc, qu'elle ait pensé aux autres. C'est une fille courageuse, crie-t-il, la voix tremblante. Elle a toujours été plus forte que son frère Barry, qui passe sa vie à pleurnicher. À seize ans, il avait l'air d'en avoir trente. Si ça se trouve, il est même homo, pour ce que j'en sais.

– Barry n'est pas homosexuel, dis-je. Il aime beaucoup les femmes." Je revois Barry. Autrefois, c'était un bon gros garçon, la gentillesse même. Aujourd'hui, c'est un adepte du hot yoga et d'un sport appelé Budokon, il est agile comme un chat, tout en muscles.

"Elle est plus solide que vous, Matt, continue Scott. Elle vivait plus en un an que vous en une décennie, assis dans votre bureau à récolter votre fric. Si vous l'aviez laissée avoir son bateau, si vous lui aviez acheté un bon équipement ou si vous l'aviez autorisée à se faire de temps à autre une de ces après-midi de shopping dont les femmes raffolent, alors peut-être qu'elle ne se serait pas lancée dans ces sports extrêmes. Peut-être que si vous lui aviez fourni plus de sensations fortes à la maison...

– Papy... dit Alex.

– Et toi, Alexandra. Tu te disputais avec ta mère alors que tout ce qu'elle voulait, c'était te secouer un peu. Joanie était une passionnée ! C'est une fille bien, dit-il comme s'il tentait de convaincre quelqu'un. Je ne lui ai jamais dit tout ça. Mais à présent je le dis haut et fort !"

Scott se lève, il va jusqu'à la balustrade, il nous tourne le dos. Ses épaules tremblent. Les mains sur les hanches, il étudie le ciel comme pour prédire le temps. Il soulève un pan de sa chemise de flanelle pour s'essuyer le visage, tousse, crache et se retourne vers nous. "Vous voulez des petits pains ? J'ai fait des petits pains. Vous voulez boire quelque chose ?"

Il regarde devant lui, dans le vague. Ses doigts pianotent dans ses poches. J'aime la façon dont les hommes pleurent. Elle est efficace.

"Avec plaisir, Scott."

Il entre dans la maison, je regarde Alex. "Ça va, toi ? Il est bouleversé, c'est tout.

– Je sais. Ça va."

Le front plissé, la mâchoire contractée, elle n'a pas l'air d'aller si bien que ça.

"Bon, alors qu'est-ce qui se passe après ça ? demande-t-elle.

– Après quoi ?

– Quand on a tout arrêté. Je veux dire, combien de temps ça dure ?"

J'ai parlé au médecin ce matin. D'après lui, Joanie arriverait assez bien à respirer seule et pourrait tenir une semaine sans assistance. "Environ une semaine, je suppose.

– Quand est-ce qu'ils le font ?

– Ils attendent qu'on arrive.

– Oh", dit Alex. Elle touche la jambe de Sid, mais il ne bouge pas.

Scottie et sa grand-mère viennent vers nous, des fleurs de gingembre blanches à la main.

"Ça ne doit pas être facile pour ton grand-père de faire face à ça tout seul, sans ta grand-mère", dis-je.

Scottie tient la main de sa grand-mère, elle l'aide à gravir les marches. Je ne sais jamais quoi dire à Alice. Chaque fois que je me trouve en sa compagnie, j'ai la même impression que quand on me met un nouveau-né dans les bras : je suis la cible des regards, tout le monde guette ma réaction.

"Salut, mamy", chantonnons-nous, Alex et moi.

Elle nous lance un regard furibond. Scott revient avec ses petits pains et des verres sur un plateau. Du scotch avec des glaçons. Je ne prends même pas la peine de subtiliser le verre destiné à Alex. Je sais qu'elle ne boira pas devant moi. Sid se relève soudain, comme mû par un ressort, aussi alerte qu'un chien qui a flairé du lard. Il tend le bras pour attraper un scotch, et mon regard s'arrête sur sa main prête à se saisir du verre. Il se rallonge dans son transat. Scott le dévisage, Sid salue le vieil homme.

"Qui êtes-vous ? demande Scott. Qu'est-ce que vous faites ici ?

– C'est mon copain, explique Alex. C'est pour moi qu'il est ici."

Scott fusille Sid du regard, se tourne vers Alice et lui tend un scotch. "On va voir Joanie aujourd'hui, annonce-t-il.

– Et Chachi ?" demande Alice avec un large sourire.

Sid éclate de rire. Scott se retourne, pose la main sur l'épaule du garçon. Je tremble pour sa vie.

"Tu te tais, fiston, dit Scott. Je pourrais te tuer juste avec cette main. Crois-moi, elle en a vu d'autres !"

Je secoue la tête. Mon regard passe de Sid à Alex.

Scott retire sa main de l'épaule de Sid et se tourne à nouveau vers sa femme. "Non, Alice. Notre Joanie. Notre fille. On va lui donner tout ce qu'elle voudra." Il me regarde. "Pense à ce qui lui ferait plaisir, Alice. Nous irons le lui chercher et nous le lui apporterons.

– Joanie et Chachi, Joanie et Chachi ! psalmodie Alice.

– La ferme, Alice !" hurle Scott.

Alice regarde Scott comme s'il venait de dire *"Cheese !"*. Elle joint les mains, sourit, prend la pose quelques secondes. Scott la dévisage et plisse les yeux. "Pardon, chérie, dit-il, continue, dis tout ce que tu voudras.

– C'était drôle, dit Sid. J'ai ri, rien de plus. Elle a le sens de l'humour, votre femme. C'est tout. Peut-être qu'elle le sait. À mon avis, elle le sait.

– Je vais te frapper", annonce Scott, les bras le long du corps, les muscles contractés, les veines aussi grosses que des pailles de milkshake. Je sais qu'il ne plaisante pas parce qu'il l'a déjà fait. Je l'ai vu frapper Barry. Et j'y ai eu droit, moi aussi, le jour où je les ai battus, ses potes et lui, au poker. Scott serre les poings. Ses vieilles jointures se nouent, les taches de l'âge brunissent sa peau. Il menace alors Sid de son poing, telle une tête de serpent qui s'apprête à mordre. Sid lève le bras pour se protéger le visage, mais il le baisse aussitôt et agrippe sa cuisse. Comme s'il avait décidé de ne pas se protéger. Ça se termine par un coup de poing dans l'œil droit, une grande fille qui hurle, une petite fille effrayée, un père qui tente de calmer tout le monde et une belle-mère qui applaudit frénétiquement comme si on venait d'accomplir un exploit.

18

Je roule sur Kahala Avenue, je me rends chez Shelley et Lloyd. Je ne veux pas dire à Shelley que ma femme va bientôt mourir, non pas parce que ce genre de nouvelle est déplaisant à annoncer, mais parce que Shelley est un vrai pitbull et, de surcroît, épouse de sénateur. Une de ces femmes qui s'imaginent pouvoir tout arranger d'un coup de fil à la bonne personne.

Sid est assis à l'arrière, encore sous le choc.

"Mon père m'a toujours dit qu'il fallait prévenir avant de frapper." C'est tout ce que Scott a trouvé à dire à Sid après lui avoir asséné un coup de poing dans la figure.

"Oui." C'est tout ce que Sid a trouvé à dire à Scott après avoir reçu son poing dans la figure.

Ils se sont regardés. Sid s'est ensuite dirigé vers ma voiture et Scott est rentré dans la maison. Il a crié à Alice qu'ils devaient rassembler des affaires pour leur fille. Il a préféré ne pas prononcer le nom de Joanie de peur, sans doute, qu'Alice ne reparle de Chachi.

"Comment va ton œil ? je demande à Sid. Bon sang, Alex, tu peux monter à l'avant, s'il te plaît ? J'ai l'impression d'être un chauffeur avec vous deux à l'arrière.

– Ça serait cool d'avoir un chauffeur. Mon œil va bien", répond Sid. Il éloigne de son visage le paquet d'épinards surgelés que nous avons acheté au 7-Eleven. "Qu'est-ce que vous en pensez ?"

Je regarde dans le rétroviseur. La jambe de ma fille est étalée sur la sienne, et je me demande *Comment j'ai hérité de ce type ?*

À qui est-ce que je peux le rendre ? Sa paupière a viré au bleu clair. Au-dessous de l'œil, la peau est tuméfiée. Au lieu d'avoir l'air d'un type qui a une bonne histoire à raconter, il a plutôt l'air d'un gosse avec une méchante allergie.

"On dirait que ça va, dis-je.

– J'arrive pas à croire ce qui vient de m'arriver, se plaint Sid. Je veux dire, c'est pas si souvent que des vieux se mettent à frapper quelqu'un en plein visage. C'est surréaliste !"

Il pince la cuisse d'Alex.

"Alex, dis-je. Monte devant."

Elle enjambe la boîte de vitesses, se glisse dans le siège du passager et j'entends le claquement d'une main sur ses fesses.

Je soupire haut et fort.

"Pourquoi est-ce que tu as demandé à Scottie d'aller à l'hôpital avec les grands-parents ? demande Alex.

– Comment ça, pourquoi ? Il faut qu'elle la voie. Il faut que tu la voies, toi aussi.

– Peut-être que c'est pas une bonne chose qu'elle voie maman si souvent. Surtout en ce moment. Tu penses pas que bientôt maman ne va plus ressembler à ce qu'elle était ?

– Je n'en sais rien.

– Et si elle souffre et que ça se voit ?

– Dans ce cas, reste à ses côtés, intervient Sid. Et dis-lui tout ce que tu as sur le cœur avant que ça te bouffe à l'intérieur et que tu pètes un plomb. J'arrive pas à croire que ton grand-père m'ait envoyé un coup de poing dans l'œil." Il contemple le paquet d'épinards surgelés.

"C'est une de ses habitudes, dis-je. À vrai dire, ça faisait un moment qu'il l'avait pas fait. C'était assez incroyable.

– Écoute, Alex, il faut que tu ailles voir ta maman", conclut Sid.

Alex ne réplique pas. Si j'avais osé dire ça, elle aurait riposté. J'ignore si j'en suis ou non reconnaissant à Sid.

Arrivé à Pueo, je tourne et ralentis. J'ai l'impression d'être sur le King's Trail, le fameux chemin du Roi, de parcourir des sentes raboteuses et tortueuses pour vendre mes biens à des gens qui n'en veulent peut-être pas. Je pense à l'autre raison de la popularité de ce chemin: ceux qui avaient enfreint la loi l'empruntaient pour sauver leur peau.

"Comment ça se fait qu'ils choisissent toujours les vidéos les moins drôles au MVAA ? demande Sid.

– De quoi tu parles ? dit Alex.

– Des *Meilleures Vidéos amateurs d'Amérique*. Ils prennent toujours les plus nulles.

– MVAA ? dis-je à mon tour.

– Sid, elles sont toutes nulles, les vidéos, s'exclame Alex.

– Non, tu te trompes, répond-il. Elles me font bien rire.

– Fermez-la tous les deux, OK ?" Je baisse la radio, me gare le long du trottoir. La maison est cachée par un massif de bougainvillées et un muret de pierres.

Je remarque une fille qui nous épie depuis la fenêtre du deuxième étage avant de disparaître.

"C'était K, dit Alex.

– K ? Pourquoi tu l'appelles K ?

– C'est la mode. David Chang se fait appeler Alika, son nom hawaiien, par tout le monde. Pour elle, c'est son initiale, je sais pas pourquoi. Elle veut plus de son nom de famille non plus. Seulement son deuxième prénom. Je crois qu'elle en a marre qu'on l'appelle Lloyd.

– Elle est dans mon cours d'écriture créative, ajoute Sid. Tu te souviens de cette fête où elle avait fait venir des danseuses de *pole dancing* ? C'était trop !

– Vous voulez venir lui dire bonjour pendant que je parle à Shelley ?"

Alex se tourne vers Sid. "D'accord."

Nous sortons de la voiture, franchissons le portail et remontons l'allée jusqu'à la porte d'entrée. Je sonne, des pas résonnent dans la maison.

Leur fille nous ouvre. Je fais un signe de la main et laisse parler Alex. Elle embrasse K.

"Tu es de retour ? lui demande K, qui se tourne vers Sid. Alors, quoi de neuf ?"

Elle se penche, il l'imite et ils s'embrassent sur la bouche. À l'adolescence, les garçons ne connaissent pas leur bonheur, ils ne savent pas encore que cette tendresse innocente ne sera bientôt plus de mise.

"Bonjour, monsieur King, dit K. Lloyd n'est pas ici.

– Il est au bureau ? Il œuvre à améliorer notre société ?

– Il est parti surfer. L'appel de la houle du sud...

– Il ne vient pas d'être opéré ?

– Si, il a même gardé sa hanche en souvenir. Vous voulez la voir ?

– Il n'a pas perdu des orteils par la même occasion ? Il arrive quand même à surfer ?

– Oh ! Quand il a décidé quelque chose !" dit-elle, toute fière, puis elle s'efface pour nous laisser entrer.

"Il assure, ton père", déclare Sid, et je partage son avis. Oui, il assure. Je pense aux amis d'Alex. Leurs parents ont tous réussi dans la vie, leur passé, leurs buts, leurs efforts sont impressionnants. Ils assurent. Je me demande si nos rejetons n'ont pas tous décidé de baisser les bras. Ils ne seront jamais sénateurs ni propriétaires de clubs de football. Jamais ils ne deviendront présidents de la NBC Côte Ouest, ni fondateurs de Weight Watchers, pas plus qu'ils n'inventeront le caddie pour faire les courses, ou ne se retrouveront prisonniers de guerre, ou le plus gros fournisseur du monde de noix de macadamia. Non, ils prendront de la coke, fumeront des joints, suivront des cours d'écriture créative et se ficheront de nous. Ils se souviendront peut-être de notre dynamisme, mais ils ne prendront jamais la relève. Je regarde ces deux filles et perçois en elles à la fois la pitié qu'on leur inspire et la détermination qui les anime. Elles veulent nous battre à leur façon. Reste pour elles à savoir laquelle. Quant à moi, je n'ai jamais trouvé comment surpasser mes maîtres.

"Ta mère est dans les parages ?

– Elle est sur le porche de derrière.

– À croire que tous les habitants de cette île sont sur leur porche ! Je vais aller lui dire bonjour."

Je me retourne : les gosses se sont regroupés près de l'escalier. J'entends K dire : "Vous voulez voir ma robe pour ma soirée de promo ? Elle fait trop salope." Là-dessus, Alex commence à lui parler de l'état de sa mère et je me demande si K et du même coup les autres enfants sont au courant de la liaison de ma femme.

J'aperçois Shelley sous un parasol en toile beige, son cendrier et ses mots croisés sur la table à côté d'elle. Elle porte un maillot de bain noir sous un cafetan noir transparent. À ma vue, elle s'exclame en se frappant la poitrine : "Tu m'as fait peur !" Son visage est mordoré. Elle fume, ne met pas de crème solaire, ne fait aucun sport, ce qui lui vaut une sorte de vénération de la part de notre cercle d'amis.

"K a l'air en pleine forme, dis-je. Pourquoi est-ce qu'elle se fait appeler K, maintenant ?

– Aucune idée, répond Shelley. Elle essaie sans doute de renier son sang hawaiien ou quelque chose dans le genre. Et figure-toi que, par-dessus le marché, elle s'est mise à écrire d'horribles poèmes. Assieds-toi." Elle retire son journal de la chaise et je m'assieds. Je regarde la piscine, son eau turquoise, miroitante. Une piscine digne de ce nom.

"J'ai des nouvelles concernant Joanie, dis-je. Son état s'est aggravé. On va la laisser en paix. On va la laisser partir. Bon sang, il faut que je trouve une meilleure façon d'annoncer ça."

Shelley relève ses lunettes de soleil sur sa tête. "Qui est son médecin ?

– Sam Johnston.

– Il est excellent", dit-elle, l'air visiblement déçu. Elle se penche en avant, mains jointes – elle prend sa pose de femme d'action, prête à guérir les incurables. Un instant, j'ose croire qu'il y a quelqu'un qu'elle peut appeler, une lettre qu'elle peut écrire, des fonds qu'elle peut collecter pour que ma femme s'en sorte.

"Voilà où nous en sommes, dis-je. Je voulais juste te prévenir pour que tu puisses passer la voir.

– Oh, putain, Matt ! Je sais pas quoi dire.

– Tu l'as dit."

Elle se rallonge et je lui donne une tape sur sa jambe toute chaude.

"Tu vas voir tout le monde ? Tu fais la tournée ?

– J'essaie. Juste les proches."

Elle regarde son paquet de cigarettes, rabaisse ses lunettes. "Tu n'es pas obligé. Je peux m'en charger. Je peux passer des coups de fil ou me déplacer. Mon Dieu, je n'arrive pas à y croire !" Elle gémit, des larmes coulent derrière ses lunettes de soleil.

"Ça ne me dérange pas de l'annoncer aux gens. J'ai besoin de m'occuper." Je me revois allant de maison en maison. Telle la lave, je m'en approche lentement et je sape à jamais leurs fondations. "Y a-t-il quelque chose concernant Joanie que tu voudrais me dire ? Étais-tu au courant de quoi que ce soit ?

– Quoi ?" Du bout des doigts, elle s'essuie le visage. "Qu'est-ce que tu veux dire ? Est-ce que tu es en train de me demander de parler à son..."

Shelley ne veut pas prononcer le mot, pas plus que moi, je ne veux l'entendre.

"Non. Tu sais ce que c'est. C'est bon d'entendre ce que les autres savent d'elle, mais laisse tomber, ce n'est pas le moment." Je me lève. "Je ne peux pas rester. Je suis désolé. J'ai l'impression d'arriver dans une maison, de mettre tout sens dessus dessous et de m'en aller sans rien ranger."

Elle ne se lève pas pour m'embrasser. Ce n'est pas le genre. Pas plus que de raccompagner ses visiteurs à la porte. J'avoue que je m'en passe allègrement. Je n'avais pas l'intention de lui poser des questions sur Joanie et sa liaison. Je ne devrais pas penser à ça.

"Je préviendrai Lloyd, dit-elle. On ira la voir aujourd'hui. N'hésite pas à nous dire si on peut t'aider d'une façon ou d'une autre. Je t'en prie.

– Merci, Shelley.

– Tu sais quoi ? Oublie ça. Pas même besoin de nous demander. Je reste en contact, que ça te plaise ou non. Je vais battre le rappel des copines. On s'occupera de tout, des moindres détails. Tu n'auras qu'à me dire ce que tu souhaites.

– Merci", dis-je. Je pense soudain aux pompes funèbres, à la nourriture, aux fleurs, à la cérémonie. Elle remonte son cafetan et attrape ses cigarettes.

"Shelley, dis-je, tu pourrais appeler Racer ? Tu peux lui dire pour moi ? Je devais le faire, mais j'y suis pas arrivé.

– Bien sûr !" s'exclame-t-elle, me rappelant combien les gens sont heureux de se voir attribuer un rôle.

Dans la cuisine, les enfants mangent du poulet *lo mein* dans un plat en aluminium.

"Vous en voulez ?" me demande K. Je la sens triste, sensible à notre douleur. "Ce sont les restes d'un dîner de Lloyd pour récolter des fonds. Il y a aussi des sushis, si vous préférez."

Je saisis des baguettes chinoises, et après quelques bouchées j'annonce à Alex et à Sid qu'il est temps de reprendre la route.

Les enfants s'embrassent et se promettent de s'appeler. K nous raccompagne à la porte, puis elle remonte à l'étage. Nous grimpons dans la voiture et nous éloignons lentement.

"Elle va écrire là-dessus, dit Alex. J'en suis sûre et certaine.

– Elle a intérêt à soigner mon personnage, ajoute Sid.

– Qu'est-ce qu'il y a à raconter ?" dis-je. Une femme vit. Une femme meurt.

Je roule en me préparant à notre prochaine destination. Quelle maison allons-nous détruire ? Russell Clove habite à deux pas de chez nous, mais je n'ai pas envie de le voir pour le moment. Je décide de me rendre chez Bobbie et Art.

Je me tourne vers Alex, elle semble épuisée. En ruine, comme un de ces vestiges d'une antique splendeur.

"Je sais où il habite, tu sais, si tu veux aller le voir", me lance-t-elle quand nous arrivons chez Bobbie.

19

Alex me dit de m'arrêter : "C'est ici."

J'essaie d'entrevoir la maison cachée par un mur de corail. Je vois les crêtes des vagues se hérisser derrière les toits voisins. Il n'habite pas bien loin du front de mer, ce qui veut dire qu'il a les moyens, sans être pour autant bourré de fric. Au départ, ça me plaît, mais pas longtemps. Disons que si ç'avait été une de ces villas avec des statues de lion qui gardent l'entrée, j'aurais compris, mais cette baraque n'a rien d'extraordinaire, du coup leur amour n'en semble que plus authentique. Je me rapproche du trottoir et je me gare face à la maison de l'amant de ma femme.

"Il me plaît ce mur", déclare Alex.

Je regarde le mur de corail. "Oui, il est pas mal.

– On va devoir poireauter là à attendre que ce type sorte ? demande Sid.

– Non, dis-je, on est venus, on a vu." Je m'apprête à démarrer, mais quelque chose me retient.

"Je me demande s'il est chez lui, dit Alex. Si on sonnait ?

– Vas-y, l'encourage Sid.

– Non, vas-y, toi", riposte-t-elle. Il flanque un coup de pied dans le siège d'Alex. Elle se retourne, tente de lui attraper la jambe. Il saisit son bras, elle éclate de rire.

Je leur crie d'arrêter. "Arrêtez de vous toucher.

– Oh là là ! s'exclame Sid. Pas besoin de chercher bien loin pour savoir pourquoi votre femme vous a trompé."

Je fais volte-face. "Dis-moi, ça t'arrive souvent de te faire frapper ?"

Sid hausse les épaules. "J'ai eu mon compte."

Je me tourne vers ma fille. "Tu sais que tu sors avec un attardé complet ? Tu en es consciente ?

– Eh, vieux, mon frère est retardé, rétorque Sid. N'utilisez pas ce mot de manière péjorative !

– Oh !" J'en reste là, espérant qu'il interprétera mon silence comme des excuses.

"Taré, va !" grommelle-t-il. Et maintenant c'est le dos de mon siège qu'il bourre de coups de pied. "J'ai pas de frère attardé !" Il savoure sa petite blague. "Puisqu'on en parle, reprend-il, ça vous arrive de regretter d'avoir souhaité qu'un attardé mental, un vieux bonze ou un handicapé se dépêche un peu ? Parfois, au feu rouge, quand je suis là à attendre qu'ils traversent la rue, j'ai envie de leur crier, *Allez, magne-toi !* mais plus tard, en y repensant, j'ai honte de moi.

– La ferme, Sid, intervient Alex. Souviens-toi de ce qu'on a dit. Et Sid et moi, on sort pas ensemble, papa."

Ça a l'air d'avoir de l'effet. Sid se tait. Je le vois faire un effort pour se remémorer ladite conversation.

"C'est vraiment dingue que je me retrouve ici, à l'espionner, dis-je.

– On l'espionne pas, rectifie Alex. Il est sûrement en train de bosser. Il faut bien qu'il travaille pour se payer un mur pareil." Elle tend le bras pour allumer la radio. "Pourquoi tu veux le voir ? Tu vas lui parler ?" Elle met la climatisation. Je reçois l'air en pleine figure.

"Tu gaspilles de l'essence, dis-je.

– Oh, pitié ! s'exclame-t-elle.

– Tu crois peut-être que cette bagnole roule par l'opération du Saint-Esprit ?" braille Sid. Alex et moi nous nous retournons, surpris.

Assis au milieu de la banquette arrière, les jambes écartées, Sid s'étale comme s'il était chez lui. "Quoi ? J'ai entendu ça dans un film.

– Je veux voir ce gars, c'est tout", dis-je. J'écoute la musique, mais Alex change de station, attend, change de nouveau, et ainsi de suite.

"Décide-toi, s'il te plaît !

– Y a que du R'nB, c'est nul." Elle continue à faire défiler les stations.

"Mets-la sur 101.7", dit Sid. Il se penche. Son visage frôle le mien. Il pue la cigarette, l'eau de Cologne bon marché et les Twizzlers.

"Mets 101.7 et qu'on en finisse !" dis-je. Soudain une voix grogne dans la voiture. C'est réconfortant, dans un sens, de savoir que d'autres habitants de la planète sont en colère, eux aussi. De savoir qu'on n'est pas le seul. Épicée de sel marin et de noix de coco, la brise se glisse par la vitre de la voiture. La station de radio ayant censuré la moitié des paroles de la chanson, je pense d'autant plus aux grossièretés passées sous silence. *Putain.* Quel mot merveilleux ! Si je ne devais plus en prononcer qu'un seul pour le restant de mes jours, ce serait celui-là, putain ! Sid balance sans fin la tête de gauche à droite, comme un pigeon.

"Tu sais ce qu'il fait dans la vie ? demande Alex. Il est marié ?

– Aucune idée. Je ne sais rien de lui." En fait, c'est plutôt à moi qu'à elle que je m'adresse. Jamais il ne m'est venu à l'esprit qu'il puisse être marié, mais je doute qu'il le soit. Sa maison ressemble à celle d'un célibataire. Même son nom, Brian Speer, évoque l'indépendance et la liberté d'un drone. Brian Speer, un nom si commun ! Voilà qui explique sans doute mon besoin de le voir : le sentiment de le connaître. Ici, tout le monde se connaît. Je suis sûr de l'avoir déjà vu.

"Tu veux dire que tu n'as pas posé de questions à Kai et Mark ?

– Je n'ai pas abordé le sujet avec eux.

– Pourquoi ?

– Parce que, c'est tout."

Une voiture arrive. Nous nous recroquevillons dans nos sièges, je me sens ridicule. La voiture finit par disparaître derrière la colline surplombant les propriétés en bord de mer. En voyant Alex recroquevillée au fond de son siège, je suis atterré par mon incompétence : quel mauvais père je fais ! J'imagine la situation telle qu'elle la voit. Sa mère, qui a trompé son père, se trouve dans le coma et elle accompagne son père qui espère voir à quoi ressemble l'amant de sa mère. Quant à sa sœur, elle se pavane dans des sous-vêtements qu'elle lui a chipés et se torture avec des animaux marins. Pourquoi est-ce que je l'ai laissée m'amener ici ? Pourquoi est-ce que je me suis mis à nu comme ça devant elle ?

"C'est ridicule."

Je démarre la voiture, oubliant qu'elle tournait déjà, et j'entends le moteur qui se rebiffe.

"Si jamais on fricotait avec ma copine, je peux vous dire que ça chierait grave, dit Sid.

– Arrête, dit Alex. Les filles n'ont pas besoin de chevaliers servants."

À croire que Joanie est assise à côté de moi : c'est exactement ce qu'elle aurait dit. Je me retiens de ne pas lui demander : *Mais pourquoi pas ? Ce serait si facile. J'adorerais, moi, avoir un chevalier servant. Qu'y a-t-il de mal à être secouru ?*

Nous regagnons l'avenue.

"Si tu veux savoir à quoi ressemble ce type, eh bien il a les cheveux bruns", annonce Alex.

Nous nous éloignons des villas et reprenons la grand-route jusqu'aux postes de guet, au bas de Diamond Head. Je ralentis, laisse passer des surfeurs, leurs planches calées sous le bras. L'un d'eux aux longues boucles roussâtres traverse la rue en se dandinant, retenant d'une main sa grande planche et de l'autre son maillot de bain.

"Tu te rappelles quand je te déposais ici ? dis-je tout bas à Alex dans l'espoir d'amorcer une conversation privée.

– Ouaip, répond-elle avec un petit rire presque hargneux.

– Pourquoi tu as arrêté de surfer ?

– Comme ça. Pourquoi est-ce qu'on arrête de jouer aux Lego ? C'est comme ça, c'est tout.

– C'est un peu différent. Tu étais douée pour le surf.

– Tu m'as jamais vue en faire.

– Mais j'ai entendu dire que tu étais douée."

Elle me regarde et je lui adresse un grand sourire de soutien paternel.

"Tu surfais ? demande Sid. Une petite surfeuse toute mignonne ?"

J'insiste : "Pourquoi tu as arrêté ?

– Au départ, j'ai arrêté parce que j'ai eu mes règles et que je savais pas me servir d'un tampon. Du coup, pendant cinq ou six jours, je ne suis pas allée surfer, et après ça, j'ai perdu l'habitude, c'est tout.

– Comment tu pouvais ne pas savoir comment utiliser un tampon ?" demande Sid.

J'ajoute : "Ta mère ne t'a pas... montré... ou appris comment... ou je ne sais pas, moi... ?

– J'ai attendu un an avant de dire à maman que j'avais mes règles.

– Même moi, je saurais utiliser un tampon", ajoute Sid.

J'augmente le volume de la radio.

"La première fois, j'ai cru que j'avais eu la chiasse dans ma culotte", dit Alex. Je sens son regard sur moi. Elle guette ma réaction.

"Beurk, Alex, dit Sid. Si ça se trouve, c'était ça.

– Bon, dis-je. Après tout, c'était toi que ça regardait.

– J'ai caché mes culottes sales sous le matelas parce que je ne savais pas où les mettre. Dans la poubelle, maman les aurait vues. À la longue, le matelas s'est imprégné de sang et, un beau jour, elle l'a retourné et elle a tout découvert."

Alex me regarde, dans l'attente, semble-t-il, d'une réaction. Je sens qu'une bonne réponse est cruciale, comme s'il s'agissait d'un examen.

"Pourquoi tu le lui as caché ? Tu t'es tracassée pour pas grand-chose." Sans compter la honte, ai-je envie d'ajouter. Sans compter la honte.

"J'en sais rien, répond Alex. Peut-être parce qu'elle me poussait toujours à paraître plus âgée, à me comporter comme une grande, et qu'avoir mes règles l'aurait confortée dans son idée que j'étais devenue une femme, et tout et tout. Sans doute que j'avais pas encore envie d'en être une. J'avais treize ans."

On dirait qu'elle a réfléchi à la question. Je me demande à quoi d'autre elle pense, quels sont les sujets qui la perturbent. Nous contournons le volcan qui sommeille.

"Eh, Alex ? l'interpelle Sid. Y a pas des jours où tu t'es sentie « pas trop fraîche » ?

– Ferme-la, Sid !

– Tu es bien sûre qu'il est au courant de la situation ? dis-je. Parce qu'à l'entendre on croirait qu'il ignore que notre famille traverse un moment difficile.

– Papa ! s'écrie Alex, un rappel à l'ordre si vigoureux que je freine. Fais demi-tour, dit-elle.

– Pourquoi ?" Nous longeons le parc Kapiolani, paradis des joggeurs. L'un d'eux traverse la rue sous mon nez. Son short fendu sur les côtés laisse entrevoir des poils sombres que la sueur a plaqués sur ses cuisses. Un iPod est sanglé autour de son biceps.

J'entends la vitre arrière se baisser.

"Fais gaffe, blaireau ! lui crie Sid.

– Fais le tour de la fontaine et reviens sur tes pas, ordonne Alex.

– Pourquoi ?

– J'ai cru voir quelque chose, mais j'en suis pas sûre. Vas-y, fais le tour."

Je fais le tour de la fontaine, repars sur Kalakaua et reviens en arrière.

"C'est bon comme ça ?

– Oui, je crois, dit Alex. Encore un peu...

– C'est ce qu'elles disent toutes, lance Sid.

– Ta gueule ! s'écrie Alex. Arrête-toi au stop."

J'obtempère.

"Regarde." Elle désigne une maison de l'autre côté de la rue.

C'est une villa bleu pâle aux volets de bois peints en blanc. Elle est à vendre. Joanie nous poussait toujours à déménager en ville, de ce côté de l'île, où vivent ses amis, loin de Maunawili où il pleut trop souvent. Je n'ai jamais voulu vivre par ici, au milieu des joggeurs et des résidences au luxe tapageur de Kahala Avenue. Alex aime bien ce côté de l'île, elle aussi, ou du moins elle l'aimait. La villa n'est pas à proprement parler en front de mer, puisqu'il y a la route à traverser, mais elle fait partie des lotissements les plus prisés de Diamond Head et elle a été refaite dans un style d'autrefois.

"C'est une belle maison, dis-je. Mais il y a l'avenue..." Je lui montre les voitures qui défilent à vive allure. "Ça doit pas être facile de sortir de l'allée.

– C'est pas ça ! dit-elle. Regarde la pancarte."

Je plisse les yeux pour lire la pancarte *à vendre*, je vois son nom et je comprends pourquoi il me semblait si familier. Chaque jour, je passe devant son nom, devant ces lettres bleues et blanches : BRIAN SPEER. AGENT IMMOBILIER. 978-7878.

Sur la photo, je vois ses cheveux bruns. Le monde lui appartient. Il a l'air tout droit sorti d'une pub pour dentifrice. Il a l'air d'être amoureux.

"J'y crois pas, lâche Sid.

– Maintenant, tu sais à quoi il ressemble", conclut Alex.

Je m'éternise au stop. Nous regardons la photo sans rien dire.

"Alors, tu es satisfait ? finit par me demander Alex.

– Non."

20

J'ai mémorisé son numéro de téléphone, mais je n'ai pas appelé. Je ne sais pas quoi dire. Le numéro n'arrête pas de me revenir. Je sais que je finirai par l'appeler.

Seul à la table de la salle à manger, je contemple notre jardin et la montagne, et je bois un whisky. Je me sens vieux. Je ne pouvais plus continuer mon tour des amis et proches après avoir vu la photo de Brian Speer. Je n'avais qu'une envie, rentrer chez moi. J'ai le téléphone à la main. Si je compose le numéro, j'aurai le répondeur de son bureau, puisqu'il est neuf heures du soir. J'appellerai, j'écouterai sa voix et je raccrocherai. Si j'hésite autant, c'est que je sais que, une fois le numéro composé, ce sera comme si j'avais pris un engagement, comme si j'étais lié par un contrat.

Je fais le numéro, curieux d'entendre sa voix. À la troisième sonnerie, j'obtiens le répondeur : "Salut, c'est Brian, désolé de ne pouvoir vous répondre. Laissez-moi un message et je vous contacterai dès que possible."

Quel homme d'affaires est-il pour dire "salut" comme ça ? Je me souviens des rappels à l'ordre de ma mère quand je disais "salut" au lieu de "bonjour". La voix est décidée, presque impatiente, ce qui est un bon point : vous voulez faire sentir à vos clients que vous leur accordez une faveur en prenant leur argent. Au bip, je raccroche et je vais jusqu'à la chambre de Scottie. Je n'entre pas : Esther lit à haute voix, mais presque arrivé à ma chambre, j'entends mes deux filles rire comme des folles. Je revois Esther me disant que les comptines ont l'art de faire rire Scottie. Je reviens sur mes pas pour l'écouter lire.

"« Petit Popaul était célibataire. »

– Oh ! Relis-nous celle du petit oiseau, supplie Alex.

– Je l'ai déjà lue trois fois !

– Encore une fois", renchérit Scottie.

Un bruit de pages que l'on tourne puis : "« Oh mon joli petit oiseau, oh mon beau petit oiseau, je te prie de ne pas chanter dès potron-minet. Et ta queue... »"

Des éclats de rire couvrent la voix d'Esther. Je secoue la tête et continue jusqu'à ma chambre vide. Détail surprenant, je suis heureux que Scottie sache que "petit oiseau" a une double signification et je ne suis pas mécontent non plus qu'elle ne soit pas aussi fana de comptines que j'aurais pu le penser. Qui plus est, je suis ravi que mes filles s'amusent si bien ensemble : il y a longtemps que je ne les avais pas entendues rire de si bon cœur. Est-ce que je les ai jamais entendues rire aux éclats ? Quand elle vivait à la maison, Alex ne mettait à peu près jamais le nez hors de sa chambre. Malgré tout, leur rire m'exclut et m'attriste : je sens que j'arrive trop tard pour faire jouer les liens paternels. Et pourquoi est-ce qu'elles ne rient pas d'autres choses, de choses normales ?

"Salut, chef !"

Je me retourne et j'aperçois Sid qui sort de la chambre d'Alex en caleçon, torse nu.

"Alors, vous l'avez appelé ? demande-t-il.

– Mêle-toi de tes affaires. Et il n'est pas question que tu dormes dans cette chambre. Et va te rhabiller, s'il te plaît.

– Pourquoi ?

– Je crois que tu ferais bien de rentrer chez toi.

– Alex n'apprécierait pas", répond-il.

C'est vrai et je sais que si j'insiste, j'aurai droit à la fureur de ma fille.

"Tu peux dormir dans la chambre d'amis, dis-je. C'est ça ou tu repars chez toi, à toi de choisir. Et je pense qu'il est dans ton intérêt que j'aie confiance en toi."

Il se frotte l'abdomen. Trop de muscles. Ça ne fait pas naturel. Je sens que j'ai du ventre, je le rentre.

"On fera ce qu'on fera, dit-il.

– Ouais, mais je vous faciliterai pas la tâche." Je me revois adolescent. Oui, les gosses parviennent toujours à leurs fins, mais je me rappelle que trouver un endroit pour faire l'amour relevait de l'exploit. Une fille ne fait pas l'amour n'importe où. Une femme oui, mais pas une fille.

Ma chambre est à côté de celle d'Alex, je me balance d'un pied sur l'autre. "Le plancher qui grince", dis-je.

Il rit. "Vous en faites pas. Je plaisantais. On n'est pas comme ça, Alex et moi. C'est pas comme ça, entre nous. De toute façon, je ne dormirais pas dans sa chambre."

Le bleu pâle de son visage a viré au noir, avec un soupçon de grenat, telle une tache de fruit rouge autour de l'œil.

"C'est personne, ce type, dit Sid. Appelez-le. Tapez-lui un scandale !"

Je fais demi-tour et retourne dans ma chambre. Je pense à la main de Sid s'apprêtant à parer le coup avant de redescendre s'agripper à sa cuisse. Il doit avoir décidé d'encaisser le coup. Je pourrais lui poser la question, mais je ne veux pas avoir une raison de le trouver sympathique.

Une fois dans ma chambre, je rappelle Brian et j'écoute son message. Cette fois, sa voix et ses mots me détendent. Il ne m'intimide pas, comme ça devrait être le cas pour un vrai rival. Je l'imagine dans une de ces maisons, astiquant les comptoirs, faisant cuire du pain pour donner une impression de plaisante intimité, de bien-être. C'est personne, ce type. En fait, il pourrait travailler pour moi.

Après le bip, je dis : "Salut, Brian. (Pause.) Je suis intéressé par la maison de Kalakaua. La bleue avec les volets en bois, à grosses lattes."

J'entends les filles rire de plus belle. Je laisse mon numéro, je raccroche et ne bouge plus. Comme si le moindre mouvement risquait de tout compromettre. Qu'est-ce que je veux ? Juste le voir ? L'humilier ? Me mesurer à lui ? Et si je voulais simplement lui demander si elle m'a jamais aimé ?

21

Le lendemain nous allons à l'hôpital. C'est la deuxième fois qu'Alexandra voit sa mère depuis l'accident. Elle y est allée le jour de l'admission de Joanie et n'y est pas retournée depuis. Elle est debout au pied du lit, la main posée sur la jambe de Joanie sous la couverture. Elle regarde sa mère comme si elle allait lui dire quelque chose, mais j'ai beau attendre, rien ne vient.

Je remarque les boîtes de noix de macadamia dans la chambre et constate que Scott a fait à la lettre ce qu'il avait décidé : satisfaire les moindres envies de Joanie.

"Dis quelque chose", murmure Scottie.

Alex regarde Scottie, puis sa mère, encore reliée aux diverses machines.

"Salut, maman, dit-elle.

– Dis-lui que tu t'es bourré la gueule, interrompt Scottie. Dis-lui que t'es alcoolo.

– Je suppose que c'est dans les gènes, dit Alex.

– Les filles ! dis-je, sans trouver une vraie raison de les réprimander. S'il vous plaît."

On dirait qu'on vient de faire la toilette de Joanie. Elle n'est pas maquillée, ses cheveux sont mouillés. Soudain, j'éprouve le besoin de faire sortir les filles. Elles culpabilisent parce qu'elles ne savent pas quoi dire. Je ne devrais probablement pas leur infliger un tel spectacle, ni exiger d'elles qu'elles soient sérieuses. J'ai sans doute tort d'insister pour qu'elles passent tout leur temps dans cette chambre.

"Où est Sid ?" Ça me fait tout drôle, de m'inquiéter de lui.

"Il est sorti fumer une cigarette, me répond Alex.

– Demande pardon à maman, dit Scottie.

– Pourquoi ? demande Alex.

– Pour t'être bourré la gueule. Pour ne pas être un garçon. Maman voulait des garçons. C'est mamy qui me l'a dit. Et nous on est des filles.

– Pardon d'avoir été méchante, dit Alex. Pardon d'avoir gaspillé l'argent de papa en coke et en alcool, alors qu'avec ce fric tu aurais pu t'acheter des produits de beauté. Pardon.

– Alex ! dis-je.

– Moi, j'ai droit au Diet Coke, dit Scottie.

– Pardon pour tout, dit Alex, puis elle se tourne vers moi : Pardon, maman, si papa n'était pas assez bien pour toi.

– Cette fois, Alex, tu dépasses les bornes. Arrête.

– Sinon, quoi ? Tu vas me priver de sortie ? Ou m'expédier dans une autre école ?"

Je ne sais ni quoi dire ni quoi faire – je ne veux pas crier "Ta mère est en train de mourir !" devant Scottie –, et je me rabats sur ce que je faisais autrefois : j'attrape Alex par l'épaule et je lui flanque une fessée.

"Tu l'as pas volée ! s'exclame Scottie.

– Scottie, va dans le couloir.

– Mais c'est elle qui charrie !"

Je lève la main. "File !"

Scottie disparaît dans le couloir.

"Tu viens de me flanquer une fessée ? demande Alex.

– Tu n'as pas le droit de parler comme ça à ta mère. Elle va mourir, Alex. C'est tes derniers mots. C'est ta mère. Elle t'aime.

– J'ai le droit de parler comme je veux. Et toi aussi.

– Hier, tu étais en larmes. Je sais que tu l'aimes et que tu as d'autres choses à lui dire.

– Désolée, mais non. Ou plutôt si, j'en ai, mais pas pour l'instant. Pour l'instant, je suis en colère. C'est plus fort que moi."

Alex a baissé la voix. Elle semble sincère. Je la crois ou, du moins, je la comprends.

– Ça ne nous mènera nulle part, la colère, dis-je. Ta maman n'était pas satisfaite de nous. Soit. Essayons de la satisfaire maintenant. Pense aux bonnes choses. Aux bons moments. Et je ne veux pas t'entendre parler comme ça devant Scottie. Ne détruis pas ta mère aux yeux de Scottie.

– Comment tu fais pour être aussi calme et indulgent ?" demande Alex. Je ne connais pas la réponse à cette question. Je refuse de lui dire que je suis à la fois furieux, humilié et que j'ai honte d'être en colère contre Joanie. Comment pardonner à ma femme d'en aimer un autre ? Je pense à Brian. Je n'ai jamais réfléchi à la façon dont il faisait face, lui, à ce drame. Il ne peut pas la voir. Il ne peut pas lui parler. Il n'est pas censé montrer sa peine. Je me demande si, du fond de son coma, Joanie le réclame, si elle ne souhaiterait pas l'avoir auprès d'elle, plutôt que nous.

"J'aurai le temps d'être en colère après, dis-je. Pour le moment, je cherche à la comprendre, c'est tout."

Nous nous retrouvons une fois de plus face à Joanie.

"Dis-lui quelque chose de gentil.

– J'ai toujours voulu être comme toi, dit Alex à sa mère, puis elle secoue la tête. Je suis comme toi. Exactement comme toi." Elle dit ces mots comme s'ils venaient de lui traverser l'esprit. "Ça faisait hyper mélo. C'est pas sorti comme j'aurais voulu.

– Non, c'était parfait. Tu es comme elle et c'est très bien.

– Le reste, elle le sait. Elle sait que je l'aime. Je voulais juste lui dire des choses qu'elle ne savait pas.

– Elle les sait aussi, ces choses, tu n'as pas besoin de les lui dire.

– J'ai appris que tu avais reçu une fessée", dit Sid qui entre dans la chambre, Scottie sur ses talons. Elle est amoureuse de lui. Elle a passé la matinée à lui chiper son chapeau et à détaler en poussant des cris pendant qu'il la poursuivait. Elle ne me copie plus. Elle copie Sid désormais.

"Salut, Joanie", dit Sid. Il s'approche du lit. "Je suis Sid, le copain d'Alex. J'ai beaucoup entendu parler de vous. Vous êtes une battante, vous allez vous en tirer, c'est sûr. Je suis pas docteur, mais c'est mon avis."

Je vois Alex et Scottie lui sourire, sur le point de hurler : *Il déraille ! Elle ne va pas s'en tirer !*

"J'habite chez vous ces temps-ci pour aider Alex. Elle me parle. Je l'aide à surmonter tout ça."

Alex semble apaisée. Elle se dirige vers la tête du lit, touche la joue de Joanie. Scottie se serre contre moi, les yeux rivés sur la main d'Alex contre la joue de sa mère.

"Ne vous inquiétez pas, reprend Sid. Le soir, votre mari m'enferme dans ma chambre. Il monte la garde. Et votre paternel a un sacré direct. Regardez-moi ça !" Il approche de Joanie sa joue droite. "Ouah ! fait-il. Ce que vous êtes belle !"

Scottie rejoint Sid. Dans la chambre, c'est le silence, Sid contemple le visage de ma femme. Je me racle la gorge, il va vers la fenêtre, soulève le rideau. "Il fait beau, dit-il. Pas de nuages. Pas trop chaud."

Je regarde ma femme, m'attendant presque qu'elle réagisse. Sid lui plairait, j'en suis à peu près sûr.

"Reina vient de m'envoyer un SMS ! s'écrie Scottie. Elle est ici ! À l'hôpital.

– Bon sang, Scottie, j'ai dit non. Pas de Reina ici !

– Tu as dit qu'elle pourrait venir jeudi et on est jeudi. J'ai besoin d'elle. Et je veux qu'elle rencontre maman, d'accord ? Et Sid... je suis sûre que Reina le trouvera à son goût et je veux aussi qu'elle rencontre Alex.

– Et moi là-dedans ?

– Toi aussi, dit-elle.

– Je ne pense pas que ce soit une bonne idée." Quand je lui ai dit que Reina pourrait venir, j'ignorais que ma femme était mourante.

"Mais papa, Alex, elle, elle a le droit d'avoir Sid !

– Bon, dis-je, ne voulant pas discuter ni même parler. Si c'est ce dont tu as besoin, alors, d'accord." Évidemment, que c'est d'accord. Tout ce qui peut aider.

Scottie se précipite à la réception. "Bon. Et vous, dis-je aux autres, vous êtes prêts ?"

Quelques instants plus tard, Reina apparaît dans l'encadrement de la porte, accompagnée de Scottie qui nous la présente. Du regard, Reina passe en revue la chambre, l'air de la trouver sale.

"Papa, je te présente Reina. Reina, voici ma sœur et Sid et là, sur le lit, c'est ma maman."

Reina porte une jupe de tennis en tissu éponge et un sweaT-shirt à capuche, lui aussi en tissu éponge, tous deux rehaussés d'un écusson qui dit CUILLÈRE D'ARGENT DANS LA BOUCHE.

"Alors, c'est ta mère." Elle s'approche du lit de Joanie. "Ça doit être vrai. Ça fait toujours un mensonge de moins !"

Je regarde Alex, elle a l'air aussi abasourdi que moi. Debout près de son amie, Scottie touche l'épaule de sa mère.

"Il faut que je lui serre la main ? demande Reina.

– Si tu veux, répond Scottie.

– Non merci.

– C'est ridicule", marmonne Alex.

Je ne savais même pas que les petites filles étaient comme ça. Reina ne nous prête aucune attention. J'ai l'impression d'être son domestique. Sid la regarde en fronçant les sourcils, comme s'il avait devant lui l'équation la plus difficile qu'il ait jamais eu à résoudre.

Reina trimballe un sac de la taille d'un missile. Scottie s'éloigne du lit et va se mettre à côté de Sid qui s'amuse à l'ébouriffer. Elle s'appuie contre lui. Reina se retourne, les voit, hoche la tête et regarde l'heure.

"Où est ta maman ? dis-je.

– Chez le coiffeur.

– Elle ne t'a pas accompagnée ? Qui est avec toi ?

– Personne. Enfin, il y a l'aide de maman qui m'attend dans la voiture, mais personne n'est *avec* moi."

La voix de Reina a un je-ne-sais-quoi qui me donne envie de lui tirer dessus avec un fusil à air comprimé. Si elle se blessait maintenant et se mettait à hurler de douleur, je sourirais avant d'appeler les secours.

"Écoutez, les filles, si vous continuiez votre conversation dehors ? Allez vous chercher une glace ou ce que vous voudrez...

– Trop de carbs, dit Reina.

– Trop de quoi ?

– D'hydrates de carbone !

– Dans ce cas, va te chercher une salade et après ça, Reina, tu ferais mieux d'aller retrouver l'aide de ta mère – tu ne veux pas la faire attendre.

– Le faire attendre, rectifie-t-elle. Il vient des Samoa et il est gentil comme tout.

– Bon, le faire attendre et toi, Scottie, je veux que tu reviennes pour que nous puissions avoir du temps en famille.

– Vous inquiétez pas, dit Reina. J'ai fini." Elle se tourne vers Scottie et lui fait signe de la main. "Tout compte fait, t'es pas une menteuse."

Scottie nous jette un regard furtif. Je me demande à quoi Reina fait allusion.

"T'as pas envie qu'on passe un moment ensemble ? demande Scottie, en se détachant de Sid.

– Non, il faut que je chorégraphie ce numéro de danse." Reina fouille dans son sac, consulte ses SMS et roule les yeux. "Ce qu'il peut être deb, Justin ! dit-elle. Salut, je te reverrai au club. J'espère que ta mère va se remettre. Bisous."

Bouche bée, nous la regardons s'éloigner. Une fois qu'elle est partie, je demande à Scottie : "Qu'est-ce qu'elle entendait par « Tout compte fait, t'es pas une menteuse » ? Et qu'est-ce que ça veut dire *deb* ? Pourquoi elle te traiterait de menteuse ? C'est quoi, le problème de cette fille ?

– Elle ne croyait pas que maman dormait et..." Scottie s'interrompt et regarde Sid. Elle vire au rouge pivoine. "Et si tu veux savoir, *deb* c'est l'abréviation de débile mental.

– Et... ? dit Alex.

– Et c'est tout, finit Scottie.

– Il fallait que tu prouves à cette pauvre conne que maman était dans le coma ? reprend Alex. Ça va pas la tête, non ? T'as de la merde dans le cerveau ou quoi ?

– La ferme, espèce de pute sans mère, dit Scottie.

– Oh ! dit Sid. Du calme !

– Et à propos de quoi d'autre est-ce qu'elle s'imaginait que tu mentais ?" demande Alex.

Je revois Scottie copinant avec Sid et Reina les regardant d'un sale œil.

"C'était au sujet de Sid ? Tu as dit quelque chose au sujet de Sid ?

– Non !

– Tu n'as pas besoin d'inventer des trucs pour plaire à cette fille, dis-je. Elle fait peut-être des trucs avec les garçons, mais ça ne veut pas dire que tu peux faire pareil." Je sens à présent que mon premier devoir dans la vie est de veiller à ce que Scottie ne ressemble en rien à Reina, parce que je sais que le potentiel est là, en elle, et qu'il aurait tôt fait de faire surface.

"Je lui ai juste dit que c'était mon copain pour qu'elle me foute la paix, répond Scottie.

– T'es vraiment idiote ! grommelle Alex.

– Peut-être. Il m'a dit qu'il était pas ton petit ami. Des filles, il doit en doigter des dizaines !"

Je bondis. "Scottie !"

Alex a le regard d'un animal blessé. "Ça m'est égal, dit-elle. C'est pas comme si on était ensemble."

Sid ouvre la bouche, il s'apprête à parler, mais il se contente de hocher la tête. Je me tourne vers Joanie qui gît là, silencieuse.

"Ton téléphone vibre", dit Scottie. Elle sort mon portable de sa poche, elle me l'avait chipé pour envoyer un SMS à son amie. Elle se fout complètement d'avoir désobéi. Elle se fout complètement d'avoir dit "doigter" devant moi. À croire que je ne suis pas un père.

Je ne connais pas le numéro, je ne réponds pas. Je préfère que les gens me laissent des messages, et je les rappelle après avoir répété ce que je dois leur dire.

"Tu réponds jamais au téléphone, dit Scottie. Et si quelqu'un t'appelait au secours ?

– Il n'aurait qu'à laisser un message, je le rappellerais aussitôt."

Alex m'arrache le téléphone. "Allô ? dit-elle.

– Nom de... J'existe pas, ou quoi ? Vous percutez que le chef ici, c'est moi ?

– Qui c'est ? murmure Scottie.

– Oh, non... dit Alex. Oui, c'est le bon numéro. Je suis son assistante... Sharon."

Scottie est aux anges. J'ai toujours été impressionné par la facilité avec laquelle Alex peut mentir.

"Ça devrait aller, dit Alex qui ponctue sa phrase d'un petit coup dans mon bras. Où ça ? Très bien. Et pour combien de temps ? D'accord. Parfait. Merci. On passera peut-être y jeter un coup d'œil dimanche. Merci beaucoup."

Elle raccroche.

"Alors ?

– C'était un agent immobilier, papa. Une associée de Brian. Elle dit qu'elle serait ravie de te faire visiter la maison pour laquelle tu as appelé. Bien joué, papa. Très astucieux.

– Bien joué, King, rajoute Sid.

– Et Brian ?" Cela me fait tout drôle d'aborder ce sujet en présence de Joanie. Je me place de façon à lui tourner le dos.

"Il est à Kauai.

– Pour combien de temps ?

– Jusqu'au 18.

– Tu as eu un numéro où je puisse le rappeler ?

– Non. Qu'est-ce que tu veux lui dire ? demande Alex et une fois de plus elle me laisse sans réponse.

– De quoi vous parlez ? demande Scottie qui se glisse entre nous.

– Tu crois qu'il est au courant pour maman ? demande Alex.

– Bien sûr", dis-je. Il me paraît évident qu'il sait qu'elle est à l'hôpital, mais comment pourrait-il savoir que Joanie vit ses dernières semaines, et sans doute même ses derniers jours ? Je me demande ce qu'ils faisaient ensemble. Ma femme et Brian. Je pense aux insinuations de Kai selon lesquelles j'aurais conduit Joanie à avoir une liaison. Ma froideur et mon indifférence l'auraient menée droit dans ses bras ! Moi qui croyais que nous avions une relation unique, elle et moi, qu'elle n'avait pas besoin d'autant d'attention que les autres femmes.

Je contemple les noix de macadamia et les photos de motos et de bateaux que Scottie a scotchées aux murs de la chambre.

Je vois des gardénias, sa fleur préférée, et aussi une bouteille de vin.

"On va continuer à faire le tour des amis pour les inviter à la soirée ?" demande Scottie.

Alex hausse les épaules et je me sens honteux de l'avoir incitée à mentir, même si elle y prend sans doute un certain plaisir.

"Non, dis-je. C'est fini.

– C'est quand la soirée ?" demande Scottie.

Du revers de la main, je nettoie son T-shirt couvert de sable. Où est-ce qu'elle les dégote, ces T-shirts ? Il va falloir que je lui rachète des vêtements. Son T-shirt représente un éléphant pattes en l'air, dont la grande langue pendante rappelle un toboggan de cour de récréation. BOURRÉ, peut-on lire, et je remarque les canettes de bière éparpillées à l'arrière-plan, dans le désert.

C'est quand la soirée ? Je me pose la question et finis par voir dans cette réunion le meilleur moyen de prévenir le reste de ceux qui figurent sur ma liste. Je ne peux pas continuer ma tournée. Je vais les faire venir à moi. Il va falloir que je reparle au Dr Johnston pour lui demander de ne rien faire. D'attendre. Je veux permettre à chacun de lui dire au revoir. Je veux m'assurer que les personnes qui comptent seront là.

22

Ils sont presque tous là, à part Kent Halford, qui est à Sun Valley, et Bobbie et Art qui ne se déplacent pas la plupart du temps et ne prennent jamais la peine de s'excuser. J'ai demandé à Alex et Sid d'emmener Scottie au cinéma.

Le soleil se couche. J'ai disposé de grandes assiettes de sushis, de fruits et de crackers sur la table de la salle à manger autour de laquelle tout le monde se tient, cocktails et baguettes chinoises à la main. Ça a tout d'une fête, et je commence à me sentir terriblement mal à l'aise car ils ignorent la raison de leur présence. Ils n'ont aucune idée qu'ils sont ceux de nos proches qu'il me reste à mettre au courant.

Je les ai laissés un moment se rencontrer et bavarder, mais maintenant l'heure a sonné. Je suis prêt. Je me dirige vers le bout de la table pour mieux les voir tous. Je m'éclaircis la voix. Il faut juste que je le dise, il faut que ça sorte, ensuite je pourrai me mettre en retrait.

"Écoutez. Ce soir, chacun d'entre vous m'a demandé des nouvelles de Joanie et je me suis contenté de réponses ambiguës. Ce que j'ai à vous dire, c'est que Joanie est dans un coma irréversible. D'ici peu, elle ne recevra plus d'aide artificielle. Elle ne s'en sortira pas."

Buzz rit d'une bêtise de Connie, Lara murmure à son oreille. Le sourire de Buzz s'évanouit aussitôt.

"Je suis désolé de vous prévenir comme ça. Je voulais le dire à chacun d'entre vous personnellement. Vous faites partie de nos plus chers amis, de nos meilleurs amis. J'apprécie ce que vous avez fait pour nous. Nom de Dieu !" La gorge me brûle, les larmes me montent aux yeux, ce qui n'était pas au programme. J'avais bien préparé et quand je répétais, j'étais plutôt calme. Tout le monde me regarde, les femmes commencent à s'approcher. Je les serre chacune dans mes bras : Lara, Kelly, Connie et Meg. Je respire leur parfum, j'enfouis mes larmes dans leurs cheveux.

"Tu es sûr ? demande Connie. Vraiment sûr ?

– Oui.

– On peut la voir ? demande Lara.

– Oui, dis-je. Allez-y, s'il vous plaît. Aujourd'hui ou demain matin ou quand vous pourrez. C'est ce que je tenais à vous dire. C'est pour ça que vous êtes tous ici.

– Et Kai ? demande Lara.

– Je l'ai prévenue."

Russell et Tom viennent vers moi. Je suis gêné pour Russell, il se penche pour m'étreindre, l'air aussi penaud que moi quand on m'annonce une mauvaise nouvelle. C'est plus fort que moi, je lui réponds par un grand sourire tout bête, stupide. Russell me donne une tape dans le dos. Il n'y va pas de main morte, et mon menton s'enfonce dans son épaule.

"Est-ce que la décision a été prise conjointement par deux médecins ?" demande Orson. Orson est un avocat de la partie civile qui appelle sa clientèle, en grande majorité féminine, sa "cour". "Rappelle-toi que tu dois avoir le diagnostic de deux médecins."

Je le regarde.

"Bien sûr, dit-il, tu sais ce que tu fais.

– Encore combien de temps ? demande Kelly. On en est où ?

– Plus pour longtemps, dis-je. C'est tout ce que je sais. Et ce serait bien que vous y alliez tous au cours des prochains jours pour que les filles puissent passer du temps seules avec elle. Si vous avez l'intention d'y aller, bien sûr. Vous n'êtes pas obligés."

Le nouveau petit ami de Kelly a l'air soulagé. Je remarque qu'il s'efforce de ne pas montrer qu'il mâchonne quelque chose. Kent Jr, le fils de Kent Halford, lui, n'essaie même pas de réfréner son appétit. Il étale un morceau de brie sur un cracker et l'enfourne. Je suis content de le voir manger, faire ce qu'il veut, même si c'est probablement ce qu'il a toujours fait. Je me souviens de l'époque où il habitait à côté. Un soir, en pleine nuit, il a volé notre tracteur pour aller retrouver ses copains au poste de guet sur l'autoroute H3. Il en est reparti soûl et je l'ai retrouvé sur le tracteur en train de tourner en rond sur notre pelouse. Je m'approche de lui et étale du fromage sur un cracker. Je sais qu'il vient de perdre son grand-père et qu'ils étaient très proches. Je présume que, désormais, soit il se sentira libre de faire toutes les conneries possibles et imaginables soit, au contraire, il rentrera dans le rang.

"C'est nul ! dit-il.

– Oui.

– J'aime bien Mme King, elle est toujours si gentille avec moi.

– Elle t'aime bien, elle aussi", dis-je.

Il est perdu dans ses pensées. Il vaut beaucoup mieux que son père. J'apprécie le mal qu'il se donne pour tirer le meilleur parti de ses piètres cartes.

"Vous savez, j'ai piqué de la bière dans votre frigo, celui qui est sous le porche. Et pas qu'une fois, avoue-t-il.

– Je sais", dis-je.

Buzz vient vers nous en secouant la tête. "J'arrive pas à croire qu'on en soit là. Quel salopard ce Troy !

– Ne dis pas ça." Je regarde mes invités, Connie et Kelly qui se tiennent serrées l'une contre l'autre et parlent de Joanie et de moi. Debout sur la pelouse, avec leurs cocktails, le petit ami de Kelly et Kula, le nouveau de Meg, contemplent la montagne faute de savoir que faire. Russell est assis près du bar, sur un bras de fauteuil. Quant à Meg, qui ramasse gobelets et assiettes vides, qui sait à quoi elle pense ? Joanie et elle sont comme chien et chat, elles passent leur temps à se chamailler, ce qui témoigne de leur amitié. Orson a tout l'air de donner un cours de droit à Lara, peut-être qu'il établit la liste des responsabilités : le Queen's Hospital, le hors-bord, Howard Aron, le propriétaire du bateau, Troy Cook, le moteur, le gouvernail, la mer agitée, la passion de la compétition, l'amour de la vitesse.

Lara me rejoint. "Et Shelley ? demande-t-elle.

– Je l'ai prévenue. J'ai prévenu tous ceux que j'estimais devoir prévenir. J'ai appelé Troy.

– Il manque quelqu'un", dit Meg. Elle s'approche de Kent, lui prend l'assiette de sushis qu'il a dans la main et le fusille du regard.

"Mais maman, qu'est-ce qui te prend ? Tu sais bien que j'adore les sushis !

– Laisse-le manger les sushis, Meg !"

Les invités me dévisagent, ils attendent logiquement la suite.

"Il faut que j'y aille, dis-je assez fort pour que Buzz et Kent l'entendent.

– File, m'encourage Buzz. Je m'en occupe. Tu n'as pas besoin de t'excuser, on comprend."

Je regarde le fromage, les crackers, les petits œufs de saumon rouges dans le sushi. "Je suis désolé, dis-je. Je sais que vous voudriez que j'en dise davantage, que j'explique. Elle a un testament de vie. C'est pour ça.

– Arrête, intervient Lara, tu n'as pas besoin d'ajouter quoi que ce soit. Ça fait déjà un moment qu'elle est dans cet état, Matt. On s'y attendait, on comprend. On est là pour toi, on est avec toi."

Lara et Joanie font partie d'un groupe de hula-hoop. La dernière fois que j'ai vu Lara, c'était dans notre salle à manger où elle s'entraînait avec les autres femmes. Leurs pieds nus martelaient le tapis, elles décrivaient de grands cercles avec les bras, leurs yeux suivaient leurs mains, l'air de dire : regardez-moi ce luxe ! Ce que c'est beau ici ! Les larmes me montent aux yeux. Je bois une gorgée du Coca de Kent, au goût de rhum très prononcé. Il me regarde avec inquiétude, je lui donne une tape dans le dos. "Mon vieux, dis-je, c'est quelque chose !"

Le rhum me fait un bien fou. Buzz est si près de moi qu'on pourrait croire qu'il appartient à ma garde rapprochée. "Vous devriez y aller. Si vous pouviez faire en sorte que tout le monde s'en aille..."

Buzz frappe dans les mains : "Votre attention, s'il vous plaît ! Nous devrions laisser la famille avoir un peu d'intimité maintenant."

Je me sens rougir. "Rien ne presse", dis-je. Mais ils ont compris le message, ils ont compris qu'ils sont invités à partir. Les hommes viennent les premiers me serrer la main. À mes côtés, Buzz supervise les adieux. Puis c'est le tour des femmes, qui m'étreignent férocement.

"Est-ce qu'il y a quelqu'un d'autre à prévenir ? insiste Meg. On n'a oublié personne ? Je serais morte de honte si j'avais oublié quelqu'un."

Kent finit son verre. "Viens, maman, si on pense à qui que ce soit d'autre, on le lui dira." Il m'étreint, prend sa mère par la main et l'emmène. "On vous aime, Matt", me lance-t-elle en s'en allant. Je remercie Buzz, qui semble avoir oublié que lui aussi doit partir...

"Je vais m'allonger un moment, dis-je. On se tient au courant." Je m'éloigne, les yeux rivés sur les dalles bien lisses de l'allée, m'efforçant d'aller jusqu'au premier canapé. Je suis content de moi, c'était dur, mais j'y suis arrivé. Joanie aurait été fière de moi. Je me souviens des bricoles que lui a apportées son père : du vin, des photos, des chocolats. Parvenu au salon, je me surprends à réfléchir à ce que, moi, je pourrais lui apporter, aux symboles, aux souvenirs qu'elle attendrait de ma part. Il me vient une pensée que je regrette aussitôt. Je revis ma tournée des proches et je pense aux amis rassemblés pour cet adieu.

Et lui dans tout ça ? Pas une minute il ne m'est venu à l'esprit qu'il puisse être celui qui la connaît le mieux, celui qui l'aime le mieux. Pas une minute il ne m'est venu à l'esprit que c'était ce qu'elle voulait par-dessus tout. Il n'est pas au courant de la situation, et c'est injuste. Pour peu que je mette mes sentiments de côté, j'entrevois la douleur que l'ignorance des faits pourrait nous causer à lui, à elle et, le cas échéant, à moi. Maintenant, je sais qui manque et comment y remédier. Je dois lui demander de rentrer de Kauai pour dire adieu à Joanie. Je ne peux pas le laisser de côté. Je dois le ramener à Joanie.

23

Les gosses ont vu un film sur deux garçons défoncés accros aux hamburgers. J'essaie d'écouter les explications d'Alex, qui me dit qu'il y avait bien plus qu'une simple envie de hamburgers. Je lui réponds que j'en suis convaincu.

Je lui demande si elle estime qu'il mérite d'avoir une chance de dire adieu à Joanie.

Alex se tient à l'entrée de ma chambre, signe qu'elle est de bonne humeur. Parfois, au retour d'une sortie avec des amis, elle venait se poster là pour nous raconter sa soirée pendant que Joanie et moi l'écoutions du fond de notre lit. Elle nous faisait rire, ce qui l'incitait à rester plus longtemps. J'aime la voir là, à l'entrée de ma chambre.

"Tu parles de *lui* ? Tu voudrais lui proposer d'aller lui dire adieu ?

– Oui, dis-je. Brian.

– Non, dit Alex. C'est du délire.

– Tu trouves ?"

Elle regarde le dictaphone que j'ai dans la main.

"T'es en train d'enregistrer ?

– Non, Alex. Je résumais une déposition.

– Comment tu arrives à travailler ?

– Et toi, comment tu arrives à aller au cinéma ? À inviter des amis ?"

Elle détourne le regard. Ma lampe de chevet éclaire la moitié de la chambre, l'autre moitié est plongée dans le noir. La montagne découpe ses contours anguleux dans la baie vitrée, cette vue me rappelle toujours une de ces photos panoramiques.

"Tu as l'intention de lui dire de venir lui faire ses adieux ? demande-t-elle.

– Oui." Même si au fond de moi-même, il me semble que je devrais au moins lui dire d'aller se faire foutre avant de jouer les bons samaritains.

"Tu vaux mieux que moi, conclut Alex.

– Non."

Elle hoche la tête et je m'aperçois soudain que j'attends d'elle la réaction de quelqu'un bien au-dessus de son âge.

"Je voudrais que tu m'accompagnes à Kauai. Scottie aussi. Ça ne lui fera pas de mal de s'éloigner de l'hôpital un jour ou deux. On peut partir demain matin, aller le voir et être revenus dans la soirée. S'il nous faut un jour de plus, très bien, mais on ne s'absentera pas plus de deux nuits. Si on ne le trouve pas, on pourra au moins se dire qu'on a essayé.

– Et tu crois que tu te sentiras mieux ?

– Je le fais pour elle. Pas pour lui ni pour moi.

– Et qu'est-ce que tu feras s'il s'effondre ? S'il pique une crise ?

– Je prendrai soin de lui." J'imagine Brian Speer gémissant sur mon épaule. Je l'imagine avec mes filles au chevet de Joanie, lui, son amant, et ses gros sanglots impudiques. "Je suis en colère. Je ne suis pas ce type pur et noble : je veux faire ça pour elle, mais je veux aussi voir à quoi il ressemble. J'ai quelques questions à lui poser.

– Tu n'as qu'à l'appeler. Dis à sa secrétaire que c'est une urgence. Elle fera en sorte qu'il te contacte.

– Je veux lui dire de vive voix. Je n'ai prévenu personne par téléphone, ce n'est pas maintenant que je vais commencer.

– C'est pourtant comme ça que tu l'as dit à Troy.

– Troy, ça ne compte pas. J'ai besoin de le faire, c'est tout. Par téléphone, il peut m'échapper. Mais si je l'ai en face de moi, il ne pourra pas se défiler."

Nos regards s'évitent. Elle n'a pas franchi les frontières de ma chambre. Elle ne les franchit jamais lors de ses conversations nocturnes sur le pas de ma porte.

"Vous aviez des problèmes ? C'est pour ça qu'elle allait voir ailleurs ? demande Alex.

– Je ne pensais pas que nous avions des problèmes. Enfin, pas plus que d'habitude."

C'était ça le problème : notre couple avait fini par s'enliser dans la routine. Et Joanie avait besoin des cahots du quotidien, des accidents du terrain. C'est drôle, je me perds dans des pensées à son sujet alors que quand elle était là, devant moi, je ne pensais pas beaucoup à elle.

"Je n'étais pas le meilleur des maris..."

Alex regarde par la fenêtre pour éviter mes aveux. "Si on part, qu'est-ce qu'on va dire à Scottie ?

– Elle pensera qu'on part deux jours faire un tour. Ça ne lui fera pas de mal de s'éloigner d'ici.

– Tu l'as déjà dit. Et moi, pourquoi il faut que je vienne ?

– Tu es la seule adulte que j'aie auprès de moi, et je veux que nous restions tous ensemble, ça nous fera du bien.

– J'ai réintégré la photo de famille, alors !

– Écoute, Alex, il se passe quelque chose, en ce moment, qui est plus important que toi. Je suis désolé que ton enfance n'ait pas été heureuse."

Elle me décoche un de ces regards dont Joanie et elle ont le secret, qui me font me sentir comme un moins que rien.

"Donc on va dire à Scottie qu'on part en vacances pendant que maman est à l'hôpital ?

– C'est pour un jour ou deux. Ça fait près d'un mois que Scottie passe ses journées à l'hôpital, elle a besoin de se changer les idées. Je voudrais que tu t'occupes de répondre à toutes les questions qu'elle pourrait se poser. Elle t'admire. Elle fera tout ce que tu diras."

J'espère que cette responsabilité, ce rôle précis, aidera Alex à se comporter en adulte et à traiter Scottie convenablement.

"Tu veux bien faire ça ?"

Elle hausse les épaules.

"Si tu n'y arrives pas, dis-le-moi, je t'aiderai. Je suis là pour toi."

Alex se met à rire. J'en viens à me demander s'il y a des parents qui peuvent dire à leurs gosses des choses comme "je t'aime" ou "je suis là pour toi" sans qu'on leur rie au nez. Je dois avouer que ça me met mal à l'aise. Comme les marques d'affection en général.

"Et si maman ne tient pas deux jours ?

– Elle tiendra. Je vais lui expliquer la raison de notre absence."

L'idée que le motif de notre absence puisse inciter sa mère à vouloir vivre semble la perturber. "Sid vient avec nous, annonce-t-elle. Sinon, je viens pas."

J'ouvre la bouche pour protester, mais je vois à son regard que je m'engage dans une nouvelle bataille que j'ai toutes les chances de perdre. Ce garçon l'aide à sa façon. Et Scottie paraît l'apprécier. Autant en faire mon allié.

"D'accord, marché conclu !"

J'appelle l'agence immobilière avec laquelle Alex a été en contact. La secrétaire ne sait pas, ou ne veut pas me dire, où séjourne Brian, mais elle confirme qu'il se trouve à Hanalei. J'imprime la liste des hôtels du coin et les appelle sans succès. Je réserve deux chambres à Princeville. Je suis étonné qu'il ne soit pas descendu là. Soit il loge dans une pension de famille qui n'est pas sur ma liste, soit il a loué une villa, soit il n'est pas encore arrivé. Je ne sais pas quoi faire. Il faut qu'on le retrouve. Je suis persuadé que je peux y aller et tomber sur lui d'une façon ou d'une autre. C'est toujours comme ça sur les îles, surtout dans une ville aussi minuscule que Hanalei.

Je réfléchis à ce que je dois faire avant de partir. Je dois finir cette proposition et demander à quelqu'un d'assurer le compte rendu d'une déposition. J'ai besoin de demander à mes filles de faire bloc avec moi. J'ai besoin de renvoyer Sid chez lui. J'ai besoin d'être auprès de ma femme, de pardonner à ma femme. J'ai besoin de pouvoir la regarder sans penser à lui.

J'ai besoin de parler au médecin de Joanie. J'essaie de joindre Sam à l'hôpital, il n'y est pas, je l'appelle chez lui.

"Non, me répond-il, je ne peux plus repousser.

157

– J'ai juste besoin d'encore quelques jours, dis-je. Un jour de plus. Il faut que j'aille chercher quelqu'un à Kauai."

Il me répond qu'il doit respecter la volonté de Joanie, maintenant que le coma a été diagnostiqué irréversible. Il faut que ce soit demain.

"Mais ne t'inquiète pas, dit-il. Tu peux y aller, tu as le temps."

Je prépare ma valise en espérant qu'il sait ce qu'il dit.

TROISIÈME PARTIE

L'offrande

24

C'est une belle matinée.

Je regarde le côté de la penderie réservé à Joanie et je touche ses vêtements. Puis je ferme les yeux et je me faufile à l'intérieur. Robes et chemisiers m'effleurent au passage. Aujourd'hui, on la débranchera, on retirera de sa chambre l'arsenal qui la maintenait en vie, et notre famille la laissera livrée à elle-même. Cette idée me met mal à l'aise, mais je n'ai pas le choix. Le médecin prétend que ça fera du bien aux filles, je laisse donc mes scrupules de côté : j'ai hâte de faire cette escapade. Peut-être pourrons-nous profiter de cet éloignement pour créer entre nous des liens particuliers, et admettre qu'à l'avenir nous serons trois. J'espère que ça marchera.

Je sors de la penderie et vois les filles entrer dans la chambre.

"Nos bagages sont faits, annonce Scottie.

– Alors on y va", dis-je en me dirigeant vers le couloir.

Les filles ne bougent pas.

Je me rends compte qu'elles observent ma chambre, la chambre de leur mère. Elles regardent l'endroit où dormait leur mère.

Pour leur laisser du temps, je m'approche de la coiffeuse et fais semblant d'en sortir des affaires. Les oiseaux font du boucan. Par la fenêtre, je les vois batailler pour les meilleures branches du banian. L'un d'eux, inlassablement expulsé, y retourne avec le même entêtement.

Le soleil flamboie sur le Ko'olaus, des nuages arrivés de Waimanalo retiennent la chaleur dans la vallée.

"Quand tu auras vendu nos terres, est-ce qu'on pourra acheter le domaine de Doris Duke ? Et est-ce que je pourrai embaucher un Samoan rien que pour moi ? demande Scottie.

– Non, dis-je.

– Je peux avoir les diamants de maman ?"

Je me retourne. Assise sur le lit, Scottie fouille dans les tiroirs de la table de nuit de Joanie et en sort une photo. J'ai l'impression d'être sur le lieu du crime.

"Non, tu peux pas avoir ses diamants, dit Alex.

– Pourquoi ? demande Scottie.

– Parce que t'es qu'une sale petite égoïste, et que les diamants éclateraient au moment où ils toucheraient ta vilaine peau.

– Alex !

– Mais elle est horrible, sa question ! Et je m'en fous qu'elle ait dix ans. À dix ans, moi, j'ai bu ma première bière. Il est temps qu'elle grandisse. Et arrête de prendre des photos. Tu prépares un reportage ou quoi ? Y en a que tu veux être sûre de pas oublier, c'est ça ?

– Oui, dit Scottie. Quand maman reviendra, je les lui demanderai moi-même."

Elle pose l'appareil et les photos sur la coiffeuse et referme le tiroir. Fausses perles et vraies perles voisinent avec faux diamants et vrais diamants. Des colliers entrelacés brillent sur la photo.

"Allons-y, dis-je. Les jours qui viennent, ça va être une course contre la montre. On n'a pas de temps pour ces bêtises.

– Pourquoi tu dis que ça va être une course contre la montre ?" demande Scottie.

Je ne réponds pas à sa question et me hâte en direction du garage. Les filles suivent en se chamaillant.

"Fais gaffe parce que moi, sur Xbox, pour descendre les salopes, je suis une pro ! dit Scottie.

– T'es complètement barge, dit Alex. Tu as besoin de Ritalin.

– Et toi va soigner ton acné, riposte Scottie. Sur ta joue, t'as un volcan de la taille du Mauna Kea qui va entrer en éruption !

– Je te signale que le Mauna Kea est inactif, espèce de trouduc.

– C'est ton trouduc qui est inactif."

N'en pouvant plus, je hurle : "Taisez-vous !" ce qui me donne l'impression d'être mon beau-père. Furieux, je fourre notre barda dans le coffre de la voiture tout en réfléchissant à ce que je dois faire avec les diamants, les bijoux et les vêtements de Joanie. Bien sûr que Scottie peut avoir ses diamants. Au fond, ça va de soi, pourtant je ne peux pas admettre qu'elle pose la question.

"Où est Sid ? dis-je. Pourquoi est-ce qu'il faut que je passe mon temps à demander où est cet imbécile ?

– Ne l'appelle pas comme ça", réplique Scottie.

Sid sort par la porte à l'arrière de la maison.

"Tu l'as fermée ?" dis-je.

Il se retourne et je le vois appuyer sur la poignée pour s'en assurer.

"Je veux être à l'avant !" hurle Scottie, mais Alex ouvre la portière avant et s'assied côté passager. Scottie pique sa crise jusqu'à ce que j'oblige Alex à passer à l'arrière. "Est-ce qu'on n'avait pas dit que tu allais m'aider avec elle ? Tu n'es vraiment pas sympa. Allez, secoue-toi !" dis-je à Alex avant que Scottie ne monte dans la voiture.

Je m'assieds au volant et constate avec inquiétude le fatras qui encombre le garage. Dire qu'il va falloir vider tout ça, faire face aux revendications, aux chicaneries des uns et des autres.

Sid monte à l'arrière, il pue la clope et la marijuana, l'odeur est si forte que je plane presque. Scottie se plante sur le siège avant et boucle sa ceinture de sécurité.

"Vas-y", ordonne-t-elle et, malgré mes doutes sur le bien-fondé de ce voyage, malgré ma colère prête à exploser, malgré des protestations intérieures, je démarre. Je me lance dans ce curieux détour, en espérant que tout se passera bien.

25

La queue devant le portique de sécurité est plus longue que d'habitude et pourtant, la plupart des voyageurs ne se plaignent pas, ce qui m'énerve. Il n'y a rien de pire que d'être en colère et de ne voir autour de soi que des visages sereins ! Les agents de sécurité fouillent les sacs des passagers, même s'il ne s'agit que d'un saut de puce entre deux îles.

"Je suis sûre qu'ils font ça pour se prouver qu'ils sont de vrais agents de sécurité, c'est un peu pitoyable", dit Alex.

Dieu merci, ma fille n'est pas heureuse par nature. Un des préposés à la sécurité farfouille dans le sac de la femme devant nous, une espèce de sorcière dont les cheveux font penser à des flocons d'étoupe. Il agite un paquet, le remet ensuite dans le sac. *Ça aurait pu être une grenade*, ai-je envie de lui dire. *Si votre boulot consiste à vérifier, alors faites-le convenablement.*

On demande à quatre garçons qui nous précèdent où sont passées leurs chaussures.

"On savait qu'il faudrait les enlever, explique l'un d'eux. Du coup, on les a pas mis.

– MISES", rectifie Scottie. Les garçons se retournent. Tous les quatre ont un collier avec une dent de requin et des abdominaux d'acier. L'un d'eux a emporté son ukulélé, il exhibe un tatouage tribal autour de sa jambe droite. Un autre, en débardeur, nous gratifie d'une vue imprenable sur une moitié de son torse, mamelon noir et forêt sous l'aisselle. Je regarde Scottie, l'air de ne pas la connaître.

"Il vous faut des chaussures, dit la femme de la sécurité.

– Pourquoi ?" demande le plus petit des quatre. L'agent sort un poisson de leur glacière. Une créature noiraude, aux grosses lippes écartées, dont l'œil gélatineux paraît scandalisé. La femme saisit le poisson par la queue. Les trois autres garçons le regardent avec fierté.

"C'est dégueu", dit Scottie.

Alex attrape Scottie par la manche, la tire vers elle et lui dit un mot. "Belle prise", dit Sid aux garçons qui approuvent de la tête. Un autre agent de sécurité les rejoint, il me fait signe d'avancer. Je n'ai pas grand-chose dans mon bagage à main, juste mon portefeuille et du travail dans un classeur. Il ne vérifie que le dessus de mon sac, puis s'occupe des filles. J'essaie de rester calme. *Si j'avais une bombe*, ai-je envie de lui dire, *vous ne croyez pas que je la cacherais mieux que ça ?* Il ne s'embête pas avec le sac de Scottie, mais s'intéresse davantage à celui d'Alex qu'au mien. Il en sort un paquet de Marlboro rouges.

Scottie en reste bouche bée, elle me regarde avec des yeux aussi écarquillés que ceux du poisson. "Tu vas la punir ?"

L'agent de sécurité jette un œil dans ma direction, hésite avant de me tendre les cigarettes.

Je les lui rends. "Elle est adulte, lui dis-je, assez fort pour que Scottie m'entende. Ses décisions lui appartiennent."

Scottie voit avec une sorte de respect le paquet de cigarettes réintégrer le sac de sa sœur. Nous nous dirigeons vers la porte d'embarquement et je sens soudain que quelque chose vient de changer. Alex marche à mes côtés, Scottie la suit sans dire un mot. "Elles étaient à toi, ces cigarettes ? demande-t-elle à Sid.

– Non, répond-il. Les miennes sont ici", ajoute-t-il en tapotant sa poche.

Elle me regarde, me reproche presque de ne pas réprimander son aînée.

"Laisse tomber, Scottie", dit Alex.

Pendant le vol, Scottie se tient tranquille et Alex lit des magazines sur des actrices d'une inquiétante minceur. Scottie écrit dans un cahier. L'une est assise à ma droite, l'autre à ma gauche, comme deux ailes. Sid est de l'autre côté du couloir. Je jette un coup d'œil dans sa direction : il est plongé dans l'étude des consignes de sécurité expliquées sur une fiche plastifiée. L'hôtesse distribue du jus de goyave. Les garçons aux pieds nus ont réussi par je ne sais quel miracle à monter dans l'avion. L'un d'eux joue du ukulélé. J'ai la tête vide. Je devrais élaborer une stratégie, mais tout ce qui me vient à l'esprit, c'est : *Trouve-le.*

Scottie écrit quelque chose avec beaucoup d'application.

Alex regarde par le hublot, la mine défaite. Je lui donne un petit coup de coude. "Et si le docteur se trompait ? demande-t-elle. Si elle allait mieux et qu'elle se réveillait ?

– Même dans ce cas-là, elle serait..." Je cherche le mot qui convient. "Elle serait abîmée...

– Je sais, répond Alex. Je sais bien."

Par le hublot, je contemple Kauai, ses falaises abruptes, sa côte escarpée. D'habitude, je suis content de venir ici, on y voit encore des routes à deux voies, des ponts à sens unique, de longues plages désertes. Le rythme de vie est lent, décontracté et j'ai toujours envie de me fondre dans la délicieuse oisiveté de l'île. Je me demande ce que Brian peut bien faire en ce moment. S'il attend de traverser un pont, s'il se trouve dans la salle de conférences d'un hôtel, participe à un déjeuner d'affaires ou se détend sur la plage. Je me demande s'il sait à quoi je ressemble, s'il a déjà mis les pieds dans ma chambre, s'il a vu les photos de moi sur la commode. Je suis sur le point de changer la vie de cet homme.

Tandis que nous amorçons notre descente, je jette un œil sur le cahier de Scottie, curieux de voir ce qui l'a tant absorbée pendant le trajet. Je lis : *Je ne me moquerai pas des gros Hawaiiens. Je ne me moquerai pas des gros Hawaiiens.* Une résolution qui occupe toute la page. J'attire l'attention d'Alex et pointe le doigt en direction de Scottie.

"Quoi ? me demande Alex. Je m'en suis chargée."

Scottie et Sid guettent l'arrivée des bagages. Je demande à Alex si Scottie est au courant des raisons de notre présence à Kauai.

"Je lui ai dit qu'on cherchait un ami de maman."

Je parcours l'aéroport du regard. Je m'entête à croire que je vais apercevoir Brian ou, du moins, une connaissance. Par ici, il est difficile de se rendre quelque part sans rencontrer quelqu'un qu'on connaît. Sur une île, impossible de se perdre. Je me demande si nous devrions déménager, aller nous installer sur les collines de l'Arkansas ou je ne sais trop où.

Et bien sûr, je ne tarde pas à entendre un "Salut, Matt King!". Je sursaute, c'est la voix d'un de mes cousins. Je ne sais pas lequel. Je ne connais même pas le nom de chacun : ils se ressemblent tous, comme des chevaux alezans. Je me retourne et j'aperçois Ralph, *alias* Boom, Dieu seul sait ce que ce surnom signifie. Mes cousins ont tous des surnoms d'origine mystérieuse à connotation martiale ou nautique. Ralph et moi sommes vêtus presque à l'identique : pantalon de toile, chemise hawaiienne traditionnelle, Reyn Spooner, tongs et porte-documents, le porte-documents montre qu'il a des responsabilités. J'ignore ce qu'il fait dans la vie. À vrai dire, je ne sais ce qu'ils font ni les uns ni les autres. Ils ne sont ni cupides, ni crâneurs et ne cherchent pas à vous en mettre plein la vue, et c'est tout à leur honneur. Leur seul but dans la vie c'est de s'amuser. Ils font du jet-ski, du motocross, du surf. Ils pagaient, participent à des triathlons, louent des îles à Tahiti. En fait, certains des gros manitous de Hawaii ont l'air de clochards ou de cascadeurs. Je pense à l'évolution de notre lignée. Nos ancêtres missionnaires ont débarqué sur les îles, ils ont ordonné aux Hawaiiens de porter des vêtements, de trimer dur et d'arrêter le hula-hoop. Ils ont fait des affaires, ont acheté une île pour dix mille dollars ou épousé une princesse et hérité de ses terres, et aujourd'hui, leurs descendants se la coulent douce. Ils ne portent plus que des shorts ou des bikinis, jouent au volley-ball sur la plage et se sont remis au hula-hoop.

Ralph me donne une tape dans le dos. Il me gratifie de grands sourires qu'il ponctue de hochements de tête. À la façon dont il regarde Alex, je sais qu'il a oublié son nom. Elle s'éloigne et va rejoindre Sid. J'ai presque envie de la retenir pour ne pas me retrouver seul avec Ralph.

"Tu es tout bronzé", dis-je.

Il ne cesse de sourire et me répond "Pas mal, oui". C'est du bronzage artificiel, ça saute aux yeux. "Alors, tu es venu t'entretenir avec quelques-uns des cousins ? me demande-t-il. T'assurer qu'ils sont satisfaits de ton choix ?

– Non, dis-je. Pour te dire la vérité, je préfère prendre ma décision sans me laisser influencer par la majorité.

– Ah, dit-il, embarrassé. Comment va Joanie ?

– Pas de changement.

– C'est une femme forte.

– Oui. Elle est solide."

Nous feignons tous deux un intérêt pour le tapis roulant sur lequel arrivent les bagages.

"Je l'ai vue il y a quelques mois, m'apprend-il. Juste avant... Elle avait l'air en forme." Il regarde au loin, me tape encore une fois dans le dos. "Elle va s'en tirer.

– Ouais", conclus-je dans l'espoir d'échapper à cette conversation, mais il me vient une autre idée : "Au fait, tu as ta voiture, ici ?

– Oui, tu veux que je vous dépose ? À Princeville ?

– Ce serait super."

J'aperçois Sid chargé comme un baudet avec tous nos sacs. Ses yeux sont injectés de sang, le joint l'a rendu muet. Je devrais peut-être lui dire ce que je pense de sa façon de fumer des joints chez moi. Alex en fume-t-elle aussi ? Ferais-je mieux de fermer les yeux ? Laisser la situation me filer entre les mains ? Tout laisser filer ? Doucement.

"Ça va, Sid ?

– Quoi ?

– Je te demande si ça va.

– Ouais, je pense à des trucs, c'est tout."

Nous suivons Ralph jusqu'au parking. Je respire bien à fond. Je regarde ma famille marcher devant moi. Vus de dos, ils ont l'air normal. Ils ont l'air bien.

Ralph a une Jeep Wrangler, Scottie est aux anges, même Alex n'y est pas insensible. La crinière de Sid vole au vent, comme sous l'effet d'un courant électrique. C'est la voiture la plus inconfortable dans laquelle je sois jamais monté. Même sur les routes lisses et plates, j'ai l'impression que nous perdons le contrôle.

"Je meurs de faim", crie Scottie depuis le siège arrière. Suit un "Aïe!" et je me demande si Alex ne vient pas de lui donner un coup. Je ne veux pas le savoir.

"Je vois que tu portes un T-shirt Ducati." Ralph regarde Alex dans le rétroviseur. "Tu fais de la moto?

– Oui, répond Alex. Maman m'a appris.

– Quoi? hurle-t-il, à cause du vent.

– Oui! hurle Alex, à son tour.

– C'est ta maman qui t'a appris? Ou ce gars-là?" Il me donne un coup sur le bras et je cherche la trace laissée par son poing.

"C'est maman", répète Alex.

Joanie montait une Ducati. Je suis surpris de voir qu'Alex porte ce T-shirt. Je demande à Ralph : "Où as-tu vu Joanie?" Ce serait si gênant que je sois le seul à ne pas connaître l'existence de son amant. Son amant. Nom de Dieu!

"Je l'ai vue à la dernière réunion des actionnaires, dit Ralph.

– Joanie?

– Ouais. Tu ne te rappelles pas?

– Si, bien sûr, dis-je, sans avoir la moindre idée de ce à quoi il fait allusion. Je me rappelle." J'imagine Joanie sautant dans un avion pour se rendre à une réunion d'actionnaires et revenir juste à temps pour passer prendre Scottie à l'école. C'est absurde.

"Tu as de la chance d'avoir quelqu'un d'aussi enthousiaste pour te remplacer.

– C'est vrai, dis-je.

– J'ai faim!" crie de nouveau Scottie.

D'un grand coup de volant, Ralph quitte la route principale, entre dans Kapaa et va tout droit au parking du marché au poisson. Le gravier crisse sous les pneus. Ralph s'arrête, nous sommes projetés vers l'avant, puis vers l'arrière. Je donne de l'argent à Alex, lui demande de nous acheter du *poke*, cette salade de poisson cru spécialité locale, ça nous aidera à tenir le coup. Sid descend de voiture. Scottie le suit.

Profitant de ce qu'ils se rendent au magasin, je demande à Ralph : "Et qu'est-ce qu'elle a dit ? À la réunion ?

– Qu'il était ridicule de ne pas accepter l'offre de Holitzer, que son projet était solide, que ça serait providentiel pour Kauai et tout et tout. Et qu'en tant que principal actionnaire et dernier descendant direct, tu apprécierais le soutien de tous, parce que la transaction se ferait avec ou sans notre consentement. C'est ce qu'elle a dit. Ça en a foutu plus d'un en rogne. Je ne sais pas trop quoi penser de ce Holitzer. Ce n'est pas le plus offrant. On serait pourtant en droit d'attendre une meilleure offre, non ? Ça serait plus logique, tu ne trouves pas ?

– Elle aimait bien le projet de Holitzer." J'observe Ralph, à l'affût du moindre indice. "Elle aimait son idée de louer des terres à l'Office des eaux et forêts. Il compte vendre les autres ou les subdiviser, si j'ai bien compris ?

– Et en faire des lotissements à l'expiration du bail.

– Bien sûr", dis-je. Je ne comprends pas pourquoi Joanie a agi de cette façon. Les projets des différents acheteurs se valent plus ou moins. Ils veulent tous monter de nouvelles entreprises, développer le domaine, bâtir des maisons avant de vendre les terres et les habitations. Pourquoi venir en cachette à une réunion sans m'en parler ? Pourquoi vouloir contrarier mes cousins ?

"Je veux prendre ma décision en accord avec vous tous, Ralph. Tu le sais, n'est-ce pas ? Je sais que mon vote compte pour beaucoup, mais je ne suis pas là pour me mettre les gens à dos.

– Je vais à Princeville, dit Ralph.

– Oui", dis-je. On dirait un enfant.

"Sans blague !"

Je hoche la tête, ne sachant quoi répondre, puis je m'aperçois qu'il parle dans un de ces téléphones Bluetooth et je me sens tout bête. Les filles reviennent du magasin avec des boîtes en carton pleines de *poke* et des fourchettes en plastique. Sid apporte des Mars et au moins cinq petits sachets de chips. Nous reprenons la route, longeons plusieurs demeures ayant appartenu à mes ancêtres, aujourd'hui transformées en musées. Je les montre aux filles. Elles les ont déjà vues, mais les regardent quand même. Ralph ralentit au moment où nous passons devant le domaine. Nous longeons les jardins exotiques et croisons les touristes dans des calèches tirées par des chevaux clydesdales.

"Avant, c'était une plantation de canne à sucre, dit Scottie.

– C'est exact", dis-je. Je regarde la maison. C'est étrange de penser que les anciennes générations ont plus ou moins déterminé la vie de gens qu'ils n'ont jamais rencontrés, dont ils n'auraient même pas soupçonné un jour l'existence. Suis-je moi-même en train d'influer sur la vie de tout un tas de gens qui ne sont pas encore nés ?

"J'aurais aimé vivre autrefois, déclare Scottie.

– On y vit, lui dit Alex. On va y revenir."

Scottie ne dit rien. Je me demande ce qui peut se passer dans sa tête. Sid teste les différents paquets de chips ouverts sur ses genoux. Il n'a pas ouvert la bouche du trajet. J'attends toujours une de ses réflexions idiotes, mais rien ne sort.

Nous approchons de Hanalei.

"Regardez, dis-je aux filles. Regardez ça."

En bas, les plantations de taros se prélassent au soleil. La vallée n'a pas dû beaucoup changer en un siècle. Au loin, repose l'océan bleu nuit. À l'approche de la colline, la plage s'étire. *Regardez*, ai-je envie de répéter pour m'assurer qu'elles aient bien vu ce qui bientôt ne nous appartiendra plus. Pourquoi Joanie s'est-elle rendue à cette réunion ? Pourquoi soutenait-elle Holitzer ?

J'essaie de penser à toutes les questions que j'aimerais poser à Ralph. Je me retourne vers les enfants. "Sid, dis-je. Ça va ?

– Très bien, merci."

26

Les filles et Sid attendent dans le hall de l'hôtel, près des colonnes de marbre. Je demande à échanger nos deux chambres contre une suite de luxe. Nous dormirons tous ensemble. Ça fait grande impression sur les filles qui sourient entre elles. Elles ne se doutent pas que si je prends une suite, c'est parce que je ne leur fais pas confiance. Je vérifie à nouveau : Brian Speer n'est pas descendu dans cet hôtel.

Nous nous dirigeons vers l'ascenseur quand trois filles se précipitent sur nous, à une telle vitesse que je crains qu'elles ne nous renversent. "Alex !" crient-elles en chœur. Je vois ma fille sursauter avant de leur répondre : "Oh ! Pas possible ! Comment ça va ?

– Qu'est-ce que tu fais ici ?" demande l'une d'elles, lunettes de soleil calées sur la tête. Un sac à main se balance à son bras. Elle nous regarde, Scottie et moi, comme si ses craintes se concrétisaient : Alex est ici avec nous, en famille. Puis elle aperçoit Sid. "Incroyable ! Comment ça va ?" Elle l'embrasse, puis embrasse Alex.

"Et *vous* alors, qu'est-ce que vous fabriquez ici ? demande Alex.

– *Spring break*, répond une autre fille, délaissant une seconde son téléphone portable avant de reprendre sa conversation : Apporte juste ton maillot de bain et des fringues pour le soir. Pas trop classe. Des fringues sympas." Elle me jauge du regard tout en parlant.

J'emmène Scottie s'asseoir sur un banc.

"On devrait se retrouver plus tard", dit la blonde.

Alex hoche la tête. "Carrément."

Je ne l'ai jamais entendue parler de cette manière. D'habitude, elle est silencieuse et grincheuse. Cette bonne humeur me déroute.

Le volume de la conversation baisse avant de regrimper de plusieurs décibels jusqu'à ce que j'entende la blonde tonner : "Et là, je lui dis, ta gueule !

– Chanmé !" répond l'autre fille avant d'éclater de rire.

J'interroge Scottie du regard, mais elle a l'air aussi perdu que moi.

"Ça fait drôlement plaisir de te voir, ma belle. Tu nous manques. On te voit jamais dans les soirées. On t'appelle dans ta chambre, ce soir, d'ac ? Ou alors, Siddy, tu as ton portable sur toi ?

– Ouais, répond-il. Mais on va sûrement rester tranquilles.

– Dommage ! se plaint l'une des mascottes de la bande. J'appellerai quand même..." ajoute-t-elle avec une petite moue incrédule.

Alex lui répond par un grand sourire, mais son enthousiasme semble feint. À mon avis, le problème est moins l'état de sa mère que la présence de ces filles. Je me demande si les mères de famille, ou les parents soucieux de l'éducation de leurs enfants, passent eux aussi leur temps à étudier la façon dont leurs rejetons se comportent avec leurs pairs, à voir ce que personne d'autre ne voit.

Les filles s'éloignent en se pavanant. Elles nous saluent, Scottie et moi, en agitant les doigts.

"Quelles pétasses ! lâche Alex.

– Des vraies traînées, ajoute Scottie.

– Qu'est-ce que c'est que ça, Scottie ?" ne puis-je m'empêcher de lui demander.

Elle hausse les épaules.

"Qui t'a appris ça ?"

Elle pointe l'index vers sa sœur.

"Elles m'ont proposé de sortir avec elles uniquement à cause de Sid, explique Alex.

« – On peut aller sur la plage ? demande Scottie.

– Bonne idée, dis-je. Allons-y. »

Je me tourne vers Alex, mais elle regarde droit devant elle.

« Tu aurais pu les accompagner, tu sais, tes amies.

– Sauf qu'elles me l'ont pas demandé. »

J'avais toujours pensé qu'Alex était l'une des meneuses de leur univers. Elle a tout ce qu'il faut pour ça.

« La dernière fois que j'ai vu ces filles, c'était à la maison, poursuit Alex. Tu devais travailler dans ton bureau. Maman était bourrée. Elle voulait aller danser. J'avais pas envie de l'accompagner, mais toutes mes amies étaient tombées sous son charme. Alors, elles l'ont suivie. Elle les a emmenées danser. Et moi, je suis restée. »

L'ascenseur s'arrête au cinquième, au sixième, au septième, au huitième, au neuvième étage. Je vois que tous les boutons sont allumés. « Bon sang, Scottie. Tu trouves ça drôle, ce genre de bêtises ?

– C'est Sid qui a appuyé dessus.

– C'est vrai ? »

Sid se met à rire. « Je trouvais ça marrant.

– Pourquoi tu n'as jamais empêché maman de boire ? » me demande Alex.

Nous finissons par atteindre notre étage. Alex sort la première, Scottie la suit en chantonnant "Chanmé, chanmé, chanmé" dans le couloir.

« Je ne savais pas comment l'aider, dis-je.

– Tu n'avais pas remarqué, dit-elle.

– Mais il ne s'agit pas de maman. Pourquoi tu n'aimes pas ces filles ?

– Je les aime bien, rectifie-t-elle. C'est elles qui m'aiment pas, je sais pas pourquoi. » Elle semble perdue dans ses pensées. Quand elle lève les yeux vers moi, je remarque qu'ils sont humides. « J'ai jamais compris pourquoi, en fait. Je me suis toujours sentie mal à l'aise avec elles. Je crois que j'aime pas les filles.

– Ta maman ne les aimait pas non plus. » Je m'apprête à lui demander ce qu'elle apprécie chez Sid. Il marche devant nous.

174

Soudain plein de vie, il s'amuse à faire voltiger quelque chose au-dessus de la tête de Scottie qui fait des bonds de cabri pour l'attraper. Je ne demanderai pas à Alex ce qu'elle voit en lui. J'ai peur que face à ma désapprobation elle ne s'accroche davantage à lui : c'est classique. Je dois faire comme s'il ne me dérangeait pas, comme si je n'avais pas envie de le noyer dans la baie. Quelque chose ne tourne pas rond chez ce garçon, je dirais même que beaucoup de choses ne tournent pas rond chez lui, mais ce n'est qu'aujourd'hui, dans la voiture, que cela m'a perturbé. Vraiment étrange, son silence.

Alex est sortie sur le balcon de notre chambre d'hôtel. Je fais coulisser la porte-fenêtre, quitte la pièce climatisée pour l'agréable tiédeur du dehors. Elle fume une cigarette. Je m'assieds, les yeux rivés sur sa cigarette, moins par envie que par nostalgie du plaisir de fumer. Qui m'aurait dit, quand j'avais dix-huit ans, que je serais un jour confronté à ce genre de problèmes ? Ce serait tellement plus facile d'être un mauvais père. J'adorerais fumer avec ma fille, m'asseoir ici avec un assortiment de bouteilles prises dans le minibar de notre chambre, boire au goulot et les balancer dans la piscine de l'hôtel, au rez-de-chaussée. Quand j'étais jeune et presque en âge de procréer, je me disais que, avoir des enfants, ce serait comme retrouver mes vieux potes de l'université. On traînerait ensemble, on ferait des tas de conneries.

"Éteins ça", dis-je.

Après une dernière bouffée, Alex écrase son mégot contre la semelle de sa sandale. Un geste qui m'assure presque qu'elle saura s'en tirer dans la vie.

"Quitte à fumer, prends plutôt des légères, comme Sid, dis-je.

— Oui", dit-elle. Elle pose les pieds sur la rambarde, s'allonge, se balance sur deux pieds de la chaise. Elle me rappelle sa mère. Joanie n'arrivait jamais à garder les quatre pieds d'une chaise au sol.

"Ça va pour maman, dis-je. J'ai appelé. Elle respire comme il faut, tout va bien.

– Tant mieux.

– Tu t'en sors bien avec Scottie. Merci.

– Elle est quand même paumée.

– C'est une gamine. C'est normal. Elle n'est pas si paumée que ça.

– Le problème, c'est cette Reina. Elle en parle sans arrêt. Elle m'a raconté que Reina avait laissé un garçon lui lécher le trou. C'est les termes qu'elle a employés, « lui lécher le trou ».

– Qu'est-ce qui leur prend à ces gosses ?

– Elle m'a aussi dit que les parents de Reina étaient d'accord pour qu'elle se fasse poser des implants mammaires quand elle aurait seize ans et qu'elle en aurait fini avec la puberté.

– Quel tableau, cette fille ! Non, mais tu l'as vue ?"

J'aime bien parler de tout ce qui ne va pas chez les autres filles. Les pieds contre la balustrade, je me balance sur ma chaise. L'hôtel a été construit sur une falaise dominant une baie. Vus d'ici, les gens ne sont plus que des petits points et les crêtes des vagues des étoiles dans un ciel bleu nuit. Sur ma gauche, la côte de Na pali se confond avec l'horizon. L'œil rageur, Alex contemple l'océan, obscur et immense, comme si la mer y était pour quelque chose.

"Et toi, Alex ? Ça va ? Tu ne prends... rien, n'est-ce pas ?

– Si je prends rien ? Oh là là ! Comment tu parles !"

Je ne réponds pas.

Elle finit par lâcher : "Non. Rien.

– Rien du tout ? J'ai senti une odeur de marijuana. Sur Sid.

– Sid en fume. Pas moi.

– Tu as arrêté d'un coup ? Ce n'est pas trop dur ? Ça crée une espèce de dépendance et tout ce qui s'ensuit, non ?"

Dire que nous ne l'avons même pas envoyée en cure de désintoxication pour nous assurer qu'elle avait décroché ! Elle nous a convaincus qu'elle n'avait pas de problème et j'ai dû préférer oublier que j'avais affaire à une menteuse chevronnée. C'était plus facile.

"C'est pas une maladie, dit-elle. Enfin si, mais pas dans mon cas. Je suis quand même pas une fille du ghetto.

– Tu veux dire que tu as arrêté comme ça, du jour au lendemain ?

– Oui, papa. Ça n'a rien d'extraordinaire. Les gosses prennent de la drogue, et ensuite ils arrêtent. En plus, maman et toi vous m'avez envoyée en pension, tu te rappelles ? Là-bas, je ne pouvais pas m'en procurer. Maman savait ce qu'elle faisait."

Je ne sais pas comment réagir à ça. Ma mère aurait éclaté en sanglots, elle se serait cloîtrée dans sa chambre. Mon père m'aurait expédié chez les marines ou abattu d'une balle. Joanie l'a éloignée de la maison, ce qui ne semble pas beaucoup mieux, et moi, comment ai-je fait face à la situation ? Je n'ai pas bougé. Ni cures de désintoxication, ni thérapie, pas de discussions en famille. L'éloigner n'était sans doute pas la meilleure décision que nous ayons prise – que j'aie prise – mais c'était sans aucun doute la plus facile. Je suivais ce conflit de loin, je m'étais mis en retrait, comme si Alex et Joanie discutaient de robes pour le bal de la promo.

"Je ne prends plus de drogues, conclut Alex. Mais je continue à penser que c'était marrant.

– Pourquoi tu es si honnête avec moi ?"

Elle hausse les épaules. Sa chaise retombe les quatre pieds sur le sol. "Maman est en train de mourir."

Une part de moi-même est convaincue qu'Alex s'en sortira sans problème. Je crois ma fille, même quand elle me raconte que la drogue n'était qu'une phase, une passade. Peut-être que je ne me suis pas comporté en bon père de famille faute de ne pas avoir été assez inquiet à son sujet. Je me souviens de ce que c'était que d'être un gamin et, qui plus est, le fils de mes parents. Quand je faisais mes conneries, je savais, tout comme Alex le sait, que, si graves que soient mes écarts de conduite, je ne serais jamais réellement dans le pétrin. Peut-être que les gosses de riches n'aiment pas ce traitement de faveur et qu'ils aspirent très tôt à la destruction. Quelqu'un nous attrapera. On s'en tirera d'une manière ou d'une autre. On ne se retrouvera pas dans la rue pour ça. Je me rappelle avoir passé du bon temps avec les copains et comment nos frasques se sont vite résumées à de simples anecdotes au cours de nos dîners. J'avais l'impression d'être un loser, de ne pas être capable de tomber aussi bas que les autres. Je me demande si Alex éprouve elle aussi ce sentiment d'être une perdante ratée.

"Je suis fier de toi", dis-je. À la télé, c'est ce que les pères disent toujours après avoir reçu les confidences de leurs rejetons.

Elle roule des yeux. "Pas de quoi être fier.

– Mais si. Tu t'en es sortie seule. On t'a expédiée ailleurs. On a laissé la directrice de l'internat se débrouiller. Et aujourd'hui, tu es là et tu m'aides avec Scottie. Je suis désolé, Alex. Je suis sincèrement désolé. Merci de m'aider." Je me rends compte que la mère de la famille, c'est elle, désormais. Il ne lui a fallu qu'un instant pour assumer ce rôle. Une image surgit : Alex au fond d'une tasse, submergée d'eau chaude. Une Maman Instantanée.

"Ouais, ouais", dit-elle.

Et voilà. Je suppose que la discussion sur la drogue de la famille King est close.

Nous admirons l'océan, une vue qui a dû accompagner bien des moments pénibles, tristes ou sublimes.

"Sid va bien ? Il était muet comme une carpe tout à l'heure.

– Il était fatigué. Il n'avait pas fait de sieste, et il ne peut pas s'en passer."

Elle se tourne vers moi. Elle cherche à savoir si je crois à son explication. Elle voit bien que non. "Il traverse une période difficile.

– Pas possible ? Comme nous.

– Laisse tomber. Comment allons-nous retrouver ce type ?"

Je réfléchis. Je l'avais presque oublié, et, avec lui, la raison même de notre présence ici. "Sid et toi, vous allez emmener Scottie à la plage. J'ai des tas de coups de fil à passer. On est sur une île, bon Dieu ! Elle ne doit pas faire plus de trois degrés de latitude."

Elle pense à tout ça en silence. Elle se lève, me tend la main, m'aide à me relever. Je m'aperçois que ma fille me fascine. C'est quelqu'un que j'ai envie de connaître.

"On le trouvera", dit Alex. Son ton décidé me laisse à penser qu'elle pourrait bien avoir, elle aussi, deux ou trois choses à lui dire.

27

Il est juste en dessous de moi. Il profite de l'une ou l'autre affaire à régler pour prendre quelques jours de vacances. Il loge dans l'une des villas en front de mer, je devrais la voir depuis mon balcon. C'est tout ce que son bureau a daigné me dire. Ne devrait-il pas se trouver au chevet de ma femme ? Et moi ?

Debout, sur le balcon, je contemple la côte, puis je décide de me mettre en maillot de bain et de descendre sur la plage. Je chercherai les filles, je chercherai l'amant de Joanie. Peut-être même que je ferai trempette dans l'océan et que je laisserai les vagues rouler sous mon ventre comme quand j'étais petit.

Sid et les filles bronzent près de la jetée. Assise sur sa serviette de bain, les jambes serrées, Scottie tourne son visage vers le soleil. Elle ferait mieux d'aller s'amuser dans la mer : vu son âge, elle devrait éviter le plus possible les expositions au soleil.

Je me place au-dessus d'elle de façon à faire écran. "Debout, Scottie. Va jouer au ballon, remue-toi un peu."

Elle agite le bras. "Faut que je prenne des couleurs !

– Où est passé ton scrapbook ? Pourquoi tu ne le fais plus ?

– C'est trop débile, répond-elle.

– Mais non, dis-je. C'est super. J'aimais bien ce que tu faisais."

Quelque chose a changé en elle. Je remarque soudain sa poitrine : elle est énorme. Elle a rembourré le haut de son bikini avec du sable humide !

"Scottie, qu'est-ce que c'est que ça ? Ton maillot..."
La main en visière, elle regarde sa poitrine.
"Mes seins de plage ! répond-elle.
– Enlève-moi ça tout de suite, dis-je. Et toi, Alex, pourquoi tu l'as laissée faire ?"
Alex est allongée sur le ventre, le haut de son maillot de bain défait. Elle tourne la tête vers Scottie.
"Je l'ai pas vue. Enlève ça, idiote."
Sid lève la tête. "Les gros nichons, c'est pour les grosses, dit-il.
– Comme dit Bebe, les seins, ça craint, ajoute Alex. Et Sid te raconte des salades. Il adore les gros seins.
– C'est qui Bebe ? demande Scottie en retirant le sable de son maillot.
– Un personnage de *South Park*, répond Sid. Et j'aime aussi les petits seins, Alex. Je fais pas de discrimination à l'embauche.
– Tu devrais te remettre à ton scrapbook, Scottie. Je voudrais que tu le termines. Tu dois garder le lien avec l'école." Elle ne prend pas mon inquiétude au sérieux. Pour elle désormais, le scrapbooking, c'est pour les gamines et je suis sûr qu'Alex est pour quelque chose dans ce revirement.
"Alors, tu l'as trouvé ? demande Alex.
– Oui. Il est ici, à Hanalei. À deux pas d'ici." Je promène mon regard sur les pelouses vertes qui s'étirent devant les villas.
"Qui est ici ? veut savoir Scottie.
– L'ami de maman dont je t'ai parlé, répond Alex.
– Le comédien ?"
Alex me regarde. "Ouais, le comédien.
– Intéressant, Alex. Bon, les filles, on va se baigner ?
– Non, répondent-elles en chœur.
– Alors, si on allait se balader ? Peut-être qu'on le verra.
– Non", dit Scottie.
Toujours sur le ventre, Alex rattache les bretelles de son maillot avant de se retourner et de s'asseoir. "Moi, je viens.
– J'allais justement dire que j'avais changé d'avis et que je voulais venir avec vous", annonce Scottie. Du sable tombe encore du

haut de son bikini quand elle se redresse. Sid se lève d'un bond, la tête ballante, tel un diable en boîte.

"Qu'est-ce qui t'arrive ?

– Je secoue le sable", me répond-il. Il me donne une grande tape dans le dos, m'attrape par le cou et me frotte le crâne. "Bravo pour le type, c'est super de l'avoir trouvé !"

Je me débarrasse de lui. "Toi, mon vieux, on peut dire que tu sors de l'ordinaire !" Je m'éloigne de la jetée, ils me suivent tous les trois. Je me sens comme une cane avec ses canetons.

Nous dépassons la dernière villa, atteignons cette partie de la plage où, poussées par le courant, les vagues vont, viennent, s'écrasent les unes contre les autres, en une espèce de geyser. Nous admirons ce spectacle quand Scottie dit : "J'aimerais que maman soit là." Je pense exactement la même chose. Sans doute sait-on qu'on aime quelqu'un quand on ne peut vivre un temps fort sans souhaiter sa présence à nos côtés. Tous les jours je gardais en mémoire les anecdotes, les événements, les potins, les nouvelles de la journée. Je les classais par ordre d'importance, je me les répétais même avant de les raconter à Joanie, au lit, le soir venu.

La nuit tombe, je crains de ne pas le retrouver, de rester l'éternel incapable qui n'a jamais su faire ce qu'il faut pour elle. En ce moment même, est-ce qu'on ne devrait pas tous pleurer, crouler sous le chagrin ? Comment peut-on seulement marcher ? Je ne peux m'empêcher de me dire que nous n'y croyons pas encore. Il y a toujours quelqu'un pour se porter à notre secours, pour nous empêcher de sombrer dans le néant. Je m'en veux que Scottie ne sache pas encore ce qui se passe vraiment.

"On peut nager avec les requins ? demande-t-elle. J'ai lu dans la brochure de l'hôtel qu'ils te mettaient dans une cage au milieu de l'océan, qu'ils jetaient de la nourriture et que les requins venaient nager jusqu'à toi. On peut ?

– Un jour, ta maman a été poursuivie par un requin, dis-je.

– Quand ça ?" demande Alex.

Nous faisons demi-tour et redescendons la plage. Cigarette aux lèvres, Sid ferme la marche.

"Elle faisait du surf à Molokai. Au moment où elle a pris une vague, elle a aperçu un requin. Elle s'est allongée sur le ventre pour ne pas tomber et a dirigé sa planche vers le rivage.

– Comment elle a su que c'était un requin et pas un dauphin ? demande Scottie.

– Elle l'a su, c'est tout. Elle m'a dit que c'était une grosse masse sombre sous l'eau. La vague a fini par s'aplatir. Elle a ramé à la main jusqu'à la côte, a regardé dans l'eau, puis derrière elle, plus de trace du monstre. Ce n'est qu'en tournant à nouveau la tête qu'elle a repéré l'aileron."

Mes filles sont tellement silencieuses que je jette un coup d'œil pour m'assurer qu'elles sont bien là. Elles me suivent de près, la tête baissée. Elles traînent les pieds dans le sable humide.

"Elle a ramé aussi vite que possible, sans se retourner. Au lieu d'aller jusqu'au rivage, elle s'est dirigée vers un promontoire escarpé et s'est hissée sur les rochers.

– Et le requin a planté ses dents dans la planche !

– Non, Scottie. Elle n'a pas revu le requin. Elle a escaladé les rochers et elle est rentrée au camp sans se presser. Ce soir-là, on a mangé du poisson et quand votre maman a planté les dents dans son morceau de thon, elle nous a dit, aux Mitchell et à moi, *J'ai bien failli servir de repas, ce soir*, et elle nous a raconté son aventure."

Ainsi se termine la version réservée aux amis. À vrai dire, elle est rentrée au camp à toutes jambes. Les Mitchell étaient partis en randonnée vers la cascade. Assis près du feu, je préparais le thon quand je l'ai aperçue au loin qui se hissait à la force de ses poignets sur les rochers noirs et glissants. Flairant un problème, j'ai filé à sa rencontre. Tremblante et chancelante, elle allait s'effondrer. Je l'ai vue se pencher pour vomir. Quand j'ai fini par la rejoindre, elle claquait des dents, blanche comme un linge, et son maillot de bain était d'une saleté innommable. Elle avait les genoux et les cuisses tout écorchés. Persuadé qu'elle avait été agressée, je me suis mis à crier, je ne me souviens pas de ce que j'ai pu dire, toujours est-il qu'elle a secoué la tête, s'est écroulée sur les rochers, m'entraînant dans sa chute, et, pour la première fois de sa vie, elle s'est blottie dans mes bras et elle a pleuré. Nous retrouver ainsi perchés sur les rochers était loin d'être confortable, mais j'étais incapable de bouger, de crainte de perturber Joanie ou de troubler le moment que nous vivions et dont je garde un merveilleux souvenir, malgré ses sanglots : elle avait besoin de moi, j'étais fort, elle était fragile. Elle a fini par me raconter sa mésaventure. Je l'ai écoutée avec un sourire. Les halètements, les reniflements qui entrecoupaient son récit rappelaient une petite fille à peine réveillée d'un cauchemar, une enfant que j'étais le seul à pouvoir rassurer. Non, personne n'allait lui faire de mal. J'étais là. Il n'y avait rien dans le placard, rien sous le lit.

"J'ai cru que c'était la fin, m'avait-elle dit. J'ai cru que j'allais mourir. J'étais vraiment furieuse que mon heure soit déjà arrivée.

– Non, ton heure n'est pas arrivée, avais-je répondu. Tu t'en es sortie. Tu es ici."

Ce soir-là, autour du feu de camp, elle était redevenue elle-même. Elle avait retrouvé son assurance, ses gestes, son sens de la mise en scène. Elle n'osait pas me regarder. J'aurais voulu lui dire : *Qu'y a-t-il de mal à avouer que tu as eu peur ?*

"J'aurais pu servir de repas", a-t-elle répété à la fin de son histoire. Là-dessus, elle a attaqué son morceau de poisson, a croqué dedans à pleines dents et tout le monde a ri. Y compris moi. J'avais apprécié son numéro, et aussi le fait que j'étais la seule personne au monde à vraiment la connaître. L'idée que Brian puisse la connaître aussi bien que moi, ou qu'elle puisse avoir pleuré dans ses bras comme elle a pleuré dans les miens ce jour-là, il y a plus de vingt ans, m'est insupportable.

"Elle racontait cette histoire sans arrêt", dis-je aux filles.

Nous sommes de retour sur la partie de la plage bordée de maisons. Les amateurs de couchers de soleil ont apporté chaises pliantes et verres de vin. Je scrute les visages dans l'espoir de le trouver, je commence à douter de ma magnanimité autant que de mon indulgence.

"Pourquoi est-ce qu'elle ne la raconte plus ? demande Alex. C'est la première fois que je l'entends.

– Je suppose qu'elle en a de plus récentes", dis-je.

Les filles sont perplexes, peut-être stupéfaites d'apprendre que leurs parents ont vécu des expériences qu'elles ignoraient.

"Comme l'histoire du mariage de Lita où elle est passée comme une flèche, toute nue, devant tout le monde, dit Scottie. J'adore cette histoire.

– Ou la fois où le gorille du zoo l'a attrapée à travers les barreaux, ajoute Alex.

– Ou quand elle a frappé un sanglier avec sa chaussure.

– Ou quand le bas du dos de sa robe est resté pris dans son collant pendant toute une soirée et qu'elle portait pas de culotte, dit Scottie.

– Elle pensait que les hommes la sifflaient parce qu'ils la trouvaient jolie", termine Alex.

Je comprends maintenant de qui Scottie tient son goût d'inventer des histoires hors du commun. Elle veut l'anecdote parfaite, la promesse d'une légende. Il ne m'arrive jamais rien d'exceptionnel, à moi. Sauf peut-être ces derniers jours.

Sid nous rattrape, et je devine qu'il a fumé autre chose qu'une simple cigarette. Il est complètement défoncé. Il a du mal à ouvrir les yeux, il a un sourire idiot. Ça me gonfle qu'il ne se donne même pas la peine de se cacher.

"Qu'est-ce que tu aimes chez maman ?" veut savoir Scottie.

Pour une raison que j'ignore, je me tourne vers Alex, en quête d'une réponse. Son regard est plein d'attente. "J'aime... Je ne sais pas. J'aime tout ce qu'on aime ensemble. Notre façon d'être l'un avec l'autre."

Alex me lance un coup d'œil entendu, comme si je m'en étais tiré à bon compte.

"On aime dîner au restaurant, par exemple. On adore nos motos." J'ajoute en riant : "On aimes les trucs des comédies sentimentales. On se l'est même avoué un soir." Je souris. Les filles me dévisagent d'un air bizarre. J'attends que Scottie me demande ce que j'entends par "trucs" mais elle reste silencieuse. Elle paraît presque en colère.

Devant nous, un couple marche, main dans la main.

"J'aime quand elle oublie de laver la laitue et qu'on retrouve de la terre dans la salade.

– Moi, je déteste ça, dit Scottie.

– Je ne peux pas dire que j'aime ça non plus, mais je serais presque déçu si elle ne le faisait pas, dis-je. Je suis habitué. C'est bien elle, ça. C'est maman." D'autres exemples me viennent à l'esprit et je ris en mon for intérieur.

"Quoi ? me demande Scottie.

– Je pensais aux choses qu'on n'aimait pas.

– Comme quoi ? demande Scottie.

– Comme les gens qui disent « C'est marrant » mais qui ne rient pas. Si c'est drôle, pourquoi ne pas rire ? Ou ceux qui emploient le mot « prendre » au lieu du verbe approprié. Comme dans « Au déjeuner, j'ai PRIS une salade ». On trouvait aussi que les hommes qui vont dans des instituts de beauté étaient bizarres." J'aurais pu continuer pendant des heures. La résurgence de ces souvenirs me donnait presque le vertige. On s'amusait bien. On riait beaucoup. Je pensais avoir épousé un jeune mannequin quand mes amis, eux, avaient épousé leur secrétaire, la nounou des enfants ou une Asiatique qui baragouinait l'anglais. Je pensais avoir épousé une femme drôle, facile à vivre, qui élèverait mes gosses et resterait à mes côtés. Je suis content de m'être à ce point trompé.

"Eh, moi aussi, je trouve ça bizarre, les mecs qui fréquentent les instituts de beauté, intervient Sid.

– De quoi on parle là ? dit Alex. N'importe quoi, putain !"

Le couple devant nous se retourne.

"Quoi ? Qu'est-ce que vous regardez ?" leur lance Alex.

Je ne me donne pas la peine de la réprimander, parce qu'elle a raison : de quoi se mêlent-ils ? Je ralentis le pas. Alex donne un coup de poing à Scottie.

"Aïe ! crie Scottie.

– Alex ! Je croyais qu'on en avait fini avec ça !

– Rends-lui son coup de poing, papa", dit Scottie.

Alex l'attrape par le cou.

"Tu me fais mal, dit Scottie.

– C'est un peu le but", rétorque Alex.

J'attrape les deux gamines par le bras, les force à s'asseoir sur le sable. Sid se couvre la bouche de la main, se plie en deux et rit en silence.

"Qu'est-ce que tu aimes chez maman ? répète Alex en imitant sa sœur. La ferme, bon sang. Et toi, papa, arrête de la materner."

Je m'assieds entre elles sans rien dire. Sid s'accroupit près d'Alex. "Tout doux, tigresse", lui dit-il. Je regarde les vagues s'écraser sur le sable. Des femmes passent devant moi. Elles me regardent, comme si la vision d'un père avec ses enfants était un cadeau du ciel. Il suffit de pas grand-chose pour que l'on vous vénère en tant que père ! Je sens que les filles attendent que je parle, mais est-ce que tout n'a pas été dit ? J'ai crié, essayé de les raisonner, j'ai même donné des fessées. Rien n'y fait.

Je m'adresse à Scottie sans quitter Alex des yeux : "Qu'est-ce que tu aimes, toi, chez maman ?"

Elle réfléchit. "Des tas de choses. Elle n'est pas vieille et laide, comme la plupart des mères.

– Et toi, Alex ?

– Pourquoi on fait ça ? me demande-t-elle. Et d'abord, qu'est-ce qu'on fiche ici ?

– On nage avec les requins, dis-je. Scottie voulait nager avec les requins.

– C'est possible, ajoute Sid, j'ai lu ça dans la brochure de l'hôtel.

– Elle n'a peur de rien", dit Alex.

Alex a tort et puis, à mon avis, il s'agit d'un constat et non d'un trait qu'Alex affectionne particulièrement chez sa mère.

"Retournons à l'hôtel", dis-je.

Je me lève, du revers de la main je brosse le sable que j'ai sur moi. Le couchant voile de rose notre hôtel sur la falaise. En voyant la tête des filles quand je leur ai parlé de leur mère, j'ai pris conscience de ma grande solitude. Jamais elles ne me comprendront comme Joanie me comprend. Jamais elles ne la connaîtront comme je la connais. Elle me manque, même si elle a pu envisager le reste de sa vie sans moi. Je regarde mes filles, mystérieuses créatures, et un bref instant, une angoisse me saisit : je ne veux pas rester seul au monde avec elles. Par chance, elles ne m'ont pas demandé ce que j'aimais chez elles.

28

Nous retournons à notre chambre, bredouilles. J'appelle l'hôpital, on m'assure que Joanie va vraiment bien. Je me surprends à m'en réjouir trop vite, avant de me souvenir que, pour eux, ça veut simplement dire qu'elle respire, qu'elle n'est pas morte. Nous nous faisons apporter le dîner dans la chambre et regardons un film d'une insupportable violence sur la Seconde Guerre mondiale. Des corps ensanglantés à perte de vue.

"Le réalisateur nous montre les choses telles qu'elles étaient, dit Alex à la suite d'une objection de ma part. J'ai lu ça quelque part. C'est sa révolte ouverte contre la violence."

Nous tenons tous sur le lit. Les filles et moi sommes à plat ventre, Sid est à l'autre bout, adossé au mur.

"Je me demande ce que l'ami de maman peut bien fabriquer à cette heure, dit Alex.

— Il doit regarder des films pornos", rétorque Scottie.

Sid se met à rire. Scottie prend un petit air à la fois innocent et calculateur.

"Pourquoi tu dis ça ? dis-je. Tu cherches à être drôle ou quoi ?

— Le père de Reina regarde des films pornos.

— Tu sais ce que c'est qu'un porno ? demande Alex à Scottie.

— Oui, le résumé du match de foot", répond-elle.

Je me tourne vers Alex, je cherche à comprendre. Suis-je censé éclairer ma fille ou la laisser dans l'erreur ?

"Un porno c'est un film où des jolies femmes et des vilains bonshommes font l'amour", répond Alex.

Je ne vois pas le visage de Scottie parce qu'elle regarde en bas.
"Scottie ? dis-je.

– Je sais, je blaguais, c'est tout, répond-elle.

– C'est pas grave de pas savoir, dit Sid.

– Je te dis que je le savais !" Elle se tourne vers moi. "Je sais ce que c'est. Je croyais juste qu'on les appelait autrement. Reina appelle ça des films pour se branler. Elle en met quand ses parents sont pas là et, si vous voulez savoir, un jour, elle a même invité des garçons pour voir si ça se déformait là-dedans. Et y en a un chez qui ça l'a fait.

– Ta Reina est géniale, dit Sid. Elle me plaît de plus en plus.

– Et tu étais là ? Tu as vu un de ces films ?

– Non, répond Scottie.

– Écoute, Scottie, dit Alex en décochant un coup de pied dans les côtes de Sid, Reina est une petite merde et une sale teigne, fuis-la, je te l'ai déjà dit. Tu as envie de finir comme moi ?

– Oui.

– Je veux dire comme j'étais à l'époque où je hurlais sur maman ?

– Non.

– Reina a tout pour devenir une droguée. C'est une conne, dis-le !

– Une conne, répète Scottie qui se lève et se précipite à l'autre bout de la pièce en disant : une conne, conne, conne, conne.

– Putain ! grogne Sid. C'est spécial, comme méthode d'éducation, non ?"

Alex hausse les épaules. "Possible. On verra bien.

– Je ne comprends pas, dis-je. Je ne sais pas comment réagir. C'est sans arrêt comme ça, avec elle.

– Ça lui passera, dit Alex.

– Tu crois ? Y a qu'à vous entendre parler, toutes les deux. Surtout devant moi. On a l'impression que vous ne respectez pas l'autorité."

Ils regardent tous les trois la télévision. Je leur demande de sortir, je vais me coucher.

Il est près de minuit et je n'arrive pas à fermer l'œil. Je me lève pour aller à la salle de bain dont la porte entrouverte laisse filtrer de la lumière. Pourvu que je ne surprenne pas Alex en train de faire une connerie, comme sniffer un rail de coke sur la lunette des toilettes. Au moment où je m'apprête à faire demi-tour, je décide de m'approcher sans bruit pour jeter un coup d'œil et je vois Scottie, debout sur le plan de toilette, une jambe de chaque côté du lavabo, face au miroir qui occupe le mur de la salle de bain. Elle se fige dans une pose qu'elle garde quelques secondes avant d'en prendre une autre. Elle joue les mannequins. J'ouvre la bouche pour dire quelque chose, pour lui rappeler qu'elle devrait aller se coucher, mais elle resserre les bras contre ses seins pour étudier son décolleté et je ne veux pas qu'elle sache que j'ai vu. Elle se regarde dans la glace, puis passe son corps en revue, comme si elle mettait en doute la fidélité du miroir. Je l'entends alors dialoguer avec elle-même : "Pourquoi tu l'as jamais empêchée ? *Je savais pas comment faire.* Tu n'as pas remarqué, espèce de salopard. Viens ici."

Elle se penche vers le miroir qu'elle se met à embrasser à pleine bouche, la langue sur le verre. J'entends alors : "Oh ! vas-y, fourre ta queue dans mon trou. Sors ta capote, tu sais, celle qui brille dans le noir."

Nom de Dieu ! Je m'éloigne à pas de loup, m'adosse au mur et respire à fond. Je suis pris de panique : et si elle ne faisait qu'imiter sa sœur et Sid ? Je vais dans la grande pièce vérifier que Sid dort dans le lit d'appoint. Constatant une protubérance dans le lit, je me demande si c'est bien lui ou s'il n'a pas glissé des oreillers sous les couvertures. Je me précipite, mon cœur bat la chamade. Sid se retourne et me regarde droit dans les yeux.

"Salut !" dit-il.

Je me sens tout bête de me trouver là, essoufflé, à l'espionner. Le clair de lune raye mon torse.

"Salut ! dis-je à mon tour.

– Vous vouliez vérifier que j'étais bien là ?

– Je n'arrivais pas à fermer l'œil. Scottie. Elle est dans la salle de bain." Je me tais.

"Et après ? dit-il en s'asseyant.

– Elle joue la comédie." Je ne sais pas comment le dire. Après tout, je n'ai pas besoin de le dire. "Elle embrasse le miroir.

– Oh, moi aussi je faisais des trucs dingues quand j'étais gamin, et j'en fais toujours."

Cette fois, je suis bien réveillé, ce qui a le don de m'exaspérer en pleine nuit : si je n'ai pas dormi, je ne suis bon à rien. Je n'arrive pas à me décider à regagner ma chambre. Je m'assieds au bout du lit, près des pieds de Sid.

"Mes filles m'inquiètent, lui dis-je. J'ai peur qu'il n'y ait quelque chose qui ne tourne pas rond chez elles."

Sid se frotte les yeux.

"Laisse tomber ! dis-je. Désolé de t'avoir réveillé.

– Et c'est pas la mort de votre femme qui va arranger les choses." Il tient la couverture sous son menton.

"Qu'est-ce qu'elle dit de tout ça, Alex ? Qu'est-ce qu'elle t'en dit ?

– Elle en parle pas.

– Comment ça ? Je l'ai entendue dire qu'elle te parlait.

– Non. On parle pas de nos problèmes. On... Je sais pas, moi. On essaie de les résoudre en n'en parlant pas.

– Il te resterait pas un peu d'herbe ? dis-je. Je n'arrive pas à dormir. Il faut que je dorme. J'ai besoin de mon sommeil."

Il fouille sous son oreiller et en sort un joint.

"Tu dors avec ?"

Il feint de ne pas entendre, l'allume et me le tend.

Je regarde la cigarette. Joanie aimait ça, moi ça ne m'a jamais plu.

"Oublie, je n'en veux pas.

– Vous pouvez aller la fumer sur le patio.

– Non, je n'en veux pas, vraiment." Je crois qu'une part de moi essayait d'impressionner cet idiot, et je me retrouve pris à mon propre piège.

Il l'éteint sur un magazine au-dessus de la table de chevet.

"J'en veux pas non plus, mais merci de m'avoir laissé fumer, ça aide.

– Ouais, j'en sais trop rien. Je ne suis plus dans le coup. Cela dit, j'ai remarqué que ça te rendait plutôt taciturne, l'herbe."

Il pianote sur la couverture. Je regarde autour de moi, j'aperçois une télécommande sur le lit. Je presse un bouton.

"Qu'est-ce que tu ferais à ma place ? Comment tu te comporterais avec mes filles ? Et avec l'homme qu'on est venus chercher ?

— Vous avez remarqué que, dans les films, les acteurs perdent leur naturel dès qu'ils ont une clope au bec ? Ils se croient forcés de surjouer, de se racler la langue, d'essayer de parler en retenant la fumée. C'est vraiment nul."

Il imite les acteurs et je vois ce qu'il veut dire.

"Primo, je foutrais une dérouillée à ce mec. Boum !" Il mime un crochet du droit et le gars qui s'effondre par-dessus son genou. "Avec vos filles, je sais pas trop. Je les emmènerais en voyage. Ou plutôt non, je leur achèterais des trucs. Avec le fric que vous avez, vous pouvez ! Alex m'a parlé de tout le pognon que vous allez recevoir."

Je le regarde et me demande si c'est pour ça qu'il est avec Alex.

"Tu en veux ? Tu veux de l'argent ?

— Bien sûr, dit-il.

— Si je te donnais plein de fric maintenant, ce soir, tu partirais ?

— Non, répond-il. Pourquoi je partirais ?

— Écoute, Sid, je te demande une faveur. Si je te donne du fric, est-ce que tu t'en iras ?

— Oh ! J'y suis. C'est là que vous vouliez en venir ! Vous voulez que je dégage ?"

Sur ses tempes, ses cheveux se hérissent.

"Non, dis-je.

— Je saurais pas comment m'y prendre avec des filles à moi, avoue-t-il. Les troquer contre des fils ?

— Mais alors je pourrais me retrouver avec un type dans ton genre.

— Je suis pas si nul que ça, dit-il. Je suis pas idiot.

— Tu es à des années-lumière d'être une lumière, mon ami !

— Vous vous trompez, mon bon monsieur, dit-il. Je suis loin d'être bête, je suis capable de subvenir à mes besoins. Je suis peut-être nul au tennis, mais je ne perds rien de ce qui se passe autour de moi. Je suis bon cuisinier. J'ai toujours de l'herbe sous la main.

– Je suis sûr que tes parents sont fiers de toi.

– C'est possible." Il baisse les yeux et je me demande si je l'ai vexé.

"Ils savent où tu es ?

– Qui ça, mes parents ?

– Oui, Sid, tes parents.

– Disons que ma mère est assez occupée ces temps-ci, elle apprécie que je sois pas dans ses pattes.

– Qu'est-ce qu'elle fait ?

– Elle est réceptionniste à la clinique vétérinaire *Pets in the City*.

– C'est là qu'on amène notre chat. Il y a donc tellement de chiens et de chats mal en point en ce moment ?

– Non, répond Sid. Elle a beaucoup à faire pour reprendre la maison en mains, pour remettre de l'ordre dans les affaires de mon père. Il est mort il y a quelques mois."

Je crois d'abord qu'il plaisante, que c'est une de ses blagues, comme l'histoire du frère retardé, mais je m'aperçois vite qu'il est sérieux. Il réagit comme moi quand des gens parlent à Joanie, il s'efforce de sourire et d'avoir l'air à son aise. Il veut que je me sente à l'aise et il cherche à passer au sujet suivant. Du coup je me comporte avec lui comme j'aimerais que les autres se comportent avec moi.

"Bonne nuit, Sid, repose-toi. À demain."

Il pose la tête sur son oreiller. "Ravi de vous avoir parlé, chef, dit-il. À demain."

29

Le lendemain matin, je vais courir sur la plage. Il court dans ma direction et me croise tout en regardant l'océan. Je me trouve au-dessus de lui, près des villas, là où le sable sec rend la course plus difficile. Je fais demi-tour et décide de le suivre, sur le sable humide, à la fois excité, angoissé et honteux que nous fassions la même chose au même moment. Tout en courant, je l'observe de dos, j'étudie ses mollets, sa nuque. Sur son T-shirt on lit : STANFORD LACROSSE, ce qui me paraît du plus mauvais goût. Il porte un short court, léger, fendu sur le côté, comme en portent les fanas de course à pied. Il doit être du genre à accrocher son téléphone portable à sa ceinture. Il est rapide, ce sale petit connard, et je suis forcé d'accélérer. La plage est presque déserte : des surfeurs attendent une vague, un pêcheur plante sa canne à pêche dans le sable, un chien noir renifle les buissons. Une splendide journée en perspective. La lumière vaporeuse du petit jour perd de sa douceur, la plage, ce hamac de sable blanc, semble se balancer mollement, la brume se dissipe. Lever de rideau dramatique et pudique sur une mer resplendissante et des falaises turquoise.

Je ralentis, mieux vaut laisser une certaine distance entre lui et moi. Je sens une incroyable poussée d'adrénaline, qu'entretient ma rage. J'essaie de me concentrer et de me rappeler pourquoi je suis ici. J'aime Joanie et elle aime cet homme qui est là, devant moi, et je me propose de le lui ramener. Il a le droit de lui dire adieu. Il lui a donné quelque chose que j'étais incapable de lui donner. Je suis comme un chat traînant un rat jusqu'au seuil de la porte.

Une vague se brise sur le rivage, il s'écarte. Je ne me détourne pas, laissant l'eau froide éclabousser mes jambes. Un peu avant la jetée, l'homme ralentit, regarde l'heure et commence à remonter la pente. Je cesse de courir. Il marche un moment sur la plage pour reprendre son souffle, puis continue vers la jetée. Peut-être qu'il va chercher sa voiture au parking ? Je me mets à marcher, me demandant ce que je dois faire s'il monte en voiture. Suis-je prêt ? Est-ce le bon moment ? Il fait alors demi-tour et revient vers moi. Je me tourne aussitôt vers l'océan. Je m'étire, je pivote sur moi-même de façon à ne pas le perdre de vue. Je pivote dans l'autre sens et le vois qui se dirige vers l'une des petites villas bleues appartenant à mon cousin Hugh. Je ne pensais pas que Hugh les louait encore, Brian connaîtrait-il Hugh ? Brian gravit les marches du porche, il ouvre la porte grillagée. Il doit connaître l'un de nous, ce qui n'a rien d'extraordinaire, vu que les cousins grouillent dans le coin. Comme les cafards. Je pourrais demander à Hugh s'il connaît Brian et comment il le connaît. Je pourrais me renseigner sur ce gars avant de bouger. Ou je pourrais y aller à l'aveuglette. Après tout, est-ce que j'ai vraiment besoin de me renseigner ? Il est là. Je l'ai trouvé. Maintenant, il faut que je le saisisse au vol.

Je regarde l'hôtel sur la falaise, et j'aimerais que mes filles soient là. Je prends conscience de ma peur. Dans mon dos, la chaleur du soleil devient plus intense. Assez de faux-fuyants ! Je me dirige vers la villa, mes pieds s'enfoncent dans le sable moelleux, mais en m'approchant, je vois, à ma surprise, Brian disparaître à l'intérieur de la maison puis en ressortir avec un verre d'eau avant d'aller s'asseoir dans un transat. Deux enfants le suivent, l'un doit avoir environ treize ans, l'autre huit ou neuf. La porte grillagée s'ouvre, apparaît une belle femme en maillot de bain blanc, coiffée d'un grand chapeau de soleil. Elle est élégante. Radieuse. Éblouissante. C'est l'épouse de Brian.

30

Je repars m'asseoir sur la plage, persuadé que Brian et sa famille vont y descendre. C'est ce qu'on fait par ici. Il a fichu en l'air mes plans : maintenant que j'ai vu sa femme et ses enfants, je n'arrive pas à me décider à continuer. Non seulement ce serait difficile du point de vue pratique, mais ça me gênerait. Je commence à avoir des doutes sur cette liaison, même si je sais qu'elle a eu lieu.

Au loin, les filles et Sid escaladent les rochers pour accéder à la plage privée de l'hôtel, un parcours du combattant entre les brisants et l'océan, une façon de décourager les non-clients ou de retenir les habitués. Une fois sur la plage, ils finissent par me repérer. Scottie se précipite vers moi et étale sa serviette de bain sur le sable.

"Alex a fait monter le petit-déj' dans la chambre, moucharde-t-elle.

– Bonne idée", dis-je.

Scottie ne sait jamais jusqu'où elle peut aller, ce qui, à mon avis, est une bonne tactique. Ses piqûres ont meilleur aspect, elles ne suppurent pas, c'est de l'histoire ancienne. *Qu'est-ce qui t'arrive ?* ai-je envie de lui demander. *Qu'est-ce que je peux faire pour toi ?* Je la revois posant devant la glace la nuit dernière, les mains rapprochant ses seins. Je n'avais jamais remarqué que Scottie avait des petits seins, mais elle en a.

Étendue à plat ventre, elle tourne la tête vers moi.

"Tu as le câble dans ta chambre à la maison ?

– Oui, me répond-elle.

– C'est quoi, tes programmes préférés ?

– Les *Soprano* et *Dog, le chasseur de primes*. Attends, tu veux dire juste sur le câble, ou dans toutes les séries ?

– Tu ferais mieux de ne pas regarder de séries du tout.

– Plutôt crever !"

Alex arrive d'un pas nonchalant, Sid la suit, cigarette aux lèvres. Je regarde les hommes la regarder jusqu'à ce que, voyant qu'elle vient vers moi, ils finissent par détourner les yeux.

"Alors, tu l'as trouvé ? demande-t-elle.

– Ah ouais, reprend Scottie, tu l'as trouvé, l'ami de maman ?"

Je pèse ma réponse : s'ils savent que je l'ai trouvé, ils s'attendront que j'agisse. "Non, pas de chance pour l'instant."

Sid me fait un signe de tête. Il est devenu pour moi un être complètement différent : un mystère, un roc. Il doit être fort, ce garçon. Ou camé jusqu'aux yeux.

"Il était bon ce petit-déjeuner ?

– Ouais, me répond Sid.

– On t'a rapporté un bagel, dit Alex en me lançant le bagel aux raisins secs.

– Ouah ! Merci, c'est sympa !"

Le soleil est encore plus intense, ça me fait du bien de le sentir dans mon dos. J'ai retiré mes tennis et j'enfouis mes pieds dans le sable bien frais. Sid et Alex s'installent à plat ventre, Scottie se remet sur le dos. Il commence à y avoir du monde sur la plage et dans l'eau. Nos voisins, d'un côté comme de l'autre, ont déballé la panoplie des parfaits plagistes : parasols, fauteuils de plage, glacière, serviettes de bain, crème solaire et chapeaux.

"L'un de vous a de la crème solaire ?

– Non, me répond Scottie. On a de l'eau ?

– Tu en as apporté ? me demande Alex.

– Non", dis-je.

Alex relève la tête. "Tu as pensé à des trucs à manger ?

– On peut aller en acheter en ville."

Comment les mères se débrouillent-elles pour apporter tout ce dont un enfant peut avoir besoin ?

Alex se redresse et s'appuie sur les coudes. Je vois la femme en blanc qui nous regarde avec gentillesse, avant de reprendre sa marche les yeux rivés sur le sable. Les deux garçons aperçus plus tôt dans la villa se précipitent vers l'océan. "Ne vous éloignez pas de la zone de baignade, s'il vous plaît !" leur crie-t-elle. Ils se jettent dans une petite vague dans laquelle ils se lovent comme deux oiseaux. Ils flottent et se laissent partir à la dérive. Elle se rapproche du rivage. Tant mieux : elle est au-dessous de nous et je peux donc observer leur trio sans me cacher. Elle pose les sacs qui pendaient à son épaule, en sort une serviette. Un rapide mouvement du poignet et hop, la serviette s'envole avant de retomber en ondulant sur le sable. Elle garde son paréo diaphane par-dessus son maillot, s'assied sur la serviette et tire un gros livre de son sac.

Les deux filles ne la lâchent pas des yeux. Je me demande si elles la comparent à leur mère ou si elles la contemplent comme on contemple quelque chose de beau. Je me retourne de temps en temps pour voir si son mari vient la rejoindre, mais je n'aperçois qu'un homme assis sur une tondeuse à gazon et des gamins du coin qui traversent la pelouse en courant avec des cannes à pêche.

Ses fils voguent à plat ventre sur les vagues. Elle relève régulièrement la tête pour voir où ils sont, se servant de son index comme marque-page.

"Vous devriez aller nager, les enfants !

– Tu viens avec moi ?" demande Scottie.

Je n'en ai pas très envie, mais je ne veux pas lui dire non : la femme peut nous entendre.

"Bonne idée ! dis-je avec un enthousiasme feint. Tu viens avec nous, Alex ?"

Alex se redresse. Je ne sais jamais quand je vais rencontrer de la résistance. Sitôt que je crois connaître le mode de fonctionnement de mes filles – le cycle amusement, intimité, querelle, mauvaise humeur, beau fixe –, elles le bousculent.

"Sid ? Tu veux te joindre à nous ?" Ça sonne faux, comme si je m'aplatissais devant lui, mais il mérite certains égards de ma part parce qu'il a perdu son père.

"OK." Il se lève aussitôt, court vers la mer, brave les vagues et plonge. Je le perds de vue un moment, puis je cesse de le chercher des yeux.

Les filles et moi allons jusqu'à l'océan et je me laisse doucement engloutir par ses eaux.

"Attrape celle-là, Steven, dit l'aîné à son jeune frère qui se retourne et voit la vague déferler au-dessus de sa tête. Vas-y !"

Nous disparaissons tous sous la vague et je cherche à voir si le jeune garçon a pu prendre la vague. Je le vois au loin, il a regagné le rivage sur la vague.

"Géant ! hurle-t-il.

– Qu'est-ce que je t'avais dit ?" lui répond son frère.

Scottie n'a même pas droit à un regard de l'aîné, il n'a d'yeux que pour la prochaine série de vagues. Frustré par plusieurs faux départs, il frappe l'eau. Un drôle de petit monstre, celui-là !

La mère nous regarde par-dessus ses lunettes de soleil. Alex et Sid sont en amont de la vague, je les vois se diriger vers le radeau. Scottie se rapproche des garçons, elle attend son tour pour prendre une vague.

"Elle est à moi celle-là ! lui crie l'aîné.

– Vas-y, Steven ! Elle est à toi celle-là ! Allez, vas-y ! vas-y !"

Steven angoisse. Il est tout essoufflé, les ordres de son frère le désorientent. Après un coup d'œil à Scottie, il décolle et s'aplatit dans l'eau. La vague passe au-dessous de lui, il la prend de dos.

"Tu nous gênes, hurle l'aîné à Scottie. Trouve-toi un autre endroit pour attendre les vagues !"

Scottie le regarde l'air de se demander s'il plaisante. J'interviens : "T'es dans un océan, mon pote, je crois que vous pouvez vous débrouiller pour vous partager un océan !

– Je ne le gênais pas, proteste Scottie. Il a pas nagé assez vite, c'est tout."

Qu'est-ce que tu vas répondre à ça, petit con ? Je le fixe du regard, il se calme, peut-être parce qu'il a vu que sa mère entrait dans l'eau. Je me radoucis et souris au garçon. "Tiens, voilà une vague faite pour toi ! dis-je. Vas-y !"

Leur mère me salue de la tête. La coupe de son maillot n'a rien d'exagérément osé, son chapeau de soleil cache son visage, et je ne vois que son corps plongeant pour rejoindre ses fils. Ses cheveux flottent derrière elle, telle une cape mordorée. Scottie est aux anges. Joanie, elle, se serait jetée à l'eau en string et se serait comportée comme l'aîné des garçons, saisissant l'occasion pour lancer un défi et entraîner tout le monde à sa suite.

Mme Speer nage sur le dos, ses longs bras font des moulinets derrière elle, de l'eau ruisselle du bout de ses doigts. Ses pieds éclaboussent devant elle. Son chapeau lui donne un petit air à la fois saugrenu et charmant.

"Vas-y, attrape-la, maman !" lui crie son plus jeune fils.

Elle regarde la petite vague arriver vers elle et regagne le rivage à la brasse.

"Plus vite !" dit l'enfant.

Scottie tente de profiter, elle aussi, de la vague, sans détacher son regard de la femme qui, la voyant, redouble d'efforts. La vague prend de la hauteur, s'apprête à déferler. J'ai peur, moins pour Scottie que je sais bonne surfeuse, que pour la femme qui me rappelle une de ces statuettes fragiles, qu'on place sur la dernière étagère d'une vitrine, dans un halo de lumière tamisée.

Tout en nageant, la femme regarde en arrière avec un grand sourire, mais à la vue de la vague au-dessus d'elle, elle panique. La vague se brise, elle disparaît.

Je prends la vague suivante et je vois Scottie et la femme échouées sur la plage. Scottie s'est aussitôt relevée, mais la femme, elle, reste allongée sur le flanc, les cheveux enroulés autour de sa tête. Une bretelle de son maillot pend le long de son bras et le bas, retroussé par la vague, révèle ses fesses.

Je me dépêche de regagner le rivage, mais je me souviens que certaines femmes, dont la mienne, n'aiment pas qu'un homme leur vienne en aide. Feignant d'être inquiet pour Scottie, je demande à la femme en riant : "Ça va ?"

À cet instant, une autre vague s'abat sur elle et l'entraîne. Elle est prise dans une série de vagues et semble incapable de s'en sortir. Je jette un coup d'œil du côté des garçons, ils rient comme des fous. Je m'approche d'elle, la saisis à bras-le-corps et la relève. Elle se stabilise en posant les mains sur mes épaules, mais les retire aussitôt. Ses mains sur moi... Ça doit être la sensation la plus étrange et la plus douce que j'aie connue depuis des mois, pour ne pas dire des années. Je les sens encore. Peut-être les sentirai-je toujours. Comme si j'avais été marqué au fer. Pas nécessairement parce que c'est elle, mais parce que c'est une femme qui m'a touché.

"Mon Dieu, s'exclame-t-elle, on croirait que je suis passée sous le rouleau du lavage automatique pour voitures !"

Je ris, ou plutôt, je me force à rire, car je ne trouverais pas ça forcément si drôle en temps normal.

"Et toi ? demande-t-elle à Scottie. Comment tu t'en es tirée ?

— Moi, je suis un garçon, répond Scottie, regardez-moi."

Du sable s'est logé dans le bas de son maillot, créant une protubérance qu'elle gratte. "Je vais aller travailler, maintenant", déclare-t-elle. Je pense qu'elle m'imite et qu'elle donne à Mme Speer une vision de moi aussi éloignée de la réalité qu'humiliante.

"Scottie, dis-je, arrête ça !

— On ne doit pas s'ennuyer avec des filles", dit Mme Speer.

Elle regarde l'océan, tout en observant du coin de l'œil Alex qui se prélasse au soleil sur le radeau. Sid se penche sur Alex, il colle sa bouche contre la sienne, elle pose la main sur la tête de Sid. J'oublie un instant que c'est ma fille qui est là et je me dis qu'il y a bien longtemps que je n'ai pas embrassé, ni été embrassé comme ça.

"À moins que vous ne soyez débordé, poursuit Mme Speer.

— Non, non, dis-je. C'est formidable." Et ça l'est, je suppose, même si j'ai l'impression de me retrouver avec un joujou tout neuf dont je ne connais pas encore le mode d'emploi.

"Ça fait une éternité qu'ils sont ensemble, dis-je, en montrant Alex et Sid. Je n'arrive pas à comprendre s'ils sont un couple ou si c'est comme ça que se comportent les gosses de leur âge."

Mme Speer me lance un regard bizarre, comme si elle se retenait de dire quelque chose.

"Et vos garçons, dis-je avec un geste en direction de ses chers petits crétins. Avec eux, vous ne devez pas chômer non plus !

— Je n'ai pas beaucoup de temps à moi, c'est vrai, mais à cet âge ils sont si drôles. C'est une vraie joie !"

Elle les suit du regard, son expression ne me convainc pas réellement qu'ils soient une telle joie. Je me demande si ces conversations insipides entre parents sont fréquentes et dans quelle mesure elles masquent la vérité. *Ils sont tellement surexcités. Je ferais n'importe quoi pour leur injecter une dose massive de sédatifs ! Ils insistent pour que je regarde leurs exploits, mais j'avoue que je m'en tape. Qu'est-ce que ça a de si compliqué de sauter d'un plongeoir ?*

Mes filles sont paumées, ai-je envie de lui dire. *L'une dit des cochonneries à sa propre image dans le miroir. Vous faisiez ça, vous, à son âge ?*

"Vos filles ont l'air super, elles aussi, dit-elle. Quel âge ont-elles ?

– Dix ans et dix-huit ans. Et vos fils ?

– Dix et douze ans.

– Oh ! Super.

– Votre plus jeune fille est drôle, c'est sûr, je ne veux pas dire drôle au sens de bizarre, je veux dire qu'avec elle on ne s'ennuie pas.

– Ah ! Oui, c'est notre Scottie, notre petite rigolote."

En silence, nous observons Scottie qui se laisse ballotter par les vagues, assise sur le sable.

"À vrai dire, elles sont toutes deux un peu tristes car leur mère est à l'hôpital." Je sens combien cet aveu va mettre Mme Speer mal à l'aise. "Elle s'en sortira", dis-je après le "Oh ! Non !" de rigueur. "Elles sont inquiètes, c'est tout.

– Bien sûr, dit-elle. Ça doit être si dur ! Que s'est-il passé ? Si ce n'est pas indiscret de vous poser la question.

– Un accident de bateau." Je guette la moindre réaction de sa part.

"Quelle tristesse ! dit-elle. Un voilier ou un de ces bateaux équipés d'un moteur ?"

Je ris. Une tache rouge apparaît sur son cou.

"Un hors-bord, dis-je.

– Je suis désolée, mais je ne connais pas bien...

– Non, je ris parce que c'était charmant, c'est tout. Vous êtes charmante."

Elle porte la main à sa poitrine. Je me dis que c'est à ça que se limiteront à jamais mes infidélités à Joanie, là qu'en resteront aussi mes idées de revanche. Si Joanie était amoureuse d'un autre, pourquoi ne me l'a-t-elle pas dit ? Attendait-elle vraiment que je vende mes parts pour entamer la procédure de divorce ? J'espère qu'elle n'était pas une aussi froide calculatrice. Par bonheur, je ne le saurai sans doute jamais. Son silence me permet de la voir comme je le veux.

Mme Speer contemple l'océan. Moi aussi.

"Hier, nous avons aperçu John Cusack et Neve Campbell, ils surfaient ici.

– Oh ! dis-je. Et qui sont-ils ?

– Des acteurs, des stars de Hollywood. Des célébrités, vous savez.

– Oui, ça pullule dans le coin. Dans quels films ont-ils joué ?

– Je ne sais pas très bien. Aucun ne me vient à l'esprit.

– Intéressant, dis-je.

– Stupide, en tout cas, de parler célébrités, dit-elle.

– Non, dis-je. C'est passionnant, je vous assure."

Je l'encourage du regard. Elle mordille son pouce, baisse les yeux, me regarde et me dit avec un grand sourire : "Je pense que vous vous en moquez pas mal."

Je ris. "Vous avez raison, dans un sens mais, en fait, vous avez tort. Ça ne m'est pas égal ! Ces célébrités m'insupportent ! Je n'admets pas qu'on leur donne tout ce fric ! Sans compter toutes ces cérémonies de remises de prix du meilleur ceci, de la meilleure cela, franchement ! C'est absurde ! Ridicule !

– Je sais, je sais ! Je vois ce que vous voulez dire, mais c'est plus fort que moi.

– Vous ne lisez pas les magazines people, quand même ?

– Si !

– Oh ! Non !" Je presse la paume de ma main contre mon front et vois Scottie arriver en courant, je me rends alors compte que j'ai temporairement oublié qui était cette femme. Elle est l'épouse de Brian. Elle n'est pas mon amie. En outre, je ne suis pas censé rire ces temps-ci, ni profiter de la vie en aucune façon.

"Votre chapeau ! dit Scottie. Je l'ai retrouvé." Elle tient le chapeau par son grand bord. Il est trempé, Scottie le tord pour l'essorer. On dirait un paquet d'algues.

"Merci", dit Mme Speer en tendant la main pour le reprendre.

Scottie la regarde, embarrassée, comme si elle s'attendait à une récompense.

"Vous voulez votre serviette ? lui demande-t-elle. Vous avez la chair de poule.

– Oui, ce ne serait pas une mauvaise idée, répond-elle.

– Je vais vous la chercher."

Scottie se précipite vers le sac de Mme Speer et je la regarde, l'air gêné, comme pour excuser ma fille, mais elle paraît détendue. Elle remonte s'asseoir sur le sable sec et tiède. Je la rejoins. Tout en remuant le sable avec les doigts, je jette un coup d'œil sur ses jambes, curieux de voir si la chair de poule a disparu ou non.

Scottie revient. Elle couvre les épaules de Mme Speer avec le drap de bain et s'assied près d'elle.

"Moi aussi, je me rase", déclare ma fille. La femme regarde les jambes de Scottie.

"Ouah ! s'exclame-t-elle.

– Il a bien fallu parce que j'ai été attaquée par une armée de pissenlits... De physalies, je veux dire."

Je reconnais le bon mot qu'elle voulait étrenner sur sa mère. Je lui en veux de sa trahison. Elle a tourné la page, elle a adopté un nouveau style de mère si facilement. Une journée lui suffirait pour tomber amoureuse d'une autre, comme tous les gosses, je suppose. Ils ne nous pleureront pas autant que nous le souhaiterions.

"Donc, il a fallu que tu te rases ? demande Mme Speer.

– Ouais, pour me débarrasser de leur poison.

– Vous séjournez dans une des villas ? je demande.

– Oui, mon mari avait à faire ici, du coup nous avons décidé de prendre des petites vacances. Il connaît le propriétaire, du coup...

– Hugh ?

– Exact." Elle semble soulagée de constater que nous avons une connaissance commune.

"C'est mon cousin.

– Oh ! Vous devez connaître mon mari, Brian Speer, non ?"

Je regarde droit devant moi. Je vois Alex et Sid sauter du radeau qui tangue. Le fils aîné de la femme dérive vers le large. Il pourrait se noyer. Il se bat sans succès contre le courant pour regagner le rivage. Je pourrais tout dire à cette femme. Je pourrais faire en sorte qu'elle se sente aussi gênée que moi, nous pourrions parler de sujets plus importants que l'âge de nos enfants. Nous pourrions parler de l'amour et des peines de cœur, des aurores et des crépuscules.

"Je ne connais pas votre mari, dis-je.

– Oh ! Je m'étais dit que...

– Scottie, va lui dire de nager à l'indienne, il reviendra plus facilement."

Scottie, pour une fois d'une surprenante obéissance, se lève et se dirige vers l'océan.

La main en visière, Mme Speer cherche son fils du regard et se lève à son tour.

"Ça va ?

– Oui. Mais ce courant peut jouer de sales tours. Scottie va l'aider."

Elle se tourne vers moi, inquiète. Elle cherche mon aide. L'épouse de Brian a besoin de moi pour sauver son fils. Je ne vois pas le visage du jeune garçon, mais je devine sa frustration et son embarras : il n'arrive pas à croire qu'il soit en danger, mais il se méfie quand même. Il est en vie. Tout ce qui compte pour lui c'est revenir. Au plus vite.

Va chercher Brian, va chercher Brian, ramène-le...

Je ne veux pas me mouiller.

"Je vais le chercher, dis-je.

– Merci, me répond l'épouse de Brian. C'est vraiment gentil de votre part."

31

J'emmène les enfants dîner chez *Tiki*. Le restaurant est sombre, des nattes sont accrochées au mur. On a agrafé au comptoir du bar et aux tables des jupes en raphia sans se soucier d'éventuels éclats de noix de coco pris entre les fibres. Le service est lent, les serveurs ont toujours des airs de martyrs. La nourriture est grasse, pas très soignée. Peu importe le mode de cuisson choisi pour le poisson, au four, grillé ou sauté à la poêle : il arrivera en charpie dans l'assiette. *Tiki* est mon restaurant préféré à Kauai. Mon père m'y emmenait. Parfois, le dimanche après dîner, il allait s'asseoir au vieux comptoir du bar et je restais à notre table à écouter le Ukulele Club ou à colorier sur la nappe en papier. À présent il n'y a plus de nappe, le bois est à nu et les gamins dont les pères sont au bar tailladent les tables avec leur couteau à steak. Le Ukulele Club répète encore ici, ils sont d'ailleurs là ce soir, ces vieux Hawaiiens qui fument des cigarettes en se repaissant de cacahuètes pendant leur jam-session. J'aime bien emmener mes gosses dans un des lieux de prédilection de mon enfance, mais si je les ai fait venir ici c'est aussi parce que je sais que Hugh y vient chaque soir boire un cocktail avant le dîner. J'ai l'intention de lui poser des questions sur ses hôtes. L'ayant repéré au bar, je dis aux filles et à Sid de s'installer à une table. Sid fait asseoir Scottie, qui le regarde avec des yeux ronds quand il rapproche sa chaise de la table.

"C'est quoi, le plan ? me demande Alex.

— Je vais saluer notre cousin."

Alex se tourne vers le bar. "Le cousin Hugh !"

Se moque-t-elle de moi ? "Tu plaisantes ou quoi ?

– Non, j'adore le cousin Hugh.

– Pourquoi ?

– Parce qu'il est vieux et qu'il est plutôt marrant, c'est tout", répond Alex.

J'observe Hugh de dos, ses cheveux blancs ébouriffés, son large torse et ses jambes maigrichonnes. Son gabarit et sa vivacité d'esprit m'ont longtemps fait peur, mais parvenus à un certain âge, ceux qui nous faisaient peur nous attendrissent.

"ok, bon, ben... commandez-moi quelque chose. Ce que vous voudrez. Et soyez gentils avec la serveuse. Parlez-lui dans le jargon d'ici. Ne lui parlez pas anglais."

Ils acquiescent. Ils ont pigé. Sid se redresse sur sa chaise et se plonge dans le menu, comme s'il était le chef de famille. Je me dirige vers le bar. "Salut, cousin ! dis-je en me glissant à côté de lui.

– Salut !" répond-il, se levant à moitié avant de retomber pesamment sur son tabouret. Je m'assieds et j'adresse un clin d'œil au barman qui ne bouge pas d'un pouce et fait même exprès de s'intéresser à l'autre bout du bar. Hugh l'appelle et, de sa voix râpeuse de fumeur, me commande un cocktail traditionnel, ce que j'apprécie. Il me donne une tape dans le dos, ce qui me vaut un signe de tête presque déférent du garçon. Hugh regarde par-dessus son épaule, curieux de voir avec qui je suis. "Est-ce...

– Oui, Scottie et Alex, dis-je.

– Elles ont grandi", dit-il et il se retourne vers le bar.

Quelquefois j'apprécie que les gens ne s'intéressent pas réellement aux autres. Si Hugh s'intéressait, il dirait bonjour à mes filles, poserait des questions sur elles, me demanderait ce que je deviens, se souviendrait que ma femme est dans le coma. Mais rien de tout ça, et tant mieux.

"Je vois que tu as des hôtes, dis-je.

– Comment ça ?

– Du monde dans une de tes villas.

– Oh ! Ouais, ouais. Une sacrée tête de mule, celui-là. C'est, euh, le mari de la sœur de Lou – non, attends. Lou a une sœur, et le mari de cette sœur, le beau-frère de Lou, est un des cousins de l'épouse de ce gars.

– Ah ! dis-je, un peu dépassé.

– Non, attends. De quelle villa tu parles ?"

Hugh est ivre. De grosses gouttes de sueur perlent à la racine de ses cheveux. Elles font partie de mes souvenirs d'enfance : elles apparaissaient chaque fois qu'il se soûlait, il affectait alors un air très sérieux pour qu'on ne s'aperçoive pas que, dans sa tête, c'était la débâcle. Il a cet air-là en ce moment. "Tu veux dire la villa sur la baie ou celle qui donne sur le chemin ?

– Celle qui est sur la baie. Celle qu'occupe le gars avec sa femme et ses deux fils." Le raphia me gratte les cuisses, je regarde si des arêtes de poisson ne se seraient pas prises dans les fibres.

"Ah ! oui, bien sûr ! Une sacrée tête de mule, celui-là, je te garantis." Hugh se penche vers moi, il parle à hauteur de mon menton. "Je fais des affaires avec un type et ce type – celui de la villa sur la baie – est un copain de l'autre.

– C'est sympa de ta part de les héberger."

Hugh hausse les épaules et s'agrippe soudain à son tabouret, comme s'il craignait de perdre l'équilibre.

"Dis-moi, c'est quel genre de type ? dis-je.

– Qui ça ?

– Laisse tomber, dis-je.

– *Hana hou !*" crie Hugh aux musiciens qui, à peine leur chanson terminée, se lancent dans une autre au rythme tout aussi rapide. J'observe les vieillards, ils grattent frénétiquement leurs instruments en bois qu'ils pressent contre leur poitrine. L'un d'eux plonge en avant quand il joue comme si, pour s'activer, ses doigts avaient besoin d'une bourrade. Ils ont les mains hâlées, tendineuses. Mes filles ne les lâchent pas des yeux. Les lèvres serrées autour d'une paille, Scottie aspire une boisson blanche à base de fruits.

Le serveur me fixe du regard, il veut s'assurer que j'ai tout ce qu'il me faut, comme pour se faire pardonner son manque de politesse initial. Je lui adresse un signe de tête et il se tourne vers la porte au moment où arrive un couple. L'homme porte une chemise hawaiienne et la femme un collier d'orchidées violettes du genre de ceux que l'hôtel donne à ses clients en guise de bienvenue. Sid a jeté le sien par-dessus la balustrade du balcon, Scottie l'a imité. Alex, elle, s'est débarrassée du sien pendant le film. Quant au mien, il auréole ma lampe de chevet. On dirait que l'homme et la femme veulent repartir, mais qu'ils craignent de passer pour impolis. Debout à l'entrée, ils attendent qu'on les fasse asseoir, jusqu'à ce que l'homme se décide à s'installer à la table la plus proche. Sa femme lui fait signe de revenir mais, après un coup d'œil autour d'elle, elle finit par le suivre. Le barman détourne son regard. Il tape son poing dans sa paume au rythme de la musique.

"Quel genre c'est, le gars de la villa?" Je bois une grosse gorgée.

"Il a de la chance, le bougre, répond Hugh. Sa sœur est la femme du gars.

– De quel gars?" Cette conversation n'a ni queue ni tête. Hugh serait parfait pour la torture : il ne parlerait jamais parce qu'il en serait incapable.

"Du gars avec lequel je suis en affaires.

– Tu veux dire...

– Don Holitzer.

– Don Holitzer? Ça alors, merde! Moi aussi je suis en affaires avec lui, tu te rappelles?

– C'est ce que je viens de te dire."

Je panique. J'ai l'impression qu'on est en train de me jouer un tour.

"C'est ce que je viens de te dire, répète Hugh. Le copain de Don a loué la villa.

– Oui", dis-je. À quoi bon le contredire? J'essaie de respirer bien à fond sans que ça se remarque trop. Une pensée tourne en boucle dans ma tête : *Don est le beau-frère de Brian. Don est le beau-frère de Brian?*

"Intéressant, dis-je. Il a du bol d'avoir Don pour beau-frère." J'ai l'impression d'avoir eu une révélation, même si je ne sais pas trop ce que j'ai compris. Je ne saisis pas ce qu'est au juste sa chance, pas plus que je ne vois en quoi sa place dans la famille pourrait profiter à Brian ou à Joanie. On ne devient pas riche parce que le mari de votre sœur est riche. Sans doute qu'il y a des avantages, mais dans quelle mesure entrent-ils en ligne de compte dans la décision de Joanie ? Je ne vois que le mauvais côté des choses : les gosses de Brian joueront avec ceux de Don et compareront sans cesse ce qu'ont les uns et n'ont pas les autres. *Pourquoi on n'a pas un robot Xbox iPod ? Pourquoi on n'a pas de cascade dans notre piscine ? Pourquoi on n'a pas de voitures neuves et une équipe de spécialistes de l'enfance ?* Ça me paraît terrifiant. C'était ça, ce que visait Joanie ? Procurer au beau-frère de son amant l'occasion d'une bonne affaire ? S'était-elle à ce point détachée de sa propre famille qu'elle se rapprochait de sa belle-famille potentielle ? Je me tourne vers mes enfants, affolé, comme si elles avaient pu être kidnappées. Je vois mon dîner qui m'attend, j'en ai presque les larmes aux yeux. Elles l'ont commandé pour moi. Elles ont essayé de deviner ce qui me plairait. Elles se sont souvenues que j'existais.

"Il est agent immobilier", dit Hugh.

Je ne réponds pas. Hugh me regarde comme si j'avais fait quelque chose de mal.

"C'est bien, dis-je. J'espère que ça marche.

– Ça va marcher." Hugh lève son verre, il en étudie le contenu, essayant d'évaluer je ne sais trop quoi. Il secoue son verre et boit une gorgée. J'entends la glace craquer au contact de ses joues. Il s'essuie avec sa manche. "Si on vend à Don, et c'est ce qui semble le plus probable pour le moment – c'est ton souhait, n'est-ce pas ? –, Don redéveloppera et il vendra...

– Je sais." *Allez, vas-y, accouche !*

Hugh agite la main, l'air de sous-entendre que les négociations ont été longues. "Et il laisse à son beau-frère la responsabilité des transactions immobilières." Voilà que l'évidence s'impose à moi comme un os à ronger plutôt coriace. Je finis par piger. Brian est un agent immobilier et les plus de dix mille hectares de terrain en zone commerciale et industrielle qui m'appartiennent constituent son client. Joanie ne divorcerait pas pour un agent immobilier qui habite la maison de M. Tout-le-Monde, mais elle divorcerait pour un associé de Don Holitzer en passe de devenir le plus gros propriétaire de Hawaii. Elle divorcerait pour quelqu'un dont elle pourrait faire ce qu'elle voudrait.

Hugh siffle, un bruit comme on en entend dans les dessins animés au moment où quelqu'un tombe d'une falaise.

Sur leurs ukulélés, les musiciens jouent une chanson douce et on dirait un hymne, une ode à mon chagrin. Pas facile d'aimer ma femme ces temps-ci. Si elle était en parfaite santé et que je découvrais tout ça, je lui souhaiterais, au moins provisoirement, le sort qui lui est infligé en ce moment. Mais je peux briser les espoirs de Brian : je peux choisir quelqu'un d'autre.

"Il reste d'autres offres, dis-je à Hugh. Il pourrait bien se retrouver sans rien." *J'ai encore mes chances, Joanie.* Je l'imagine sur son lit, son corps immobile, meurtri d'escarres, son maquillage obstruant les pores de sa peau, parce qu'il n'y a personne pour la laver. Personne ne peut s'occuper d'elle parce qu'elle l'a refusé. Non, je ne gagnerai pas la partie. Personne ne la gagnera. Même pas Brian parce qu'il n'aura pas Joanie.

Je finis mon verre. Ce drink m'a échauffé, ma rage se propage dans tout mon corps.

"Il l'aura, dit Hugh. Nous voulons Don, tous autant que nous sommes. Toi aussi." Avec son verre, il frappe le comptoir, puis il se tourne vers moi avec un sourire. Le regard n'a pas vieilli avec le reste du bonhomme : il n'a rien de gentillet, il est d'acier, il est jeune et vif, il me dit ce que je dois faire. Hugh cherche à me dire qu'un refus de ma part affectera mes relations avec la famille. Je me souviens de Racer rompant avec sa fiancée pour plaire à sa famille, je sais que je suis piégé.

"À demain", dis-je. C'est demain que nous nous réunissons mes cousins et moi. Demain, que je devrai m'attirer les bonnes grâces de gens que je connais à peine, mais avec lesquels je me sens des liens aussi indéniables qu'inexplicables.

"La prochaine fois, reste plus longtemps", dit Hugh. Je retrouve là sa façon habituelle de prendre congé.

Il se lève avec précaution de son tabouret, salue le garçon, fait un signe d'adieu au restaurant tout en regardant où il pose le pied, comme s'il avançait en terrain cahoteux.

"*Hana hou*", crie-t-il aux musiciens avant de coiffer son chapeau de cow-boy et de sortir.

Je retourne à ma table, à mon dîner qui m'attend.

"C'est génial ici ! s'exclame Sid.

– Carrément", renchérit Scottie, abandonnant un instant sa paille.

Si je regardais de trop près mes filles, je pleurerais, j'évite donc de les regarder. J'observe les vieillards devant moi, me demandant si un jour je serai comme eux ou si je mourrai avant. La première bouchée ne passe pas bien, angoisse et tristesse se répandent dans mes veines, comme une drogue. J'ai une boule dans la gorge.

Scottie remue nerveusement sa nourriture dans son assiette.

"J'ai commandé du *mahi mahi*, gémit-elle, mais je crois que j'ai eu droit qu'à un bout de pain frit, ils ont oublié le poisson !

– Ça peut arriver, dis-je.

– Ce qu'on m'a servi était délicieux, dit Sid. J'adore tout ce qui est frit, fromage, légumes, fruits, tout !"

L'assiette d'Alex est vide. Assise sur sa chaise, détendue, elle contemple les musiciens avec affection. Je parie qu'elle ne pense à rien et je suis content pour elle.

Les musiciens grattent avec brio les dernières notes, laissant leurs mains s'envoler en un ultime accord. Certains sautent de leur siège et se penchent en avant tels des coureurs franchissant la ligne d'arrivée. Les filles et Sid applaudissent et sifflent. Scottie frappe du pied. Je baisse les yeux et enfourne mon dîner, essayant de calmer un trop-plein d'émotion. Je jette un coup d'œil du côté du couple de touristes. Je me concentre sur eux. Le raphia qui entoure la table me cache la main de l'homme, mais je la devine posée sur la cuisse de la femme. Elle a retiré son collier de fleurs, il pend au dossier d'une chaise vide. Je vois des canettes de bière sur leur table et des verres contenant des glaçons que protègent de petites ombrelles en papier. La femme en a planté une dans ses cheveux. L'homme veut lui faire goûter son dessert, de la banane frite et de la crème glacée, mais elle lui prend la fourchette, la porte elle-même à sa bouche avant de se resservir.

Les acclamations de notre table s'essoufflent, Alex me regarde, l'air d'avoir mauvaise conscience. J'en conclus qu'elle sait que ces instants de bonheur ne sont pas de mise : nous ne sommes pas censés être heureux en ce moment. Sans doute savons-nous que nous devrions rentrer à la maison, mais nous n'en avons aucune envie. Les musiciens remballent leurs instruments.

"Il est encore très tôt, dit Alex, on croirait qu'il est dix heures.

– Parce qu'on a été au soleil toute la journée", dit Scottie en se tournant vers moi. J'acquiesce d'un signe de tête.

Je pense au fils de Brian. Je l'ai ramené de l'océan. Je lui ai appris quelque chose que son père aurait dû lui apprendre, qu'il faut toujours nager parallèlement au rivage et jamais droit devant soi quand on est pris dans un courant. Il a dû mettre les mains autour de mon cou pendant que je le ramenais vers la plage. Je lui ai demandé : "Tu ressembles à ton père ?

– Je sais pas, m'a-t-il répondu et son haleine me chatouillait l'oreille.

– Ce soir, par exemple quand tu iras te coucher, dis à ta maman que je suis désolé.

– De quoi ?"

Je n'ai pas répondu. J'en étais incapable. Je l'ai vue sur la plage, l'eau bouillonnait à ses pieds pendant qu'elle attendait que je lui ramène son fils. Au moment où lui et moi atteignions le rivage, il a glissé de mon dos et je lui ai expliqué comment nager avec le courant. Il ne pouvait pas me regarder dans les yeux. Sa mère, dont le visage reflétait l'angoisse, s'est précipitée pour le serrer contre elle, mais il a esquivé les bras maternels. Je la revois me remerciant avant de regagner en courant la villa avec ses enfants. Je me suis assis pour me reposer et j'ai vu Scottie tracer un cœur dans le sable avec un bâton. J'AIME... Une vague a vite effacé sa déclaration.

"Qui est-ce que tu aimes ? dis-je. Tu te souviens, sur la plage, tu dessinais quelque chose dans le sable.

– Personne", répond-elle.

Alex émet un sifflement, qui cherche à imiter quelqu'un qui fait pipi. "Le garçon aux yeux de girafe, dit-elle.

– La ferme !"

Nous rions tous, Scottie prend un air triomphant, sans doute est-elle fière de son stratagème pour s'approcher du garçon, ou tout simplement fière d'aimer. Parce que, aimer vous confère un sentiment de supériorité. Jusqu'à ce que vous vous aperceviez que vous n'êtes pas aimé en retour.

"C'est pas lui, c'est pas ton Girafon, si tu veux savoir", répond Scottie. Son doigt court sur la table, peut-être écrit-il un nom. Le nom de son grand amour.

"Je... t'aime", dis-je, une déclaration lancée comme une bouteille à la mer. Mes filles se tournent vers moi, ne sachant à qui s'adresse le message. Je ne pense pas qu'elles veuillent savoir, jusqu'ici aucune ne m'a jamais entendu dire ça d'un ton sérieux. Les quelques musiciens qui n'ont pas quitté le restaurant se remettent à jouer. À notre soulagement à tous. Voilà qui tempérera ma déclaration.

"À l'amour de votre père pour vous", dit Sid en levant son verre d'eau.

Alex me regarde, elle regarde Sid. Sait-elle que je sais que le père de Sid est mort ? Elle touche l'autre main de Sid, celle qui ne lève pas le verre. Je trinque avec Sid. Le couple de touristes se lève, la femme prend son sac et le collier d'orchidées. L'homme compte les billets et, après un coup d'œil autour de lui, pose billets et addition sur la table. La femme se retourne vers nous, j'agite la main en signe d'au revoir, elle fait de même et se dirige vers la porte. L'homme fourre dans sa poche quelques billets subtilisés au pourboire du serveur, puis il suit son épouse.

Je regarde les musiciens. Deux d'entre eux ont remplacé leur ukulélé par une guitare. Celui qui s'accompagne encore au ukulélé chante *Hi'ilawe* de Gabby Pahinui, un air parfait pour sa voix gutturale. Les deux autres jouent de la guitare hawaiienne dont le son me grise comme de l'alcool – audace, tristesse et courage déferlent en moi. Guitare hawaiienne. *Kiho'alu*. Ça signifie "guitare aux cordes détendues". Voilà ce que j'aimerais faire. M'asseoir dans un bon fauteuil et me détendre, lâcher prise. Ah ! Si on pouvait rester ici et ne plus jamais retourner chez nous ! Impossible. J'ai du travail.

J'ai dit au fils aîné de dire à sa mère que j'étais désolé. Et s'il me demandait pourquoi, je répondrais : "Pour ce que je vais faire."

32

Nous marchons sur la plage. Alex a beau m'avoir rappelé qu'il n'était pas bien tard, la douceur de la lumière me surprend. Le soleil ensanglante l'océan. Scottie nous devance, elle cueille des fleurs dans les jardins. Chacun de nous pense que nous rentrons à l'hôtel. Chacun de nous pense que nous avons échoué.

"Veille à ce qu'elle ne cueille rien aux arbres, et qu'elle continue jusqu'à la prochaine voie d'accès à la plage", dis-je à Sid.

Il me regarde, regarde Alex, comme si nous nous apprêtions à comploter contre lui. "Entendu." Il part au petit trot rattraper Scottie et lui ébouriffe les cheveux dès qu'il la rejoint. Elle lui décoche un coup de poing dans l'épaule et expédie son bouquet dans les airs. Sid essaie de récupérer le plus de fleurs possible. Alex le regarde. Son air perplexe lui fait paraître beaucoup plus que son âge. "Cette femme, aujourd'hui, lui dis-je. La femme avec les garçons, c'était son épouse.

– Tu plaisantes ou quoi ?" Elle s'arrête de marcher et me regarde droit dans les yeux. "La fille sexy au chapeau ?

– Oui. Elle. Sexy ?

– Elle est jolie, dit-elle. Sexy. Comment tu sais que c'est son épouse ?

– Je les ai vus sortir ensemble de la villa avec leurs enfants, ce matin." Je me remets à marcher.

"Pourquoi tu n'as rien dit ?"

Je ne réponds pas.

"J'arrive pas à croire qu'il ait une famille. Et maintenant qu'est-ce qu'on fait ?"

J'entends une voiture derrière nous. Nous nous rangeons sur les bas-côtés de la route, Alex à droite, moi à gauche.

"Je vais lui dire.

– Quand ça ?

– Tout de suite. C'est pour ça que nous sommes venus ici, non ? Pour lui dire.

– À lui, oui, mais à elle ?"

Je revois l'élégant chapeau détrempé, je repense à ses jambes frigorifiées.

"Tu veux dire que tu vas te pointer comme ça ? demande Alex. Sur le pas de la porte ? Tu vas frapper à leur porte ?

– Oui", dis-je et c'est bien mon intention.

Alex en reste bouche bée, l'excitation se lit dans son regard.

"Ne fais pas cette tête-là, dis-je. Calme-toi. Ce n'est pas ce que tu t'imagines. Ça n'a rien de drôle.

– J'ai jamais dit que c'était drôle ! Qu'est-ce qui te fait dire ça ?

– Je le vois, dis-je. Y a qu'à te regarder."

Elle ne sait pas que l'affaire s'est corsée, que ce type a non seulement hérité de ma femme, mais qu'il est en passe d'hériter de tout notre passé.

"Il rentrera peut-être avec nous par le dernier vol, dis-je. Pour dire adieu. Tu es prête à ça ?

– Non", répond-elle en regardant sa sœur devant elle. Scottie tend à Sid une branche de bougainvillée qu'elle éloigne à l'instant même où il va la prendre.

"Et toi tu es prêt ? demande Alex.

– Pas vraiment", dis-je. Je ne serai jamais prêt. Et pourtant on veut toujours en terminer. On ne peut pas s'envoler pour une destination et traîner dans les airs. Il faut que j'en finisse avec cette affaire, et j'en suis malade. La véritable fin, c'est la mort de Joanie.

"Tu veux bien m'accompagner ?

– Moi ? me répond Alex.

– Ouais, toi, Alex. Toi.

– Quand tu lui parleras ?

– Non, tu lui parleras à elle pendant que je lui parlerai à lui.

– Et la petite baba cool ? dit-elle en montrant Scottie qui glisse une fleur derrière l'oreille de Sid.

– Elle peut venir aussi. Tu la garderas à l'œil. Vous trois, vous vous occupez de distraire le reste de la famille. Moi, je lui parlerai. Je lui exposerai simplement la situation. J'en terminerai une fois pour toutes… avec ça.

– Tu veux dire là, tout de suite ?

– Oui, dis-je. Tu le sais très bien."

Scottie et Sid disparaissent dans l'allée qui mène à la plage. Alex a ralenti le pas. Je me demande si tout ça ne va pas se retourner contre moi. Je ne devrais peut-être pas autant mêler Alex à cette affaire. Il devrait y avoir d'autres personnes dans ma vie sur lesquelles je puisse compter.

"Qu'est-ce qui est arrivé au père de Sid ?"

Alex me jette un regard furtif. "Qu'est-ce que tu veux dire ? demande-t-elle.

– Je sais qu'il est mort.

– Ah, répond-elle. Ouais."

J'en viens à me demander si ce n'est pas pour ça qu'elle aime Sid. Parce qu'il a un père qui est mort.

"Un accident de voiture, dit-elle. Il était ivre. L'autre conducteur aussi. Ils étaient ivres tous les deux, mais l'autre gars s'en est tiré. C'était un gamin."

Je veux lui demander si Sid s'en remet, ou si c'est pour cette raison qu'il est ici avec nous, s'ils partagent une tragédie, à moins qu'elle n'essaie d'apprendre ce que ça fait d'avoir un parent défunt. Je crois que je connais à l'avance les réponses à mes questions.

"Ça l'aide, Sid, d'être ici ?

– J'en sais rien, répond Alex.

– Et toi, ça t'aide ? Est-ce que sa présence ici t'aide ?

– Oui", répond-elle.

J'attends qu'elle continue, mais elle se tait. Nous descendons jusqu'à la voie d'accès à la plage. Arrivée au bout, elle retire ses chaussures. Le sable est sec, on s'y enfonce. Je passe la main sur mon visage : j'ai une barbe de quatre jours. Je parierais que Brian, lui, sortira ou presque de sa douche et sera tiré à quatre épingles. Pareil pour son épouse et ses fils. Ça ne me dit rien de me lancer là-dedans alors que lui aura meilleure allure que moi. J'aperçois Scottie et Sid là-bas devant, je leur crie de s'arrêter. Quand nous les rattrapons, je leur dis que nous allons voir la femme au chapeau et ses gosses.

"Tu veux dire l'espèce de demeuré qui a failli se noyer ?" demande Scottie. Sa boisson blanche aux fruits a séché aux coins de ses lèvres, on croirait qu'elle a la rage.

"Oui, dis-je. Lui." Après tout, me dis-je soudain, les garçons auraient pu être les frères de mes filles et je regrette presque que ce ne soit pas le cas : envoyer mes cinglées de filles à Brian, ça serait la vengeance suprême. Il en perdrait la boule.

Alex nous précède, elle effleure Sid au moment où elle le dépasse. Il la suit. Je sais qu'elle lui dit tout. Il se retourne vers moi, puis il pose la main sur la tête d'Alex : un geste à la fois intime et indifférent.

Je prends la main de Scottie pour éviter qu'elle n'essaie de les rattraper.

"Elle t'a invité ? me demande-t-elle.

– Non, je me suis dit que nous nous arrêterions deux minutes pour les saluer. Je connais son mari. Il faut que je lui parle."

Alex et Sid s'arrêtent, ils nous laissent les rejoindre.

"Bien joué, commente Sid.

– Ouais", dis-je.

La mer s'est retirée, la plage est immense, une ligne zigzague sur le sable, indiquant la hauteur de la marée précédente. Des touristes sont venus admirer le crépuscule et ils sont restés sur leurs transats à boire du vin et de la bière. À mesure que nous approchons, j'ai l'impression de subir le supplice de la planche.

Je me tourne vers Sid, peut-être en quête de son soutien, mais je le sens préoccupé. Il doit penser à son père et ça me fait peur d'être près de lui. Une part de moi lui en veut presque. Après tout, ce temps m'appartient. J'ai des tas de choses à régler, je ne peux pas m'embarrasser avec ses problèmes. Je ne peux pas m'embêter non plus avec ces histoires de pornos, d'oursins ou d'amours juvéniles, mais c'est comme ça. La jetée est devant nous, des gamins se précipitent vers l'océan et reviennent en courant. Scottie les rejoint. Je me demande à partir de quel âge on ne peut plus simplement se joindre aux autres gosses. Nous nous approchons et je reconnais dans le groupe les fils de Brian. Je regarde sur la plage, curieux de voir si leurs parents profitent de la douceur de la nuit sur leurs transats. Je ne les vois pas.

Les nuages noirs cachent la lune et son halo. J'entends l'eau fouetter le sable, un bruit qui rappelle celui d'un conteneur à bouteilles qu'on secouerait. Les gosses qui s'amusaient sur le sable arrivent vers moi en essayant de rattraper leur ballon. Le plus jeune martèle le sable de son poing.

"Ils sont là-haut, tes parents ?" Je le trouve étonnamment propre pour un gosse qui joue sur la plage. Je pense aux ongles noirs de Scottie, j'oublie toujours de les nettoyer.

"Ouais, me répond-il.

– Ils sont en train de mater un porno ?" demande Sid, qui arrive derrière nous.

Le garçon répond d'un signe de tête solennel, comme s'il n'avait aucune idée de ce qu'il affirmait.

J'appelle Scottie : "Dis-moi, tu as envie de rester encore un peu avec eux ?

– Ouais, répond-elle.

– Oui", je rectifie.

Quatre garçons se précipitent vers elle, sans perdre des yeux le ballon. À l'instant où je vais lui crier de faire attention, elle les bouscule et saute pour saisir le ballon qui retombe je ne sais trop où.

"Sid ? Tu veux bien la surveiller ?"

Sid regarde la maison, la fleur toujours derrière son oreille.

"Pas de problème, répond-il. Je reste ici."

Scottie remonte vers le coin de plage où sont assemblés les plus grands. Le frère aîné explique les règles d'un nouveau jeu. "Attends, dit-il à Scottie le bras tendu pour l'empêcher d'aller plus loin. T'as quel âge ?

– Dix ans et demi.

– Bon, alors tu peux jouer, mais personne d'autre !" prévient-il.

Sid passe près d'eux, il allume une cigarette. Les gosses le regardent, fascinés. Je devrais lui dire de l'éteindre, mais ça m'est égal.

L'aîné continue à les haranguer : on croirait qu'il les envoie à la guerre. "Tenez bon ! Je suis pas responsable de vous !" leur dit-il.

Bon Dieu ! "Salut, lui dis-je, quand je passe avec Alex. Ça va ? Tu as bien failli te noyer tout à l'heure !"

Il darde des regards furtifs sur ses coéquipiers. "Très bien", me répond-il sans me laisser le temps d'ajouter quoi que ce soit. Baissant alors le ton, il annonce : "On y va !"

Alex et moi nous frayons un passage à travers la haie et nous dirigeons vers la villa.

33

Nous marchons lentement. La petite villa apparaît devant nous.

"Qu'est-ce que je dois dire ?" Je regrette aussitôt ma question : c'est à moi de contrôler la situation, il faut qu'elle sente que je sais ce que je fais.

"Tu dois lui dire que maman va bientôt mourir, dit-elle, impassible. Débrouille-toi pour te retrouver seul avec lui. Ça sera pas difficile, j'en suis sûre. Il voudra t'éloigner d'elle dès qu'il aura compris qui tu es.

– Je suis navré de te mêler à tout ça, de ne pas t'avoir caché cet aspect de la vie de ta mère. C'est égoïste de ma part.

– Je savais déjà tout ce qu'il y avait à savoir sur elle. T'en fais pas."

Elle ne sait pas tout. Elle ignore que sa mère avait soutenu la cause de Brian, en prévision de leur vie ensemble. Elle ignore que Joanie pouvait avoir peur, elle ignore même combien elle aimait sa fille. Elle ne sait pas tout, moi non plus.

À travers la fenêtre de la cuisine, nous apercevons deux têtes. Mme Speer pousse la porte grillagée et sort avec un plat de hamburgers.

Alex me donne un coup de coude. Je crains d'effrayer cette femme. Ça fait bizarre de se trouver ici. Je l'interpelle : "Bonjour !" Alex agite la main.

La porte grillagée se referme en claquant. Mme Speer jette un coup d'œil du côté de la pelouse. Je ne sais si elle est contente de nous voir ou non.

"Bonjour ! dit-elle. Comment allez-vous ? J'espérais justement vous revoir. Nous sommes partis en vitesse et... Enfin, vous êtes là !"

Nous nous tenons au bas du porche.

"Idiot que je suis ! dis-je. Bien sûr que je connais votre mari ! Ça vient de me revenir. Nous étions au *Tiki* et nous retournions à l'hôtel quand j'ai aperçu vos fils sur la plage. Je me suis dit qu'on pourrait passer vous faire un petit coucou. À vous et à Brian."

Alex me regarde et articule en silence : "Un petit coucou ?"

"Entrez, je vous en prie, dit Mme Speer.

– J'ai raconté à mon mari notre rencontre, mais je me suis rendu compte que nous ne nous étions pas présentés. Après toute cette aventure. Je m'appelle Julie.

– Matt King, dis-je. Et je vous présente Alex."

Nous gravissons les marches du perron. Julie me paraît un prénom trop mignon pour elle. Je le répète dans ma tête.

"C'est bien ce que je pensais, vous faisiez erreur quand vous m'avez dit que vous ne connaissiez pas Brian. J'étais persuadée que vos chemins avaient dû se croiser. Il s'est tellement impliqué dans votre affaire.

– Oui, très impliqué, en effet. Je ne sais pas où j'avais la tête !

– Nous ne l'avons pas beaucoup vu ces derniers temps. Mais j'imagine que c'est bientôt fini. Prendriez-vous un hamburger ?

– Nous venons de dîner, merci.

– Oui, c'est vrai. Vous me l'avez dit."

Je m'adosse à la balustrade du porche. Alex se tient sur le bord des marches, elle se hisse sur la pointe des pieds, se laisse retomber sur ses talons et recommence.

"Tu fais de l'exercice ? lui dis-je.

– Non. Désolée." Elle traverse le porche et va s'asseoir sur une chaise longue. Julie pose la spatule en équilibre sur la rambarde. J'entends l'océan et les cris des enfants.

"Alors, c'est pour demain, n'est-ce pas ? demande-t-elle. Vous saurez demain." Elle baisse les yeux. "Excusez-moi. Je n'aurais pas dû. Il y a conflit d'intérêts. C'était stupide de ma part.

– Pas de problème", dis-je.

Elle rit, s'appuie contre la balustrade. Les mains sur les hanches, elle soulève les doigts, examine ses ongles. Elle porte un jean et un T-shirt blanc. Ses cheveux mouillés sont relevés en chignon.

"Demain, ce sera fini, dis-je.

– Oui, répond-elle. Dieu merci."

Un calme plat s'établit entre nous. Les vagues qui se brisent sur le rivage se retirent avec un bruit de succion. J'aperçois au loin les enfants et la lueur orange de la cigarette de Sid.

"Vous voulez boire quelque chose ? propose Julie.

– Avec plaisir", répondons-nous en chœur, Alex et moi.

Elle s'éloigne de la balustrade, la spatule tombe sur la pelouse plongée dans l'obscurité. Je m'apprête à aller la ramasser, mais elle me fait signe de ne pas bouger et descend les marches. La porte s'ouvre alors et je distingue la silhouette de Brian derrière la moustiquaire. Il s'avance et nous regarde, ma fille et moi.

"Bonjour, dit-il, en me tendant la main. Brian."

Julie remonte, ses tennis blanches sont couvertes de brins d'herbe mouillée.

"Salut, Brian." Je lui donne une vigoureuse poignée de main, après laquelle il secoue discrètement son poignet. "On s'est déjà rencontrés, dis-je tout en regardant Julie. Je suis Matt King. Joanie est ma femme. Nous nous sommes vus, je crois, à une réunion des actionnaires. Voici notre fille, Alex."

Son sourire s'évanouit. Il jette un bref coup d'œil vers Alex, mais la regarde à nouveau. Peut-être a-t-il été frappé par la ressemblance avec sa maîtresse.

"Matt est l'homme dont je t'ai parlé. Celui qui a sauvé Christopher."

Brian me dévisage.

"J'allais chercher quelque chose à boire, dit Julie. Et en profiter pour rincer ça." Elle exhibe la spatule, je remarque de la rouille par-dessous.

"Bien, bien", répond Brian. Il tapote Julie dans le dos. "Bien." Il lui ouvre la porte, un geste qui, de toute évidence, ne lui est pas habituel car Julie met un moment à comprendre ce qu'il vient de faire.

"Vous avez besoin d'aide ?" demande Alex.

La porte grillagée se referme. "Non, non", répond-elle.

Sitôt qu'elle se trouve hors de portée de voix, je me lance : "Elle est en train de mourir. J'ai pensé que je vous donnerais une chance de lui dire au revoir."

Il se raidit. Il a l'air ridicule avec son paquet de petits pains au blé complet à la main.

"Je suis venu vous dire ça. C'est tout.

– Mon père n'a pas l'intention de faire du mal à votre famille, continue Alex. Nous faisons juste ce que nous croyons qu'elle aurait souhaité. Et c'est vous qu'elle voulait, bien sûr." Alex le fixe droit dans les yeux. "Dieu sait pourquoi, conclut-elle avant de se tourner vers moi. Pourquoi elle le voudrait ?

– Ça suffit, Alex, dis-je, avant d'ajouter : Je n'en sais rien.

– Je ne peux pas, répond Brian. Je suis désolé. Jamais je n'aurais pensé qu'on en arriverait là.

– Vous êtes désolé, répète Alex. Ça arrange tout. Vous êtes désolé d'apprendre que ma mère va mourir ? Désolé de l'avoir baisée ? Ou désolé d'avoir baisé mon père ?

– Non", répond-il. Il regarde dans le vide, devant lui. "Si. Je suis désolé pour tout ça.

– Il y a un avion ce soir à neuf heures et quart, dis-je. Je suis sûr que vous trouverez une bonne excuse pour expliquer votre départ.

– Vous devez être plutôt doué dans ce domaine, ajoute Alex.

– Alex !" dis-je, estimant bon d'intervenir même si ses remarques restent sans effet : il est perdu dans ses pensées. "Vous pouvez aller à l'hôpital ce soir ou demain matin, dis-je. Je suis sûr que vous voulez la voir, lui dire ce que vous avez à lui dire. Vous serez seul avec elle.

– Comment ?

– Oui, vous pourrez être seul avec elle.

– D'accord, dit-il. Écoutez." Il se tourne vers la porte grillagée puis vers moi et baisse la voix. "Vous ne pouvez pas rester ici, vous comprenez ?"

Julie arrive avec un verre de vin rouge et un soda pour Alex. "J'espère que ça vous ira", dit-elle. Son sourire s'estompe un peu à la vue de l'expression sur nos visages.

"C'est parfait", dis-je. Je bois une gorgée de vin.

"Écoute, Brian, ne parlons pas affaires. J'ai déjà commis cette erreur." Elle adresse un clin d'œil à Alex.

"Comment ça, Julie ? demande Brian. Qu'est-ce que tu racontes ?

– Oh ! Rien. Vous avez tous l'air si sérieux, j'ai cru que vous parliez de... de la vente.

– Non, dit Alex. Nous parlions d'amour.

– Ah, dit Julie avec un petit coup d'épaule à Brian qui baisse les yeux vers elle, les sourcils froncés, une grosse ride en travers du front. Et que disiez-vous au juste ?" demande-t-elle.

Personne ne répond. Personne ne bouge. Brian me jette un regard noir, par-dessus la tête de sa femme. J'ai envie de lui dire qu'il n'a pas à me regarder comme ça.

"Tu es amoureuse ? demande Julie. Du garçon sur le radeau ?"

Alex est la seule à être assise. "Non, répond-elle. C'est juste un ami. Nous avons des points communs, c'est tout.

– Parfois, ça commence comme ça", dit Julie. Elle passe son bras autour de la taille de son mari et, d'une discrète pression de la main, l'incite à participer à la conversation, un rappel à l'ordre dont Joanie était coutumière.

"Non, insiste Alex. On se prend tels qu'on est, c'est comme ça qu'on voit l'amitié.

– Je l'ai pourtant vu t'embrasser", dis-je tout en me souvenant que je n'étais pas censé intervenir. Il s'agit juste d'une diversion inventée par Alex et à laquelle l'un de nous doit mettre fin. Mais c'est plus fort que moi, je veux savoir.

"Oh, je t'en prie, reprend-elle. Nous sommes amis, et oui, bien sûr qu'il essaie de coucher avec moi. Tous les mecs cherchent à coucher." Elle regarde Brian.

"Voilà ce qui nous attend, n'est-ce pas ? dit Julie en levant la tête vers son mari.

– Comment ça ?

– Avec les garçons. Nos garçons. À propos, nous devrions les appeler pour le dîner.

– T'inquiète pas, dit Brian. Laisse-les jouer." Il s'éloigne d'elle, le bras de Julie retombe. Il pose les petits pains sur la table à côté d'un bol rempli de petits galets colorés.

"Non ! Recule ! Recule !" crie l'un des garçons.

Nous nous tournons vers l'océan.

Alex me lance un regard pressant que je lui renvoie : *Que suis-je censé faire ?*

"J'adore cette vieille maison, dit Alex.

– Oui, dis-je. Une de ces belles maisons d'autrefois." J'entrevois le petit salon à travers les fenêtres, pour un petit salon, il est de bonne taille. "Ça fait des années que je ne suis pas venu, ma grand-tante habitait ici, vous savez."

Brian ronge son frein. J'aurais pu lui téléphoner. J'aurais pu m'y prendre d'une autre façon, mais c'est précisément sa réaction que je suis venu voir. "Je me demande si l'intérieur a beaucoup changé. Ce qu'ils ont fait de la charpente et des murs en bois brut. Enfants, nous y passions deux ou trois semaines chaque été et mon cousin Hugh avait le chic pour s'enfoncer des échardes rien qu'en touchant les murs.

– Vous aimeriez visiter ? propose Julie.

– Et si vous, Brian, vous faisiez visiter la maison à mon père, pendant que Julie et moi, nous parlons d'amour ?" suggère Alex. Les deux femmes échangent un sourire.

"Bonne idée, dis-je.

– Bien sûr, dit Brian. Mais, voyez-vous, je ne vis pas vraiment ici. Sentez-vous libre de..." Il doit avoir intercepté le regard de sa femme car il se tait. Il m'ouvre la porte et j'entre. Alex me fait un signe de tête. Faute d'en saisir la signification, mon cœur s'emballe. Je fixe le dos de Brian, comme si la réponse était inscrite sur son T-shirt bleu marine.

"Voilà", dit-il en me faisant d'un grand geste les honneurs de cette pièce accueillante. Les murs ont été tapissés. Les poutres du plafond paraissent plus claires que dans mon souvenir.

Je traverse la pièce, m'assieds dans le fauteuil à bascule en bois de koa. Les meubles ne sont pas confortables. Ils appartenaient autrefois aux missionnaires. Ces villas que nous louons aux touristes ont tout l'air de dépotoirs où l'on case vieux sofas, canapés-lits, boîtes à couture, édredons hawaiiens ou moustiquaires. Celle qui se trouve près de l'église a gardé son fourneau d'origine ainsi que des portes à double vantail, une baratte à beurre, des tire-bottes sans oublier des lampes à huile de baleine. Les plafonds sont bas, les escaliers étroits et branlants. Le toit est en forme de chapeau de pèlerin.

La façon dont Brian m'a présenté la pièce avec un grand moulinet du bras m'a amusé. Je me demande si c'est un gars marrant.

"Écoutez, Brian, comme je vous l'ai dit, je comprends que vous désiriez lui parler seul à seul. Pour le reste, je n'y peux rien. Alors, je suis là. Je viens vous dire que je sais qui vous êtes, je sais qu'elle vous aimait et que vous étiez sur le point de..." De la main, je balaie l'air, suggérant ainsi leurs projets après nous avoir quittés. "Vous pouvez lui dire au revoir si vous le souhaitez. Hier, les médecins ont débranché le respirateur. Il lui reste environ une semaine à vivre, peut-être davantage."

À voir sa mine, on le prendrait pour la victime d'un coup monté, d'un stratagème de ma part pour revoir la maison.

"Comment vous êtes-vous rencontrés ? Je vous pose la question par simple curiosité.

– Je ne peux pas faire ça.

– Moi non plus, croyez-moi.

– Vous êtes venu ici pour moi ?

– Oui, je suis venu vous chercher. J'ai prévenu toutes les autres personnes qui comptaient pour elle. Vous étiez sur la liste. Je ne peux pas vraiment lui demander de détails, du coup je m'adresse à vous directement. J'ai besoin de savoir. Comment vous êtes-vous rencontrés ?

– Je pensais que vous étiez juste venu m'annoncer la nouvelle, rien d'autre.

– J'ai changé d'avis. Comment vous êtes-vous rencontrés ?" J'avais raison. Il est impeccable. Ses cheveux sont plaqués en arrière, les mèches du dessus domptées au gel. Je suis content de ne pas m'être rasé. Content d'avoir du sel sur la peau, une haleine qui sent l'alcool. J'aurais dû piquer à Sid une de ses cigarettes. Ça aurait été encore mieux.

"À une réception", répond-il. Après avoir lâché ces mots, il s'assied sur le canapé-lit situé à ma gauche. L'envie me démange de lui dire d'enlever ses fesses de là. Après tout, c'est mon canapé.

"Quelle réception ?

– Une réception tout ce qu'il y a de plus banale. À l'occasion du Super Bowl."

Je sais à quelle soirée il fait allusion. Le Super Bowl de l'année dernière. La Nouvelle-Angleterre contre la Caroline. Mais pour moi, c'était *l'État contre Doreen Wellington*. Mon procès du lendemain. J'avais bossé toute la nuit. Joanie était rentrée à six heures du soir, d'excellente humeur, mais à la fin du dîner, elle était en colère contre moi, s'impatientait contre Scottie. "On est vraiment obligés de manger des fajitas tous les dimanches ? Franchement !"

Je lui avais posé des questions sur la réception, curieux de savoir si quelque incident l'avait contrariée.

"Il y a longtemps que je n'ai pas eu une aussi bonne journée ! m'avait-elle répondu. Je me suis vraiment bien amusée." Elle avait l'air triste.

Pourquoi est-ce que je me souviens de ça ? De son air triste, des fajitas ?

"La réception chez les Mitchell", dis-je.

Brian hoche la tête, visiblement je l'agace. "Oui, confirme-t-il. C'est bien ça."

Je cale le fauteuil à bascule de façon à lui faire face. Je pose mon verre sur l'un des bras, ce qui nous était interdit du temps de mes grands-parents.

"Ça vous aide ? De savoir ça ? me demande-t-il.

– Eh, minute ! C'est moi qui vous rends service !" Je bois une gorgée de vin.

"Ne le prenez pas comme ça !" Il boit, à son tour.

"Vous n'auriez pas une bière ? Je ne peux pas boire ça, dis-je.

– Moi non plus." Il se lève, va chercher autre chose. Je me balance dans le fauteuil. C'est moi qui ai l'avantage, et de loin. Je ferme les yeux. Si dur et glissant que soit le siège, je me sens à l'aise dans ce fauteuil. Il fait bon, l'air n'est ni étouffant ni humide, je sens dans cette maison la présence rassurante de ma grand-tante Lucy, mes grands-parents et les parents de Hugh, d'êtres qui m'aimaient, même s'ils sont morts à présent. Brian revient avec la bière. Quand il me tend la canette, nous échangeons un regard et, un bref instant, il n'est plus qu'un type qui me donne une bière et peut-être que, à ses yeux aussi, je ne suis plus qu'un type qui prend la bière qu'on lui tend. Je comptais lui rendre mon verre de vin, mais je décide de le poser par terre.

"Et après ? Vous souteniez tous les deux la même équipe ? Vous l'avez trouvée à votre goût ? Ça vous a impressionné qu'une fille puisse être aussi cool, suivre un match de football, le commenter et s'y connaître en sport ?

– C'est reparti...

– Il y a des femmes qui portent des vêtements sexy ou se font poser des faux seins. Joanie, elle, était fana de foot et elle participait à des courses de bateau. C'était sa façon de plaire aux hommes. Ça n'a rien d'extraordinaire."

Il contemple sa bière.

"Comment vous avez osé lui demander de sortir avec vous ?"

Il secoue la tête.

"Non, sérieusement. Je voudrais comprendre ce qui pousse quelqu'un à franchir ce pas."

Il ne répond pas et je sais qu'il ne le fera jamais. Il se tourne vers la fenêtre, de l'autre côté de la pièce. Je suis son regard et j'aperçois son épouse, l'air incrédule et ravi. J'entends ensuite le rire de ma fille. Julie boit une gorgée de vin. Voir cette femme parler à ma fille m'attriste : même si Alex semble vraiment passer un bon moment avec elle, elle est en train de la tromper. Nous trompons tous Julie.

"J'ai entendu parler de cette nouvelle opportunité financière qui s'offre à vous, dis-je, les yeux rivés sur la fenêtre. Joanie a travaillé dur pour me convaincre de choisir Don. Pas mal, votre plan.

– Ce n'est pas ce que vous pensez.

– Et qu'est-ce que je pense ? Comment savez-vous ce que je pense ?

– Vous pensez que je suis un goujat. Que je préparais mon coup. Voilà ce que vous pensez. Mais, Joanie et moi. C'est arrivé comme ça, c'est tout.

– Les choses n'arrivent pas toutes seules.

– Et pourtant si.

– Donc, c'est en découvrant qu'elle était ma femme que vous avez décidé de commettre l'adultère, si ce n'était déjà fait ? Vous lui avez demandé de m'influencer ? Parce que, mon vieux, elle le soutenait bec et ongles, votre Holitzer. Vous ne me ferez pas croire que l'idée lui est venue toute seule !"

Il ne dit rien. Il évite mon regard interrogateur. J'avale une longue gorgée de bière. Dehors, Julie ouvre le barbecue, tapote la viande avec la spatule. Je me rends compte qu'elle a su allumer le grill et ça m'en bouche un coin : je ne la vois plus comme une chochotte un peu gourde.

"Écoutez, dis-je. Tant mieux si elle était amoureuse, après tout. Je suis content que vous l'ayez rendue heureuse. Ça doit être dur pour vous d'apprendre ça de cette façon."

Il regarde toujours dehors. Alex et Julie nous tournent le dos, elles contemplent la plage. Je saisis sa tactique : son silence vise à m'inciter à parler, à revenir sur mes convictions pour que je finisse par lui pardonner sans qu'il ait à bouger.

"Elle allait me quitter ?"

Je ne m'attends pas qu'il me dise la vérité, ni même qu'il me réponde. Et pourtant, il lâche : "Oui. Mais ça ne se serait pas produit.

– Pourquoi ? À cause de Scottie ou d'autre chose ? Vous aviez peur de tout avouer à Julie ?

– Non, dit-il. Jamais je n'aurais quitté Julie parce que je l'aime." Il se penche et je lui découvre un visage nouveau. "Je vous en supplie, ne lui dites rien, reprend-il. Je vous en supplie. Je ne savais pas ce que je faisais !"

Voilà l'angoisse que je suis venu voir, un mal-être que ni l'annonce de la mort imminente de Joanie ni mes découvertes n'ont suscité. Il me vient alors à l'esprit un aspect de l'histoire qui m'avait échappé.

"Elle vous aimait ?" je demande.

Il hoche la tête, porte la bière à sa bouche. La canette a laissé une auréole humide sur son pantalon.

"Et vous, vous l'aimiez ?" je poursuis.

Il prend une longue gorgée, repose sa bière au centre de l'auréole.

"Vous ne l'aimiez pas." J'ai besoin de le redire : "Vous ne l'aimiez pas." J'entends les vagues sur le rivage. Une brise salée, une odeur d'algues envahissent la pièce.

"Vous vous êtes servi d'elle, c'est tout. Pour m'atteindre."

Il soupire. "Non, je n'ai pas cherché à vous atteindre. C'était une aventure. Une attirance. Sexuelle." Il me regarde, curieux de voir si sa réponse me met en colère. "C'est elle qui a imaginé le reste, et je l'ai laissée faire."

Ses épaules retombent. Comme si nous avions joué au jeu des charades et qu'il avait fini par me faire deviner la bonne réponse.

"Et vous vous seriez débarrassé d'elle après la vente. En fait, les choses se sont plutôt bien goupillées pour vous : à présent, ses lèvres sont scellées, et vous n'avez même plus besoin de la larguer !

– Je n'avais pas du tout l'intention de l'utiliser comme intermédiaire ! s'exclame-t-il en se levant. Cette vente l'obsédait. Pas une seule fois je ne lui ai demandé de m'aider. Jamais, je ne lui ai demandé quoi que ce soit." Il arpente la pièce, les yeux rivés au plafond.

Ça ne m'étonne pas beaucoup de la part de Joanie. Elle est capable de s'investir à fond dans des projets qui ne sont pas les siens, de se fondre dans de nouveaux rôles. Je pense à Alex et à moi, au désir de Joanie de nous changer. Je me lève à mon tour, me dirige vers la fenêtre, m'arrête au milieu de la pièce. "La pauvre", dis-je. Ma femme s'est fait avoir. Elle ne saura jamais à quel point. Pour la première fois de ma vie, Joanie m'apparaît comme un être faible.

Je regarde Alex, de profil. Elle se tourne vers moi. Je frissonne. *C'est ma fille, là, qui me regarde*, me dis-je. *Cette fille, c'est moi qui l'ai faite.*

"Donc vous n'éprouvez pas le besoin de lui dire adieu.

– J'aime beaucoup Julie, j'aime ma famille, répond-il.

– Moi aussi, j'aime ma famille." Je tends à Brian ma canette vide.

"Est-ce qu'on peut... ?" Il fait un geste vers la porte. "Ou vous avez autre chose à me dire ?"

Je secoue la tête.

"Est-ce que vous ne devriez pas être à son chevet ?" me demande-t-il.

– Si." Je me dirige vers la porte, passe devant les portraits de mes ancêtres accrochés aux murs, de sinistres daguerréotypes, à vous donner la chair de poule. Mon arrière-arrière-grand-père paraît outré et impitoyable, j'ai l'impression que son regard lugubre me suit jusqu'à la porte.

Brian va jeter les bouteilles à la poubelle, il laisse les verres dans l'évier. J'ouvre la porte et sors de la maison.

"Merci de nous avoir reçus, dis-je à Julie Speer.

– Merci d'être passés, répond-elle. J'ai l'impression de bien vous connaître à présent, après toutes les histoires que m'a racontées Alex." Elle adresse à ma fille un sourire complice.

"J'ai l'impression de bien vous connaître moi aussi", dis-je. Je regarde Brian à travers la porte grillagée, je le sens sur le qui-vive. "Nous avons des tas de points communs, je crois." Je serre la main de Julie.

Elle garde ma main dans sa paume humide, puis la laisse aller avec douceur.

"Au revoir, Alex, dit-elle. Peut-être qu'on se verra demain sur la plage.

– Bonne nuit", dit Alex. Elle descend les marches et traverse la pelouse sombre. Le ciel est moucheté d'étoiles et la lune aussi mince qu'une écharde.

Alex s'éloigne. Je me tourne vers Julie et l'embrasse. Je me penche, j'entrouvre les lèvres et je l'embrasse. Pour la simple raison que j'en ai envie, qu'elle est la femme de Brian et que nous avons subi le même sort. Et aussi parce que j'ai envie qu'elle aime ça. Parce que je veux qu'elle se sente insultée, déroutée, agacée, sans défense, heureuse. Parce que j'en ai envie.

Quand j'éloigne mon visage du sien, je ne regarde pas ses yeux, mais ses lèvres, et je vois poindre le bout de sa langue comme pour me chasser de sa bouche. Sans un mot, je me retourne et je les quitte, elle et sa famille. En regagnant la plage, j'ai le sentiment qu'une part de moi lâche prise. Non que je sois détendu, mais parce qu'une autre part de moi a renoncé et a échoué. Je reviens sans rien avoir à offrir.

34

Le vol de vingt et une heures quinze est étonnamment plein. Les touristes s'y entassent avec leurs sacs bourrés de babioles qui attestent de leur séjour : *hula-girls* qui danseront sur le capot de leur voiture, T-shirts, noix de macadamia. Bracelets à leurs noms hawaiiens au poignet, ils rebaptiseront Lani et Koa le chien ou les enfants qu'ils retrouveront à la maison. J'avais pensé qu'en guise de souvenir c'était un homme que nous ramènerions à ma femme, mais nous rentrons les mains vides, sans rien qui témoigne de notre escapade.

Les filles se sont effondrées dans leur siège. Je jurerais que Scottie a maigri ces derniers jours. Elle dort à côté de moi, la tête encapuchonnée dans la couverture grise et rêche de la compagnie aérienne. Elle est toute pâle, comme ces gamines qui se dopent au crack ou comme la Mort. Je dois penser à donner à manger à ces enfants. Je dois m'assurer qu'elles se lavent et qu'elles se brossent les dents, qu'elles vont chez le médecin. Je dois acheter les manuels scolaires avant la rentrée. Je dois les encourager à pratiquer un sport, veiller à ce qu'elles aient de bons amis, encourager leurs efforts scolaires et les inciter à lire pour le plaisir. Je dois leur dire de ne pas fumer, de ne pas avoir de relations sexuelles, de ne pas monter en voiture avec des inconnus, ou des amis qui ont bu. Elles devront écrire des petits mots de remerciement et manger ce qui est dans leur assiette. Elles devront dire "oui" et pas "ouais", poser leur serviette sur leurs genoux, mâcher leur chewing-gum en fermant la bouche. J'ai besoin de plus de temps...

"Alors, qu'est-ce qui s'est passé ?" demande Alex.

Je lui montre Scottie, l'index devant mes lèvres, ce qui m'évite de répondre à sa question.

"T'inquiète pas pour elle, dit Alex. Raconte. Il revient quand ?"

Sid se penche en avant. Je sens leur regard sur moi, je ne sais pas quoi répondre. Je me retrouve face au même problème qu'avec l'histoire du requin. Je sens que je dois les renseigner au compte-gouttes pour leur permettre d'avoir une meilleure image de leur mère. À vrai dire, je ne sais pas laquelle serait la plus favorable : celle d'une Joanie amoureuse et aimée par un autre avec une passion inconsidérée ou celle d'une Joanie trompée et désespérée. Elle ne se rendra jamais compte de l'erreur qu'elle a commise, et je ne sais pas si ça me réjouit ou me donne au contraire l'impression d'avoir été trahi.

"Ç'a été un choc.

– Il s'est excusé ? demande Sid. J'espère. Vous auriez pu le dire à sa femme et vous l'avez pas fait. J'espère qu'il se rend compte de sa chance. À votre place, je lui aurais tout dit : elle mérite d'être au courant, sinon elle restera une pauvre gourdasse toute sa vie.

– Calme-toi, dis-je. Pas besoin de te mettre dans tous tes états."

Alex pose la main sur la jambe de Sid. À voir la jambe aussitôt se contracter, je constate qu'elle le contrôle bien. Je me demande pourquoi il est si furieux. Me rappelant la façon dont il étudiait à l'aller les consignes de sécurité, je tire de la poche du siège devant moi la feuille plastifiée décrivant les procédures à suivre en cas d'urgence, dans l'espoir de distraire Alex et Sid. Je regarde les passagers grimpant sur un canot de sauvetage en plein océan, sans terre à l'horizon, leurs gilets de sauvetage gonflés. Un Asiatique esquisse un sourire.

Alex regarde par-dessus mon épaule. "Leurs vêtements sont même pas mouillés !"

Je tapote le dessin qui montre l'avion flottant sur la mer.

"Alors, il revient la voir, ou quoi ? demande Sid.

– Je ne pense pas", dis-je.

Je me demande si, aux yeux d'Alex, sentir Joanie faible, vulnérable, abattue, épuisée, ne la lui rendrait pas plus attachante, plus humaine.

"Je pense qu'il aime encore beaucoup Julie, dis-je.

– C'est quand même un peu fort ! lance Sid ironique, en regardant par le hublot. S'il l'aimait, il aurait pas baisé votre femme.

– Sid, intervient Alex, d'une voix étonnamment calme. Faismoi plaisir, boucle-la."

Un bout de Honolulu flotte à l'horizon, je distingue des lumières au flanc des collines, puis un pan d'obscurité, et encore une rangée de lumières, celles de maisons en bord de mer. Ça fait toujours un drôle d'effet de constater que d'autres vies continuent. Chacune de ces lumières, c'est une personne, une famille ou quelqu'un qui, comme moi, souffre d'une façon ou d'une autre. Nous perdons de l'altitude, des volutes de nuages cachent la vue et nous font prendre conscience de la vitesse.

"Tu devrais rentrer chez toi, dis-je à Sid. Voir ta mère." Mais Sid, collé au hublot, ne se retourne même pas. "Sid, tu as entendu ce que je viens de te dire ?

– Je peux pas, répond-il.

– Bien sûr que si. C'est ta mère. Elle veut que tu rentres à la maison.

– Elle m'a flanqué dehors."

J'essaie en vain de croiser le regard d'Alex. Sa main est toujours sur la cuisse de Sid, ils sont aussi impénétrables l'un que l'autre. Les pistes s'étirent au-dessous de nous. Nous voici de retour à la réalité, à des kilomètres et des kilomètres de l'île et de sa complaisante indolence.

QUATRIÈME PARTIE

Trouver sa voie

35

Je rejoins mes cousins chez le cousin Six. On l'appelle cousin Six en souvenir du jour où, adolescent, il s'est enfilé six bières et s'est flanqué un coup de poing dans le nez. Septuagénaire aujourd'hui, le bonhomme et le surnom ont allègrement survécu. Il est assis dans une salle de séjour qui rappelle la mienne avec ses portes vitrées coulissantes ouvrant sur le jardin. Dès que je le vois, il m'exprime son souhait de donner des leçons de surf à des militaires à seule fin d'être autorisé à retourner dans son endroit favori dont l'accès a été condamné pendant la guerre. Je reste près de la piscine pour l'éviter. J'ai droit à cette histoire chaque fois comme si j'en avais la primeur et ça me rend triste, mal à l'aise. J'avoue aussi que ça m'agace un peu.

Je suis assis à une table près de la piscine, stylo en l'air au-dessus des documents et de notre communiqué de presse. Je n'ai encore rien signé. J'ai la tête ailleurs. Je serai veuf d'un jour à l'autre. Les filles m'attendent à l'hôpital. Elles rattrapent leurs deux jours d'absence auprès de leur mère. Je n'ai pas revu Sid depuis hier soir. Je me demande ce qu'il attend de moi. J'ai songé à appeler sa mère, mais ça ferait un boulet de plus à traîner dans ma vie. J'ai la tête encombrée de tas de gens qui n'y ont pas leur place. Je laisse de côté Sid et mes filles. Aujourd'hui, je dois m'occuper des droits d'aînesse.

Certains de mes cousins se fichent pas mal de voir un supermarché Wal-Mart remplacer le champ de colocases, ils penchent en faveur de l'offre la plus élevée. La majorité préférerait toutefois

Holitzer, le seul enchérisseur indigène. Je n'aime pas ce qui se passe. Je veux que ces terres finissent entre de bonnes mains. La décision que nous nous apprêtons à prendre ne me plaît pas, pas plus d'ailleurs qu'aucune des autres options. Elles ne plairaient pas non plus à mon père. Holitzer a gagné. Brian a gagné.

D'autres cousins sortent dans le patio. En shorts, chemises hawaiiennes et tongs, ils célèbrent l'occasion, un cocktail à la main. La femme de cousin Six fait passer des *mochi* qui donnent à notre haleine une odeur de sauce soja.

"Salut, ça fait des siècles qu'on s'est pas vus !" Hugh s'assied à côté de moi avec ses documents, stylo à la bouche.

"On s'est vus hier soir, dis-je. À Kauai.

– C'était hier soir ? Eh ben..." Il examine son fauteuil. "Il va supporter mon poids ?"

Je regarde le vieux siège au cannage en plastique. Je sens que le mien imprime sa marque sur l'arrière de mes cuisses. "Il devrait tenir le coup", dis-je.

Il s'assied, j'entends le plastique se détendre. "J'ai l'impression de m'asseoir dans un hamac, remarque-t-il avant de feuilleter ses documents. Vivement qu'on liquide cette affaire !" Il lisse les feuilles et clique sur le bout de son stylo pour en sortir la mine.

C'est vraiment un coup de chance, la vie. Je regarde mes cousins autour de la piscine. Leurs dents sont si blanches, leur peau si brune. Qu'est-ce qui m'est arrivé ? Pourquoi ne suis-je pas comme eux ?

"Ça t'arrive de culpabiliser à ce sujet ? Pour tout ça ?" Je lui montre les documents.

"Non, répond Hugh. Je n'y suis pour rien.

– Je sais." Il a raison. Comme si nous étions responsables de la couleur de nos yeux. La seule chose dont je me sente coupable, c'est que ma femme ait pu croire qu'elle mènerait une autre vie. Elle aurait dû être avec quelqu'un qui avait plus de personnalité que moi. Quelqu'un de plus influent, qui parle fort, mange à toute allure et s'essuie la bouche du revers de la main. Je l'imagine débarquant chez Brian à Black Point et je pense à Julie. Je vois Joanie passant la maison au crible, se moquant des bibelots de Julie, des tableaux sur les murs. Elle se demandait sûrement comment elle redécorerait l'endroit. Je voudrais la supplier d'arrêter. C'est la maison de Julie. Et Julie, elle, sait allumer un barbecue.

"Joanie ne va pas bien", dis-je à Hugh.

Son stylo parcourt la première page. Je reconnais sa signature encore enfantine. Une signature parfaitement lisible. Il pose sa main sur la mienne.

"Elle s'en sortira, dit-il. C'est une battante.

– Non. Elle ne s'en sortira pas. Elle va mourir. On a débranché les machines."

Je prends une gorgée du cocktail de Hugh parce que son verre est sous mon nez et que, moi, je n'en ai pas. Hugh est le chef de la tribu. Il nous a toujours dit quoi penser, quoi faire, quels bâtiments construire ou démolir et, en l'occurrence, il lui échoit de nous dire quand et à qui nous devons vendre. Je suis curieux d'entendre sa réaction à ça, à la mort de ma femme. Je repose son cocktail sur la table.

Il regarde son verre avant de lever les yeux vers moi. "Reprends-en, dit-il.

– C'est bon." Mon regard s'arrête sur les documents, le stylo HNL TRAVEL. "Je ne peux pas signer", lui dis-je.

Il prend son verre, le secoue, le porte à sa bouche, boit une gorgée avant de recracher un glaçon.

"Il assumera nos dettes, dit-il. Signe, va auprès de ta femme et on n'en parle plus.

– Je ne veux pas vendre à Holitzer. Je ne veux pas que Brian Speer empoche un sou. Nous sommes à même d'assumer nos dettes. Je veux tout garder."

Il fronce les sourcils. "Il nous faut ton approbation pour donner suite."

Je secoue la tête. Il n'aura pas mon approbation. Personne n'aura quoi que ce soit de moi. "Je ne peux pas, dis-je. Je refuse."

Je pense à la princesse. Elle voulait que, à sa mort, les terres servent à financer la construction d'une école pour enfants de descendance hawaiienne. Un souhait qu'elle avait exprimé à maintes reprises, mais n'avait jamais consigné par écrit. L'idée d'une école réservée aux Hawaiiens ne m'intéresse pas. Il en existe déjà plusieurs, complètement élitistes, pour ne pas dire contraires à la Constitution. Je m'aperçois que je n'ai plus envie d'abandonner tout ça, qu'il s'agisse des terres, des nombreux vestiges de nos ancêtres ou de nos morts. Les dernières terres encore possédées par des Hawaiiens disparaîtraient, et ce serait en partie ma faute. Certes, nous ne ressemblons plus beaucoup à des Hawaiiens. Un métissage constant a estompé nos particularités ethniques, donné du relief à notre visage originellement plat, raidi nos cheveux frisés. Même si nous nous comportons comme des *haoles*, les Blancs du continent, même si nous fréquentons les écoles privées, appartenons aux clubs chics et maîtrisons mal le jargon local, mes filles et moi sommes hawaiiens et ce pays nous appartient.

"Pourquoi fais-tu ça maintenant ?" Hugh est appuyé sur ses avant-bras. Je distingue les pores de sa face rubiconde. Ses sourcils blancs en broussaille se rejoignent au-dessous de son front luisant, étonnamment lisse. Une goutte de sueur glisse le long de son nez jusque sur la table. Il m'agrippe par l'épaule d'un geste à la fois tendre et brusque. "C'est quoi, la vraie raison ?" me demande-t-il.

La princesse, me dis-je tout bas. Mes ancêtres. Mais non, ce n'est pas tout. C'est ce que je voudrais bien prétendre, mais il y a d'autres raisons, moins honorables. Revanche. Égoïsme. Envie que mes filles possèdent ces terres, qu'elles en fassent ce qu'elles veulent. Désir de garder, de léguer, de m'accrocher à quelque chose qui m'a été donné. Je ne veux pas que Brian en bénéficie de quelque manière que ce soit. Ses fils non plus. Je ne veux pas que leur histoire soit mêlée à la mienne. Kekipi s'est rebellée, moi aussi, je me rebellerai. "C'est ce que je veux, c'est tout, dis-je. Il y a longtemps que je n'ai pas tenu à ce point à quoi que ce soit. C'est ce que je veux."

Il ne semble pas me croire ou, du moins, ma réponse lui paraît trop ambiguë, trop empreinte d'émotion. Il lâche mon épaule.

"C'est notre responsabilité. Ce type va se porter à notre secours. Nous avons laissé péricliter notre fortune. Nous sommes hawaiiens – c'est un miracle que nous possédions autant de terres sur cette île. Pourquoi laisser un *haole* s'approprier tout ça ? On a agi à la légère.

– C'est l'ouragan qui a fait péricliter nos biens...

– Non, c'est nous, Hugh. On est restés paralysés, et pourtant, on n'est pas idiots. On peut se tirer d'affaire. Ça dépend de nous."

Cette version est déjà plus plausible. Je pense à Joanie, à ce qu'elle dirait. J'ajoute : "Allons, un peu de courage !"

Hugh finit par sourire. "Tu vas te mettre des tas de gens à dos, dit-il.

– Il se peut aussi qu'ils se sentent soulagés. Tout est allé trop vite. Réfléchis. Je donne mon approbation à cet acheteur et demain, plus rien. Basta. Fin de l'histoire. Crois-moi, ils seront soulagés."

Il hoche la tête.

"Réfléchis, dis-je. Bien sûr, on se ferait du fric. On n'aurait plus à gérer l'affaire et ça nous faciliterait la vie, mais...

– Tu veux la garder, m'interrompt-il.

– Oui. Elle est à nous." J'agite la main. "Qu'est-ce qu'il y a de plus fort que le lien avec la terre ?"

Hugh met ses doigts dans la bouche et siffle. Un son aigu déchire l'air. Les cousins se retournent, me regardent, comme s'ils savaient déjà.

Je suis désolé, vais-je devoir leur dire. *Je sais que je n'aurais pas pris cette décision si ma femme n'était pas à l'article de la mort, mais le fait est que c'est le cas. Elle va mourir, elle ne sera plus là et mes filles n'auront plus de mère. Pour une raison que j'ignore, la chance, je suppose, vous avez besoin de mon approbation. Vous comprenez, j'en suis sûr, la complexité des droits d'aînesse. Vous savez combien ils sont fortuits et immérités. J'ai décidé que vous ne recevriez pas de compensation financière, mais que nous allions tous pouvoir garder un patrimoine à transmettre à nos descendants.*

Je regarde ces gens, ma famille, et j'espère qu'ils comprendront.

36

Il y a de nouvelles fleurs : des tiges de gingembre, des gardénias, des tubéreuses. Le cocktail que j'avais organisé a valu des visites à Joanie. Et tout plein de roses, même si aucune n'est rouge. Je vois d'ici les maris disant à leur épouse : "À quoi bon, elle ne les verra jamais ces fleurs !" C'est quelque chose que je dirais, moi aussi. Je suis content de ne pas avoir été ici ces deux derniers jours. Scottie n'aurait pas compris de voir tous ces visiteurs en larmes, et Alex et moi devions éviter la souffrance qui accompagne tout ça.

Je nous revois mes filles et moi marchant sur la plage. Notre chambre d'hôtel me manque.

"À quoi penses-tu, papa ? me demande Scottie.

– À toi, je pense à toi."

Alex est partie acheter des bouteilles d'eau, la seule chose que nous puissions avaler, j'aimerais bien qu'elle se dépêche. Joanie a changé. Elle a le visage émacié, le teint terreux, l'air absent. Aucun tube ne lui sort de la bouche. Scottie n'a pas fait de remarque à ce sujet, tant mieux, parce que je ne sais toujours pas comment le lui annoncer.

"Et qu'est-ce que tu te disais ? Qu'est-ce que tu te disais en pensant à moi ?

– Je me disais que tu as grandi si vite !

– Pas vraiment ! Je suis dans les plus petites pour mon âge. Reina aussi et elle prétend...

– Assez, je ne veux plus entendre parler de Reina. Rappelle-toi ce qu'on a dit à son sujet.

– Bon, d'accord, mais je veux qu'elle revienne demain à l'hôpital. Après tout, si Alex a le droit d'avoir un copain, je vois pas
pourquoi moi j'aurais pas le droit d'avoir une amie !

– Écoute, Scottie, elle ne pourra pas venir ici demain.

– Pourquoi ?

– Est-ce que tu as compris ce qui se passait ?" Scottie fouille dans
son sac à dos. "Scottie, tu m'écoutes ? Je t'ai posé une question...

– Oui, papa. Oh ! là ! là !

– Bon, alors ? Dis-moi pourquoi on est ici. Ne me parle pas
de Reina. Laisse ton sac tranquille. Dis-moi pourquoi on est ici
et pourquoi tu refuses de toucher ta mère ou même de lui parler.

– Papa !" Je me retourne. Alex, dans l'embrasure de la porte,
me tend ma bouteille d'eau. Scottie est assise au fond de la
chambre, face au mur. Je voudrais la serrer dans mes bras, mais
impossible. Je sens que je dois donner libre cours à ma colère.
"Pourquoi tu brailles comme ça ? demande Alex.

– Pour rien. Ta sœur parlait de Reina, c'est tout. Ça m'a
contrarié. Je veux que ça se passe bien, les filles. Je ne veux pas
avoir à vous... mener à la baguette. Tiens, au fait, où est passé
Sid ? J'aimerais lui dire un mot.

– Il est sans doute avec d'autres filles, répond Scottie. Hier
soir, tes soi-disant amis étaient sur la plage et Sid les a rejoints
pendant que vous étiez dans cette maison.

– De quoi tu parles ?" demande Alex. Je lis dans ses yeux
qu'elle est blessée.

"Il a dû faire une de ces orgies ! dit Scottie.

– Je m'en moque", dit Alex, même s'il est clair qu'elle ne s'en
moque pas. "Oh ! Mon Dieu !"

Je suis son regard jusqu'au lit de ma femme. Joanie a la main
levée, comme si elle prêtait serment. Ses paupières sont closes.
Ça lui arrive de temps en temps, elle bouge, mais Alex n'a jamais
vu ça. "Viens ici, Scottie", dis-je.

La main de Joanie est pâle et desséchée. Ses ongles ont poussé.
Elle se met à respirer bruyamment, comme si elle s'efforçait de
reprendre haleine.

"Elle arrive pas à respirer ! crie Scottie.

– Viens ici, lui dis-je à nouveau, avec insistance.

– Papa..." dit Alex.

Scottie vient vers moi en baissant la tête.

"Elle peut respirer, dis-je. D'après le docteur, il s'agit juste d'un réflexe. Elle ne se bat pas pour survivre, elle ne souffre pas. Écoute, si tu venais ici lui tenir la main ?"

Je vois le fin duvet sur le bras de Joanie, son poignet tout fripé. Je prends la main de Scottie et la tire vers sa mère. Elle résiste. Alex me crie d'arrêter, mais je tiens bon. Je desserre le poing de Scottie, glisse sa main dans celle de sa mère, puis je referme celle de Joanie autour de celle de Scottie. Des larmes ruissellent le long des joues de Scottie. Son visage se colore de rougeurs, comme le mien quand je suis en colère ou quand je fais l'amour. Joanie continue à respirer tant bien que mal. À présent, elle donne l'impression de se battre, de souffrir. Je retiens Scottie.

"Papa ! s'écrie Alex. Arrête !

– Prends l'autre main, dis-je à Alex, en lui faisant signe d'aller de l'autre côté du lit. Maintenant. Maintenant."

Alex va de l'autre côté du lit. Elle soulève le drap et cherche la main en fermant les yeux. Elle grimace comme si elle allait avaler je ne sais quel truc ignoble pour relever un défi. Elle libère la main de sa mère, pose la sienne par-dessus et la soulève, ce qui demande une forte poigne. Alex garde la tête baissée, je ne vois pas son visage. Scottie tremble de tout son corps. Je la soutiens par-derrière, je l'entoure de mes bras comme pour parer quelque accident. Les filles doivent en passer par là, sinon elles le regretteront pour le restant de leurs jours.

Je supplie Scottie : "Dis quelque chose !

– Non, répond-elle, d'une voix qui trahit sa souffrance. Tu me fais mal !"

Je me tourne vers Alex, elle a toujours la tête inclinée, ses épaules remuent légèrement. "Dis quelque chose, Alex.

– Dis quelque chose toi-même", répond-elle et je m'aperçois qu'elle pleure.

Je m'approche et je parle tout bas à Joanie : "Pardon si je ne t'ai pas donné tout ce que tu voulais, si je n'ai pas été tout ce que tu attendais. Tu étais tout ce que je voulais." Je marmonne ça comme une prière. Ma tête, ma gorge m'élancent sous le feu de l'émotion. J'essaie de conjurer des souvenirs, des mots susceptibles de faire revivre des pans du passé, mais en vain. Nous nous connaissons depuis que j'ai vingt-six ans et elle dix-neuf : comment se fait-il que je ne puisse pas trouver un souvenir ?

"Chaque jour, dis-je. À la maison. Tu es là. Dîner, vaisselle, télé, week-ends à la plage. Tu vas ici. Je vais là. Les soirées. Sitôt rentrés, on se plaint de la soirée. Les retours en voiture à la maison en passant par le Pali à l'époque où il n'y avait pas encore de réverbères." C'est tout ce qui me vient à l'esprit. Notre quotidien à tous les deux. "J'ai aimé ça", dis-je en lui serrant plus fort la main.

Je ne parle jamais comme ça. Je crois deviner un petit sourire narquois, je lève les yeux et constate qu'Alex est très mal à l'aise. Scottie, elle aussi, a l'air embarrassé, apeuré.

"Je te pardonne", dis-je et j'ai l'impression que ce petit sourire de Joanie devient de plus en plus narquois.

Alex fait le tour du lit et tire Scottie vers elle. Je la retiens tout en contemplant le visage de Joanie, son expression satisfaite. Je tente de la lire, de la comprendre. Lui voir cet air si satisfait m'agace. J'approche mon visage du sien et lui dis face à face : "Il ne t'aimait pas. Moi, je t'aime."

37

Pourquoi est-il si difficile d'exprimer son amour et si facile d'exprimer sa déception ? Je quitte la chambre sans rien dire aux filles. À travers un panneau en verre sur la gauche, j'aperçois les palmiers sombres, les bancs du parc et l'énorme arbre à pluie, dont la voûte paraît suspendue dans les airs. Quelque chose miroite sur ses branches, j'ignore ce que c'est. Je me dirige vers les chaises et m'assieds, ou plutôt, je manque de m'effondrer. Je ferme les yeux. Quand je les rouvre, je vois un jeune homme poser un prospectus sur le siège voisin, puis s'éloigner dans le couloir et en distribuer d'autres aux gens qu'il croise. Je jette un coup d'œil sur celui qu'il a laissé à côté de moi. Au lieu de l'annonce d'une vente-liquidation ou d'un traiteur chinois livrant à domicile, je découvre une liste d'options pour les obsèques :

Perpétuez-vous grâce à un récif de corail vivant !
Funérailles aloha *en mer : laissez-vous emmener en canot et disperser sur les flots.*
Expédiez vos cendres en orbite !
Envoyez vos cendres aux quatre vents depuis une montgolfière !
Partez dans un feu d'artifice !

La dernière n'est pas suivie d'un point d'exclamation, elle propose : *Mélangez les restes de vos êtres chers à la terre d'un bonsaï aussi beau que plein de vie. Un arbre qui vivra des centaines d'années sans demander beaucoup d'entretien.*

En bas, je lis un nom, Vern Ashbury, et un numéro de téléphone à appeler pour tout renseignement concernant les tarifs.

"Qu'est-ce que c'est ?"

Alex vient s'asseoir près de moi.

"Je n'en sais rien, dis-je. Une pub." Je retourne le prospectus et l'éloigne pour qu'elle ne le voie pas. Je referme les yeux.

"C'est pas bien, dit-elle. Tu n'aurais pas dû faire ça. Scottie est dans tous ses états, c'est encore un bébé !

– Ce n'est plus un bébé !

– En ce moment, si, dit Alex.

– Il faut que j'aille à la maison." Je me redresse et rouvre les yeux. "Il faut que je parle à Sid. J'ai des choses à faire.

– Pourquoi il faut que tu parles à Sid ?

– Pourquoi est-ce qu'il a été viré de chez lui ?

– Tu n'as qu'à lui demander, dit-elle.

– C'est à toi que je pose la question.

– J'en sais rien", répond-elle. Je la crois.

"Nous n'avons pas de temps pour lui, Alex. Il souffre, j'en suis triste, mais je n'ai pas de temps pour ça. Dis-lui de rester où il est, de ne pas faire passer sa merde avant la nôtre. Surtout s'il se comporte mal à ton égard.

– D'accord, dit-elle. Comme tu voudras."

Elle tend la main pour attraper le prospectus. Je l'observe pendant qu'elle lit les options.

"C'est une blague ? dit-elle. Vern Ashbury. Merde. Je crois que le bonsaï me plaît. C'est triste.

– Je sais, dis-je. Qu'est-ce que tu as dit à Scottie ? Est-ce qu'elle comprend ce qui se passe ?

– Tout à l'heure, la main : elle pense que ça veut dire quelque chose, que maman a des chances de se rétablir.

– Bon, dis-je.

– Non, proteste Alex, ce n'est pas bon ! Loin de là ! Il faut que tu lui parles, papa. Tu l'engueules parce qu'elle ne sait pas, parce qu'elle ne se comporte pas comme elle devrait, mais elle ne sait pas ce qui se passe. Ne me demande plus de m'occuper d'elle. C'est de toi dont elle a besoin !" Alex se lève et s'éloigne.

"Où tu vas ?"

Elle ne me répond pas. Je la suis, laissant derrière moi les diverses propositions d'obsèques. Nous longeons la chambre du patient le plus populaire, elle paraît à présent encore plus triste et dénudée qu'une cellule. Les ballons se sont ratatinés, dans les vases, les fleurs penchent la tête, le *lei* accroché à la poignée de la porte laisse entrevoir un cordon blanc entre des fleurs de frangipanier fanées.

Une femme se tient au pied du lit. "Je suis juste une des bénévoles, dit-elle à l'homme. Je ne suis pas autorisée à vous toucher."

Alex se dirige vers les ascenseurs en face de la boutique cadeaux.

"Je t'ai trouvée ici." Il lui faut un moment pour repérer les cartes postales.

"C'est super ! s'exclame-t-elle. Tu trouves pas ça super ?

– Je les ai achetées et je les ai bazardées.

– Merci", dit-elle.

Je regarde au fond du couloir, dans l'espoir d'apercevoir Scottie, mais elle a dû rester dans la chambre. Il va falloir que j'aille chercher l'une et que je laisse l'autre derrière.

Je décide d'aller vers Scottie, le bébé, celle qui tremblait dans mes bras. Un homme avance en traînant les pieds, il est relié à un goutte-à-goutte. Je me surprends à souhaiter qu'il se dépêche et je pense à Sid, à sa coupable impatience à l'égard de ceux qui sont lents même si leur lenteur est liée à un état de faiblesse.

"Rejoins-moi à la voiture, dis-je à Alex, je vais parler à Scottie."

Je suis embarrassé. Je sais que je devrais m'excuser, mais il le fallait, il fallait qu'elle la touche. Quand j'approche de la chambre, j'entends Scottie : "J'ai vraiment de très bons yeux", dit-elle. Je m'arrête sur le seuil. Elle parle à sa mère. Je recule, mais je ne peux m'en aller : je veux voir ce qui se passe, savoir ce qu'elle lui dit. Elle est blottie contre sa mère, elle a déplacé le bras de Joanie de sorte qu'il l'entoure. Je me surprends à me dire : *Elle est en vie.* Voir Scottie dans les bras de sa mère m'est presque insupportable.

"Il est là au plafond, dit Scottie. C'est le plus beau nid que tu aies jamais vu, il est tout doré, tout doux, tout chaud."

Je lève les yeux et je vois, non pas un nid, mais un bout de banane brunâtre, collé au plafond. Un souvenir de notre jeu. Ce jeu auquel Joanie et moi nous jouions, un jeu auquel ma fille et moi nous jouerons.

Appuyée sur son coude, Scottie se penche pour poser un baiser sur les lèvres de sa mère. Elle scrute son visage et l'embrasse à nouveau. Elle recommence et re-recommence, une touchante variante du bouche-à-bouche, chaque baiser est plein d'attente, presque thérapeutique. Elle n'a pas encore perdu espoir. Je ne la détourne pas de ce fantasme, de cette croyance en des dénouements qui relèvent de la magie, de cette conviction que l'amour peut ramener à la vie. Je la laisse essayer. J'observe ses efforts. Je l'encourage même, mais au bout d'un moment, je sais qu'il est temps que j'intervienne. Qu'il est temps que je lui apprenne à appeler les choses par leur vrai nom. Temps que je lui dise la vérité.

Je frappe à la porte. "Scottie", dis-je.

Elle reste blottie sous le bras de sa mère, elle me tourne le dos. Je m'assieds au bord du lit et m'allonge de façon à poser la tête contre son dos et l'écouter respirer. "Scottie, dis-je.

– Quoi, papa ?" me répond-elle et je lui dis tout ce qui est en train de se passer, tout ce qui va se passer et je me sens l'être le plus cruel au monde. J'assume mes responsabilités du mieux que je peux. Une fois que j'ai terminé, nous restons là, longtemps semble-t-il, la tête de Scottie contre la poitrine de Joanie, la mienne se soulevant au rythme de ses courtes respirations mêlées de sanglots. Son petit corps est comme un muscle fléchi, tendu, crispé mais qui résiste encore et je sais qu'elle n'y croit pas tout à fait. Comment le pourrait-elle ?

38

Ce soir, les filles, Esther et moi sommes réunis autour de la table de la salle à manger. Ce n'était pas arrivé depuis longtemps, en dehors des repas de Thanksgiving et de Noël. Esther ne s'est jamais assise avec nous jusqu'ici.

"Depuis quand est-ce qu'on n'a pas dîné tous ensemble ? dis-je.

– Depuis Noël", répond Alex.

Enfant, Alex a écrit une histoire que nous lisons à nos invités à chaque veille de Noël, avant d'en révéler l'auteur. Elle met en scène la nuit où Jésus est né, mais du point de vue de Joseph. Il demande aux Rois mages et aux animaux de l'étable comment on s'occupe d'un nouveau-né, et chacun lui prodigue des conseils. À la fin du récit, Joseph est prêt à prendre soin de Jésus. Il emmaillote même l'enfant, comme l'âne le lui a appris. À Noël dernier, quand Joanie s'est levée pour lire l'histoire, Alex la lui a arrachée des mains. Aucun des invités n'a eu l'air de remarquer que Joanie allait lire quelque chose, à l'exception de notre voisin, Bill Tigue, qui pensait qu'il s'agissait d'une prière. Il a baissé la tête et fermé les yeux. C'est à Noël qu'Alex a vu sa mère entrer chez un autre homme. Cela ne devrait pas compter comme la dernière fois où nous nous sommes vraiment retrouvés autour de la table, et sans doute que ce soir ne compte pas non plus, puisque nous ne sommes pas et ne serons plus jamais tous ensemble.

"Bon, dis-je. Santé."

Personne ne lève son verre. Esther boit une bière. Elle tient sa canette sur ses genoux, serrée entre ses mains.

"Sid ne veut rien manger ?" dis-je. Sid regarde la télévision dans le petit salon. Personne n'a fait allusion à lui, ça me donne mauvaise conscience. Je me demande si Alex lui a recommandé de se tenir à distance.

"Ne t'en fais pas pour lui", dit Alex.

Nous mangeons le dîner que j'ai préparé : une salade, du poulet grillé, du riz et des brocolis à la sauce hollandaise. J'attends que quelqu'un me dise que c'est bon et je me retiens de poser la question.

"Bon, dans ce cas on en gardera pour lui. S'il en veut."

Esther fait le tri dans sa salade. Elle pousse les tomates et les avocats sur le bord de son assiette. Les filles ont arrosé leur riz de sauce soja. Esther a mis une noix de beurre sur le sien.

"Avez-vous appelé leurs écoles ? demande Esther. Elles ont beaucoup manqué.

– Oui, dis-je.

– Alex, tu repars quand ?

– Elle ne repart pas, dis-je.

– Ah, répond Esther. Vous des ennuis. Je vous dis. Bientôt.

– Est-ce que vous pourriez, s'il vous plaît, terminer une phrase ?"

Elle secoue la tête. "Si seulement... Si seulement...

– Que voulez-vous dire, Esther ? Vous voulez rester ? Pourquoi vous ne le dites pas tout simplement ?"

Les filles cessent de manger. Depuis que je leur ai fait tenir la main de leur mère, j'ai l'impression qu'elles me regardent d'un autre œil : elles me voient désormais comme leur père.

"Je veux rester, dit Esther. Voilà. Je termine une phrase." Du doigt, elle bouche sa canette de bière.

"Bon, dis-je. Alors restez."

Elle ne laisse paraître aucun signe de satisfaction. Les filles semblent indifférentes.

"Je veux me lever maintenant, dit Esther. Je veux pas manger comme ça ici.

– D'accord", dis-je.

Elle s'apprête à débarrasser son assiette.

"Laissez, dis-je. Je m'en occupe.

– Non, je mange encore." Elle prend son assiette et sa bière et pousse la porte battante de la cuisine. Un moment après, nous entendons une foule hurler : "La roue ! De la ! Fortune !"

Un gecko coasse dans la charpente.

"Je ne retourne pas en pension ? demande Alex.

– Non, dis-je. Tu vas rester ici."

Un termite grimpe sur mon riz. "Vous avez déjà remarqué que Sid a la manie de tout mettre dans sa bouche. Ses cheveux, son T-shirt, son portefeuille ? dis-je.

– Je sais, on dirait un gosse de trois ans", dit Alex.

Un autre termite escalade mon verre d'eau. Ils nous ont trouvés. La lumière les attire à notre table. Les filles sont obligées de les retirer de la nourriture. Scottie s'amuse à arracher les ailes de ceux qui se promènent entre les assiettes.

"On dirait des asticots", dit-elle.

Notre maison est un paradis pour les termites : beaucoup d'humidité et des réserves de bois. S'ils continuent à s'inviter, je serai forcé de recourir à la fumigation pour m'en débarrasser, il faudra recouvrir la maison d'une bâche pour qu'ils inhalent le poison. Où irons-nous pendant ce temps ? Je nous vois errant dans les rues. D'une chiquenaude, Alex expédie un termite de son riz, Scottie en retire un autre de son poulet, la sauce barbecue a brûlé ses ailes. Je me lève, j'éteins, mais j'allume au bord de la piscine. Attirés là-bas, ils se noieront.

Je retourne m'asseoir dans le noir et nous continuons notre repas. Dans l'obscurité, j'ai du mal à distinguer mes filles l'une de l'autre. L'une d'elles rote. Elles rient.

Je bois une gorgée de vin, le verre me rappelle ma mère, la surprise que je lui avais réservée, enfant, à l'occasion d'une fête des Mères : le petit-déjeuner au lit. J'avais mis de la salade à macérer dans un verre à vin, j'y avais ensuite ajouté du muesli et du lait : une préparation aussi recherchée, des céréales présentées de manière aussi raffinée ne pouvaient que plaire à une mère. En découvrant son cadeau, elle a ri, et moi j'ai cru qu'elle riait en se délectant à l'avance. Je l'ai regardée manger le muesli et la salade au lait dans le joli verre. Quand les filles étaient petites, je me demandais ce qu'elles pourraient bien inventer, comment elles interpréteraient mes envies, mais elles ne prenaient jamais de risque pour leurs cadeaux, se contentant de cartes d'anniversaire.

"Comment ça se fait que vous ne m'ayez jamais fait de surprises farfelues pour la fête des Pères ?

– Tu n'aimes pas le désordre, répond Alex.

– Tu n'aimes pas les bibelots, renchérit Scottie.

– Eh bien, à partir de maintenant si, dis-je. Sachez-le. J'aime le désordre et les bibelots.

– D'accord, dit Scottie.

– Le poulet est très bon", constate Alex.

Ce compliment me remplit de fierté. J'ai l'impression d'être le Joseph de son histoire, d'avoir appris à m'occuper de quelqu'un. À la fin de l'histoire d'Alex, Joseph fait faire son rot à Jésus et le berce jusqu'à ce qu'il s'endorme. "Ne pleure pas, mon bébé, dit-il. Je suis là."

Les filles débarrassent la table, j'en profite pour apporter une assiette à Sid dans le petit salon. Dès qu'il me voit, il retire ses pieds de la table basse. Il est au téléphone. Je m'éloigne pour le laisser seul, mais je l'entends dire au revoir.

"C'était ta maman ?

– Nan", dit-il. Il regarde l'assiette que j'ai dans les mains. Je la lui tends. "Merci, dit-il.

– Tu aurais pu venir à table avec nous.

– C'est très bien comme ça", dit-il.

La télévision colore son visage en bleu, vert, puis noir. Au moment où je vais allumer dans la pièce, j'aperçois un termite sur l'écran, un rappel qu'il nous faut rester dans l'obscurité.

"Écoute, dis-je. Je te remercie de nous avoir laissés entre nous, mais laisse tomber, conduis-toi normalement. C'est mieux comme ça."

Il remet les pieds sur la table basse. Ses semelles sont pleines de boue.

"Dis-moi, ça va entre Alex et toi ?

– Ouais, pourquoi ?

– Scottie prétend que tu es sorti avec ses copines l'autre soir.

– Oh, arrêtez avec ça ! Ces filles sont nulles. Je leur ai refilé un peu d'herbe pour les dépanner, c'est tout.

– Super, Sid. Je suis tellement soulagé de savoir que tu leur as refilé de la drogue.

– Désolé, dit-il. Parfois j'oublie que vous êtes, genre... un père.

– Pourquoi ta mère t'a mis dehors ?

– Elle a pas apprécié ce que j'avais à dire.

– Qui était... ?

– Que la mort de mon père était la meilleure chose qui nous était jamais arrivée. Je le pensais pas, mais je l'ai dit."

Il jette un coup d'œil à l'assiette sur ses genoux et prend le poulet avec les doigts.

"Pourquoi tu lui as dit une chose pareille ?"

La sauce barbecue lui a teint les lèvres en rouge. Il mâche, j'attends qu'il avale, ce qui lui prend du temps.

"Vous voulez vous asseoir ?" me demande-t-il, la bouche pleine.

Je m'assieds à côté de lui et allonge mes jambes sur la table basse, qui est, en réalité, une grande ottomane en cuir. Car, pour Joanie, les vraies tables basses sont démodées. "Lara laisse un plateau sur la sienne. J'aime bien l'effet que ça donne, avait-elle dit.

– Mais on ne peut rien mettre dessus ou presque, avais-je répondu.

– C'est joli", avait-elle conclu.

Impossible de me souvenir de la suite de notre conversation au sujet de l'ottomane. Elle avait dû s'arrêter là.

Je regarde la télévision. Dans une salle de gym bondée, des femmes montent sur des bancs et en redescendent au rythme de la musique. "Et un, et deux, contractez les fessiers", dit la prof en montrant du doigt son arrière-train.

Sid change de chaîne. Des images se succèdent jusqu'à ce qu'il tombe sur un barbu qui peint une prairie.

"Il est doué, ce mec, dit Sid.

– Tu sais, Sid, Alex aussi traverse une période difficile...

– Sans blague ? interrompt-il, sans me laisser seulement achever ma phrase.

– Peut-être que tu devrais te montrer aussi attentif à son égard qu'elle semble l'être au tien.

– La seule raison pour laquelle on s'entend, c'est parce qu'on n'a pas à se réconforter, dit-il. Nos emmerdes s'annulent."

Je pense à ma relation avec Joanie. Est-ce qu'on tombe encore amoureux par les temps qui courent ?

"Tu t'apprêtais à me dire pourquoi tu avais sorti une chose pareille à ta mère qui venait de perdre son mari.

– Non, j'allais rien dire du tout.

– Sid, j'insiste, dis-moi.

– Bon", dit-il. Il retire quelque chose d'entre ses dents et respire bien à fond. "J'ai une amie, ou plutôt j'avais une amie. Eliza. On avait quinze ans. On traînait beaucoup ensemble. Elle faisait partie de la bande, cette fille. Il s'est jamais rien passé entre nous, même si c'était pas l'envie qui m'en manquait, ni à elle non plus, d'ailleurs." Il s'essuie la bouche avec la serviette en papier, en fait une boule, l'expédie vers la corbeille qu'il rate. "Je la ramasserai, dit-il. Toujours est-il qu'Eliza dormait souvent à la maison. Pas dans ma chambre. Elle pieutait sur le canapé du salon. Papa l'aimait bien, lui aussi. Ils rigolaient tous les deux. Un jour, mon père nous a donné de la bière, et on était tout excités parce qu'à l'époque un de nos grands sports était de trouver des moyens d'en avoir. Mais il m'a soufflé à l'oreille que c'était une blague : la bière était sans alcool, ce qui permettrait de tester Eliza, et de voir si elle ferait semblant d'être soûle. Plus on buvait, plus Eliza riait, elle se mettait à dire des trucs débiles, elle a même trébuché sur la marche de la cuisine. Quand mon père lui a finalement avoué le subterfuge, elle s'est braquée, et a déclaré qu'elle se serait comportée de la même façon que la bière soit avec ou sans alcool.

– Elle était gênée.

– Ouais. En fait, quand j'y repense, je trouve ça vraiment nul. Du coup, lors de sa visite suivante, mon père s'est rattrapé en nous offrant à chacun une bonne vieille Budweiser. On les a bues dehors, sur la table de pique-nique. Des amis de papa sont venus jouer au poker. On est allés écouter de la musique dans ma chambre. On était tous les deux pas mal bourrés, ça nous donnait une bonne excuse pour nous envoyer en l'air et, bien sûr, on s'en est pas privés." Sid sourit. "Je me rappelle avoir ressenti un énorme soulagement, on pouvait enfin arrêter de faire comme si on était juste amis."

Je me demande s'il éprouve la même chose pour Alex. Je me demande ce qu'ils sont en réalité.

"Donc, on est en pleine action, enfin, pas exactement. On ne fait que s'embrasser, mais disons que c'est assez chaud. Assez urgent, vous voyez ce que je veux dire, quand j'aperçois quelque chose, du coin de l'œil. Mon père ! Debout près de la porte ! On était par terre, elle sur moi, et on avait encore nos vêtements, mais on faisait mine de le faire, vous voyez. Mon père suivait la scène, et il lui a fallu un moment pour se rendre compte que je pouvais le voir, parce qu'il avait les yeux fixés sur Eliza. Je l'ai écartée de moi, et il est resté planté là, l'air bizarre. Comme pris en flagrant délit. Je revois Eliza, figée sur place et puis je sais plus. Je me souviens pas de ce qu'elle a fait. Alors, mon père a dit : « Eliza. Tu ferais mieux de te trouver un lit à toi pour dormir. » Rien d'autre. Il a attendu qu'elle se lève, passe devant lui et aille sur le canapé du rez-de-chaussée. Quand elle est partie, il m'a regardé. Il semblait moins en colère que gêné, comme si c'était lui qui avait fait quelque chose de mal. Là-dessus, je suis allé me coucher. J'étais content, mais pas très fier de moi, parce que j'étais sûr qu'il le dirait à ma mère, et qu'Eliza ne pourrait plus venir dormir à la maison. Maintenant, elle ne serait plus une simple amie."

Sid regarde la télévision et, sans quitter l'écran des yeux, il me raconte la fin de l'histoire d'un ton monotone, détaché. Je ne l'avais jamais entendu parler comme ça. Il n'utilise ni argot, ni humour. Il a les yeux rivés sur le peintre qui parle d'une voix basse, envoûtante.

Sid me dit que son père est descendu voir Eliza, endormie sur le canapé. Il me raconte la façon dont elle s'est réveillée et a trouvé son père sur elle, en train de l'embrasser. Le lendemain, et pendant des semaines, elle a évité Sid. Il pensait que c'était sa faute jusqu'à ce qu'elle lui raconte ce qui s'était passé. Sid s'est mis en colère. Au début, il ne l'a pas crue mais à la longue, il a fini par la croire et s'est mis à détester son père, et, du même coup, sa mère car elle aimait son époux. À la mort de son père, Sid a tout raconté à sa mère, aussi bien l'histoire de la bière, que celle du baiser ou de son père essayant de profiter de son amie, de sa petite amie, alors qu'elle était ivre. Voilà l'histoire. Voilà l'histoire de Sid.

"Alex ne sait pas tout ça, dit-il. Elle s'imagine que ma mère m'a mis dehors parce qu'elle était en colère contre moi.

– Pourquoi tu ne lui as pas dit ?

– Elle a ses problèmes, vous l'avez dit vous-même.

– Pourquoi tu m'as raconté tout ça ?

– Parce que vous me l'avez demandé, répond-il. Et que du coup vous arrêterez peut-être de me regarder comme si j'allais faire feu à n'importe quel moment.

– Ta mère t'a cru quand tu lui as raconté ?

– Bien sûr que non !"

Il passe à nouveau en revue les chaînes de télévision. Je vois une girafe, une éponge animée, un soudeur à l'arc, un huissier qui félicite un juge.

"Pourquoi est-ce que tu lui as dit ? Pourquoi est-ce que tu as attendu la mort de ton père ?"

Il s'arrête sur une chaîne : le présentateur du journal télévisé fait état d'un tremblement de terre meurtrier en Éthiopie, sur le bandeau qui défile au-dessous on peut lire : *J-5 avant les Oscars ! J-5 avant les Oscars !*

"Parce que je la respecte, dit-il. Il ne s'est jamais bien conduit avec elle. À cause de lui, l'ambiance était toujours tendue à la maison.

– Mais tu as brisé sa vie." Je pense à Julie. J'imagine que la nouvelle l'anéantirait.

"J'ai pas brisé sa vie, dit-il. Elle saura la vérité, comme moi, c'est tout. J'aime encore mon père. Notre vie d'avant est encore présente. Cette histoire fait pas de lui un monstre." Il se tourne vers moi pour la première fois. "Je devrais tout rejeter en bloc, c'est ça ?"

J'essaie de le regarder dans les yeux, mais ils se remplissent de larmes. Je ne dois pas le voir fragile. Ni moi ni qui que ce soit. Je fixe le présentateur.

"Nos sentiments nous appartiennent, dis-je. Il peut te manquer. Tu peux l'aimer."

Du coin de l'œil, je le vois regarder le plafond. Je me lève.

"Merci de m'avoir raconté tout ça, dis-je.

– Pas de problème", répond-il en se raclant la gorge.

Je lui recommande de ne pas allumer à cause des termites et je lui souhaite une bonne nuit. Je me dirige vers ma chambre, mal à l'aise : je devrais sans doute me creuser la cervelle pour trouver autre chose à lui dire, quelque chose qui l'apaiserait. *Ne pleure pas. Je suis là.*

Sur le seuil de la porte, je me retourne. "Tu as assez chaud ? Il y a d'autres couvertures, tu sais, si tu en as besoin.

– Ça va, dit Sid. C'est parfait.

– Tu n'as rien vu d'intéressant à la télé ces derniers temps ? Rien qui t'inspirerait un commentaire, une remarque pertinente ?"

Il roule des yeux et réprime un sourire.

"Vas-y, je t'écoute, dis-je.

– Les dessins animés sur les maladies, répond-il. Les gars de la pub ils prennent l'herpès, les mycoses des pieds, toutes ces cochonneries, vous voyez, et ils en font des personnages de dessins animés menaçants qui s'attaquent au corps en hurlant. C'est bizarre. Vous avez déjà remarqué ces pubs ?

– Oui", dis-je.

Il me regarde dans les yeux. "Ils devraient se contenter de nous dire ce qu'ils ont pour nous guérir. Ces dessins animés sont répugnants. Il vaudrait mieux nous dire simplement comment nous débarrasser de ces saloperies."

Il se concentre à nouveau sur la télévision, je le laisse seul dans la pénombre.

39

Le Dr Johnston entre dans la chambre de Joanie, suivi d'un autre homme dont le sourire destiné à mes enfants m'effraie un peu. Hier, avant de quitter l'hôpital, j'ai demandé son aide au Dr Johnston. Comment annoncer à ma plus jeune fille qu'il n'y a plus d'espoir ?

"Tu veux dire qu'elle ne le sait pas ?

— Elle le sait", ai-je vite répondu. J'ai repensé à la façon dont Scottie embrassait sa mère, comme si elle essayait de la ramener à la vie. "C'est juste qu'elle s'imagine qu'il y a encore une chance. Je lui ai pourtant expliqué. Mais la main de Joanie a bougé... J'avoue que je ne sais plus quoi faire."

Il était assis derrière son bureau et je voyais bien qu'il s'efforçait de ne pas me regarder, comme si j'avais fait quelque chose de mal. Je le décevais, c'était évident. Ravalant ma fierté, je lui ai parlé des oursins et des physalies, mais pas des films de masturbation ni des poses devant le miroir. Il a dit qu'il parlerait aux filles et nous recommanderait à un pédopsychiatre, dont certains ont apprécié l'aide.

Le psychiatre a les paupières lourdes, les commissures des lèvres légèrement relevées, comme s'il avait fumé de l'herbe. Les traits de son visage, cuit par le soleil et moucheté de taches de rousseur, sont peu accusés : pas grand-chose à quoi se raccrocher.

Assis sous la fenêtre, Sid feuillette un magazine. Sur la couverture, une fille en mini-robe rouge rampe sur le capot d'une Mustang.

"Voici le Dr Gerard, annonce le Dr Johnston.

– Bonjour, bonjour tout le monde, dit le Dr Gerard, en nous fixant du regard à tour de rôle. Tu dois être Scottie." Sa voix est à peine audible. Il tend la main, Scottie lui donne la sienne, mais au lieu de la serrer, il la prend et la couvre de son autre main. Scottie aimerait bien la retirer, mais il la retient. "Et toi, tu dois être Alex", dit-il. Il lâche Scottie et fait un pas sur le côté pour se rapprocher d'Alex.

"Salut." Alex lui serre vigoureusement la main.

Il me salue d'un signe de tête. Je remarque dans sa poche un stylo auquel pend un poulpe en caoutchouc. Voyant que je regarde le poulpe, il le prend et le lance dans ma direction en faisant tout un cinéma. Le poulpe atterrit à mes pieds et s'allume à l'instant où il touche le sol.

"Ça vous éclaire", dit-il.

Scottie le récupère. La bête en caoutchouc clignote dans sa paume.

"Mon joujou", dit-il.

Scottie tire l'une des pattes, la relâche, clac, elle a repris sa place.

"C'est une drôle de créature, avec tellement de mécanismes de défense. À commencer par l'encre, bien sûr, dont vous avez certainement entendu parler. Elle lui sert à faire diversion, à se dissimuler pour échapper aux prédateurs."

Le Dr Johnston a les yeux rivés sur le sol. Sid lève la tête puis disparaît à nouveau derrière son magazine.

"Il leur arrive aussi de se camoufler : certains émettront un venin, d'autres imiteront des animaux plus dangereux, comme l'anguille. Je suppose que je le garde pour me souvenir de tous nos mécanismes de défense – notre encre, notre venin, notre camouflage que nous utilisons pour nous préserver de ce qui nous fait souffrir." Il hausse les épaules, comme si cette pensée venait de lui traverser l'esprit.

"On est où, là ? dit Sid. À un cours d'initiation aux poulpes ?"

Je réprime un sourire. Je suis content que Sid soit de retour parmi nous. J'entrevois sur son visage une fierté à peine dissimulée, sa réaction à mon sourire, à mon soutien.

"Tu as raison, dit le Dr Gerard. Je suis là à vous débiter des histoires à n'en plus finir alors que je suis venu faire votre connaissance, les filles. On m'a beaucoup parlé de vous, et je me ferai un plaisir de discuter avec vous si vous le souhaitez.

– Qu'est-ce qu'on vous a dit ?" demande Scottie.

Il cale son menton sur ses phalanges et continue à parler, d'une voix calme et détendue. "Eh bien, figure-toi qu'on m'a dit que tu aimais beaucoup l'océan et la musique, et que tu étais une fille merveilleuse et très douée."

Scottie réfléchit.

"On m'a dit que votre maman n'allait pas très bien, qu'elle allait mourir." Les filles me regardent, je regarde le Dr Johnston. C'est une assertion simple et vraie, mais je suis effrayé de l'entendre. Quelqu'un a-t-il jamais dit les choses de façon aussi claire ?

"Vous traversez une période difficile, et ça se comprend, enchaîne-t-il. Je suis venu vous rencontrer et vous faire savoir que si vous avez besoin de parler, eh bien c'est avec plaisir que j'affronterai la réalité avec vous, en oubliant nos stupides mécanismes de défense. J'aimerais vous aider à faire vôtre cette période de votre vie, et à aller de l'avant. Pas juste à *avancer*, mais à *aller de l'avant*.

– Bon, dit le Dr Johnston. Merci, docteur Gerard."

Scottie tend le poulpe au Dr Gerard. Il lui serre à nouveau la main et dit merci du bout des lèvres.

Il se dirige vers la porte, fait au revoir de la main à Alex, qui lui décoche un regard furieux, le réduisant à l'état de poulpe, de mollusque hideux.

"Qu'est-ce que c'était que ce truc ?" lance-t-elle sitôt qu'il est parti.

Le Dr Johnston a l'air contrit mais, étant censé soutenir son collègue, il ne peut désapprouver cette intervention.

"Oui, eh bien, le Dr Gerard se tient à votre disposition si vous éprouvez le besoin de parler.

– Ouais. Il est diplômé en pieuvres et calamars, déclare Sid. Ce mec est pas redescendu depuis Woodstock, mon pote !

– Oui, bon." Le Dr Johnston se retourne, regarde une chaise derrière nous. Pour le mettre à l'aise, je lui fais signe de la tête qu'il n'hésite pas à s'asseoir.

"Comment allez-vous, tous ?" dit-il, une fois assis.

Alex s'assied au pied du lit. Le visage de Joanie est blafard, ses lèvres sèches et décolorées. Sa poitrine bouge sporadiquement, comme au milieu d'un cauchemar. On dirait une vieille femme. Je tire Scottie vers moi, j'espère qu'elle m'a pardonné de l'avoir forcée à montrer de l'affection à sa mère. Elle se glisse dans mes bras.

"Je suis sûr qu'en tête à tête il est différent, remarque le Dr Johnston. C'est son discours d'introduction. Essayez de passer outre.

– Moi, il m'a plu, déclare Scottie.

– Bien." Je lui frotte les épaules. "On prendra un moment pour aller parler avec lui, d'accord ?"

Je regarde Sid et Alex, pour m'assurer qu'ils gardent leurs réflexions pour eux.

"Bien, dit le Dr Johnston. Et rappelez-vous que je suis moi aussi à votre disposition. Si vous avez la moindre question à propos de ce qui va se passer ou de la raison pour laquelle nous faisons cela, ou toute autre chose, n'hésitez pas."

La respiration de Scottie s'accélère. "Maman va mourir, c'est sûr ?" demande-t-elle.

À ma grande surprise, le Dr Johnston dit : "Oui. Nous suivons au pied de la lettre la volonté de ta mère. Nous avons décidé d'arrêter de nous opposer à ce que veut son corps." Il regarde Joanie et semble plongé dans ses réflexions. "Nous avons fait le maximum, mais nous avons constaté que les parties les plus importantes de son organisme avaient cessé de fonctionner. Elles sont en train de mourir, sinon déjà mortes."

Il cherche mon approbation du regard. Je ne suis pas certain de devoir la lui donner.

"Un autre médecin et moi-même avons conclu qu'elle était dans un coma irréversible. Dès lors, il nous incombe de respecter la volonté de votre mère. Elle a demandé à ce que nous renoncions à tout traitement pouvant être considéré comme un prolongement artificiel de la vie.

– C'est mieux, Scottie, dit Alex. Elle n'est pas heureuse comme ça.

– Je sais, dit Scottie. Je sais tout ça." Elle se raidit entre mes bras. "Son cerveau est mort.

– Je veux que tu comprennes, Scottie, dit le Dr Johnston, et toi aussi Alex, que nous ne sommes pas en train de dire que votre mère ne vaut rien, c'est la thérapie médicale qui, elle, ne vaut plus rien. Mon but est de la guérir, et je ne peux pas.

– Est-ce que vous comprenez ? dis-je.

– Oui, dit Alex.

– Oui, dit Scottie.

– Elle ne voudrait pas qu'on la maintienne en vie dans cet état. Même si elle devait sortir du coma, ce qui est très peu probable.

– Ce serait un légume, dit Scottie.

– Elle ne voudrait pas vivre dans cet état, dis-je.

– Je sais déjà tout ça, dit Scottie.

– Votre mère est sous morphine à forte dose, elle ne souffre donc absolument pas, mais nous ne pouvons pas faire grand-chose en dehors de ça."

Nous attendons juste qu'elle meure, me dis-je.

"Y a-t-il d'autres questions auxquelles je puisse répondre ?"

Alex secoue la tête.

"Qu'est-ce que vous allez faire de son corps ?" demande Scottie.

Le Dr Johnston hoche la tête, sa façon, je pense, de me dire que c'est à moi de répondre. Je serre les épaules de Scottie. Comment lui dire que nous allons brûler le corps de sa mère, que nous allons la réduire à un tas de cendres grisâtres ? Comment est-il possible que ce soit tout ce qui reste de nous ?

"On va disperser ses cendres dans l'océan", dis-je.

Scottie retient un instant son souffle, avant de demander : "Quand est-ce qu'elle va mourir ?"

Le médecin semble prêt à se lancer dans un discours, mais il se retient. "Cela fait trois jours que nous avons débranché les machines. Elle ne tiendra pas beaucoup plus longtemps, j'en ai peur. Mais vous pouvez encore passer du temps avec elle."

Chacun de nous regarde Joanie étendue sur le lit.

"Certains font leurs adieux dès que tout est débranché, puis ils s'en vont, dit le Dr Johnston. D'autres restent jusqu'à la fin.

– Et nous, qu'est-ce qu'on va faire ? demande Scottie.

– Ce que tu voudras, dis-je. C'est à toi de choisir."

Le Dr Johnston se lève. "N'hésitez pas à venir me voir si vous avez d'autres questions. N'importe laquelle."

Il a une tache sur sa blouse blanche, ce n'est pas du sang mais une traînée brune, ça ressemble à du beurre de cacahuètes. Je l'imagine à la cafétéria en train de manger un sandwich au beurre de cacahuètes et à la confiture, image qui, d'une certaine façon, me réconforte. Joanie raffolait des tortillas tartinées de beurre de cacahuètes, ça lui remontait le moral. Si seulement elle pouvait avaler quelque chose, faire un somptueux dernier repas, comme un condamné à mort avant son exécution. Des *malasadas*, de la glace râpée, un menu hawaiien, du thon grillé de chez *Buzz*, des côtelettes de porc braisées sur feu de bois de chez *Hoku*, un hamburger teriyaki, un milkshake. C'étaient ses plats favoris.

"Merci, Sam, dis-je.

– Je suis désolé", répond-il, et je sens que ce ne sont pas des paroles en l'air : il est sincèrement désolé, et pour nous, et pour lui. J'avais oublié que, pour le médecin, la mort est un échec. Il n'a pas réussi à sauver Joanie. Il a manqué à ses engagements aussi bien à son égard qu'au nôtre.

"Ne vous inquiétez pas, lui dis-je, ce qui peut paraître étrange.

– Je vais vous laisser seuls", dit-il.

Après son départ, la chambre est calme. Alex est assise sur le lit près de moi. Même si j'ai l'impression que Joanie a le visage creusé, qu'elle se racornit au fil des jours, je me rends compte qu'elle n'a pas tellement changé. Je m'attendais qu'elle vieillisse, qu'elle dépérisse, avant de s'en aller. Mais non. Elle a été figée dans le temps. Je ne peux m'empêcher de penser qu'elle mène toujours la maisonnée, qu'elle nous guide en silence, avec une force immense, incomparable. Scottie a le regard perdu dans le vide, elle paraît comme en transe.

"Et maintenant ? demande Alex.

– On attend oncle Barry et vos grands-parents, dis-je. Ils viennent faire leurs adieux aujourd'hui.

– Et nous, qu'est-ce qu'on va faire ? demande-t-elle. On va attendre jusqu'à la fin ?"

Sid baisse son magazine.

"Qu'est-ce que tu veux faire ? dis-je. Qu'est-ce que vous voulez faire, les filles ?"

Elles ne répondent pas. Serait-ce parce qu'elles ont trop honte de dire qu'elles ne veulent pas rester jusqu'à la fin. Après tout, ça fait longtemps que nous faisons nos adieux.

Je me demande à quoi ressemblera la fin. S'en ira-t-elle tout doucement ? Luttera-t-elle pour survivre ? Ses yeux se rouvriront-ils, sa main s'agrippera-t-elle à nos poignets ?

"Je ne pense pas que vous devriez rester jusqu'à la fin", dis-je. Je ne veux pas qu'elles la voient mourir. "On choisira un moment et on lui dira adieu. Si ça vous va. Si c'est ce que vous voulez. On peut rester là ou revenir régulièrement jusqu'à ce que vous sentiez qu'il est temps de partir. C'est vous qui me direz.

– Assurez-vous que vous êtes prêtes", dit Sid. Alex descend du lit, elle s'approche de lui, mais il se cache aussitôt derrière son magazine. Je vois la fille qui rampe sur le capot, j'ai envie de lui demander : *Qu'est-ce que tu fous là ? Descends de ce foutu capot et rentre chez toi.*

"Je pense que c'est une bonne idée, dit Alex. Chacun devrait choisir un moment pour soi.

– Est-ce que les yeux ça brûle aussi ?" demande Scottie.

J'avoue que je ne sais pas ce qui arrivera à ses yeux, et je n'oserai jamais le demander. Je pense qu'ils brûlent. Je n'en sais rien.

"Quoi ? s'exclame Scottie. Pourquoi vous me regardez tous comme ça ?

– Il faudra que tu poses la question au médecin, Scottie.

– Tu devrais pas penser à ce genre de choses", dit Sid.

Je me demande ce qu'ils ont fait avec son père, s'ils l'ont enterré ou s'ils l'ont incinéré. Je me demande si lui-même s'est posé la même question à propos des yeux de son père.

40

Mon cœur bat la chamade comme si j'étais sur scène. J'entends la mère de Joanie.

" Joanie ! appelle-t-elle. Joanie ! "

Je sors dans le couloir. Les mains dans les poches, Scott regarde par terre, il agite nerveusement les pieds comme un gosse. Alice est bien habillée, elle porte un pull noir et une longue jupe rouge et blanche. Son infirmière ou Scott l'ont sans doute aidée à choisir sa tenue. Elle a mis ses bracelets en or, on dirait même qu'elle est allée chez le coiffeur. Je me demande si elle sait où elle est.

"Joanie ! Joanie. Lépreux", dit-elle à un homme en fauteuil roulant.

L'homme regarde Alice, qui continue à avancer comme si elle n'avait rien dit.

" Bonjour, Alice ", dis-je.

Elle passe devant moi sans s'arrêter jusqu'à ce que Scott passe son bras autour d'elle pour l'emmener jusqu'à la chambre. "Barry devrait bientôt arriver", dit-il. Il regarde le lit, se dirige vers la fenêtre, soulève le rideau, le laisse retomber. Il regarde autour de lui et reste au fond de la pièce. Il a tout de l'homme qui accompagne une femme au rayon lingerie : il ne sait pas quoi faire.

"Scottie. Laisse ton grand-père s'asseoir.

– Eh ! s'exclame Scott, je ne vous avais pas vues !" Il jette un coup d'œil vers Alex et Sid. "Te revoilà toi !" dit-il à Sid.

Scott s'assied et prend Scottie sur ses genoux.

Debout près du lit, Alice se penche et parle à voix basse. J'entends : "Qu'est-ce qu'on obtient en croisant un alligator avec un enfant ?" mais je n'entends pas la réponse. Je me demande et me redemande : *Oui, qu'est-ce qu'on obtient ?* Un alligator, j'imagine. Adieu, l'enfant. Je ne sais pas trop pourquoi mais sa devinette me fend le cœur.

Barry entre dans la chambre avec des fleurs et ce qui ressemble à un album photo. Il pleure. Il passe de l'un à l'autre, secoue la tête puis s'effondre dans nos bras. En l'étreignant, je plaque la paume de ma main sur son dos, malgré mon envie de serrer le poing.

"Salut, fiston", dit Scott.

Je prends le bouquet de fleurs de Barry. Il va au chevet de Joanie et reste debout à côté d'Alice.

"Qu'est-ce que tu as décidé ? demande Scott.

– Comment ça, Scott ?

– Qu'est-ce que tu as décidé ?

– Je pense qu'on va attendre de voir comment ça se passe. Quand on sentira que c'est le bon moment.

– Non, qu'est-ce que tu as décidé au sujet de l'acheteur ? Qui est l'acheteur ?

– Grippe-sou", dit Alice aux colliers de jasmin.

Mes filles tendent l'oreille. Je ne supporte pas leur curiosité. Elles veulent savoir combien. Combien nous obtiendrons.

"Est-ce que c'est le moment approprié pour parler de ce genre de choses ?

– Combien vas-tu en tirer ?" demande Scott.

Je regarde Barry dans l'espoir qu'il m'aidera à faire taire son père, mais tout ce qu'il trouve à dire c'est : "Écoute, papa, je suis sûr que tu le sauras en lisant le journal.

– À quoi bon lire le journal alors que je peux tout savoir ici, grogne-t-il.

– Je refuse de parler de ça dans ces circonstances, Scott. On ne peut pas dire que le moment soit particulièrement bien choisi.

– Pour toi, c'est du pareil au même, je suppose. Pas grand-chose. Un million par-ci, un million par-là.

– Et ça vous dérange ?"

Sur les genoux de son grand-père, Scottie a l'air pétrifié. Il fait mine de se lever, elle descend, mais se rassied. Il évite mon regard, esquisse un sourire cruel, moqueur.

"C'est tout de même drôle, n'est-ce pas, que ce malheur arrive à Joanie au moment où tu vas faire fortune !

– Ça n'a rien de drôle. Je ne vois franchement rien de drôle là-dedans."

Hier, les cousins se sont réunis autour de Hugh quand il a annoncé la nouvelle. J'ai apprécié son discours, sans ambages, impartial, le discours d'un homme qui maîtrise la situation. Le ton n'avait rien d'engageant, mais personne n'a désapprouvé ni soupiré de façon exagérée. Peut-être Joanie y était-elle pour quelque chose car si elle avait été en bonne santé, ils n'auraient pas pris les choses de cette façon, ils auraient protesté. Maintenant, il leur faudra attendre quelque temps. D'après Hugh, j'étais perplexe, mais résolu. Optimiste et courageux. Ralph m'a donné une tape dans le dos. "Moi, je m'en fous, je serai bientôt sous terre, a dit Six.

– Tu t'es montré égoïste à l'égard de Joanie, dit Scott. Elle t'a tout donné. Une belle et heureuse famille.

– Scott, où voulez-vous en venir ?"

Je regarde à nouveau Barry, il s'affaire auprès de Joanie. Il doit être d'accord avec son père, sinon il interviendrait.

"Nous vivions confortablement, dis-je. Et même très confortablement. Vous pensez qu'elle était malheureuse parce que je ne lui donnais pas assez d'argent ? Est-ce vraiment pour ça que vous êtes en colère ?

– Elle voulait un bateau à elle.

– Je n'en avais pas les moyens ! Je n'ai pas une somme pareille à ma disposition. Nous vivons de mon salaire. L'argent que j'ai mis de côté servira à payer leurs frais de scolarité à Punahou, qui s'élèvent à vingt-huit mille dollars pour les deux. Sans oublier les cours de chant et de danse, les colonies de vacances. Et j'en passe, la liste est longue."

Les filles ont l'air effaré, outré. C'est toujours comme ça avec les gosses privilégiés – ils oublient que les profs, ça se paie. Ils oublient que tout a un coût, que ce soit monter sur les planches au cours de théâtre ou fabriquer un bong pendant un atelier de soufflage de verre. Je suis sûr que les gamins pauvres, eux, sont conscients que rien n'est gratuit. Que tout a un coût. Je regarde le mur au-dessus de la tête de Scott et j'ai envie de donner un coup de poing dedans. Pourquoi suis-je en train de parler de frais de scolarité ? Pourquoi suis-je soudain tellement sur la défensive ?

"Si elle avait eu son propre bateau, un bateau qu'elle connaissait vraiment, elle ne serait pas..." D'un geste, il montre sa fille.

"D'abord, elle n'était pas aux commandes, et vous ne pouvez pas me le reprocher. Je n'y suis pour rien !

– Elle méritait mieux de ta part", dit-il en me regardant droit dans les yeux. Je n'arrive pas à croire qu'il puisse dire ça, surtout devant les filles. La langue me démange, je pourrais leur dire la vérité. Dire à Scott qu'elle me trompait, que je méritais mieux, moi aussi. Qu'elle nous a brisé le cœur à tous les trois.

"Je sais, dis-je. Elle méritait mieux." Et je me rends compte que c'est vrai, que ce ne sont pas juste des mots visant à apaiser cet homme. Je respire à fond, me souvenant qu'il s'agit du père de ma femme. Je ne pourrais pas imaginer une de mes filles devant moi, dans ce lit. "Vous avez raison, dis-je. Je suis désolé.

– Bon sang, allez-y mollo avec lui, dit Sid.

– Oui, grand-père, renchérit Scottie.

– Papa a fait de son mieux", dit Alex.

Je suis sidéré, presque mal à l'aise : Scott est capable de s'imaginer que j'ai payé les filles pour dire ça. Notre front uni me fait tout drôle, comme si nous étions une autre famille. Une de ces familles heureuses comme il m'arrive d'en rencontrer. Ce qui m'amène à me demander : *En serions-nous une ?* Serions-nous, malgré tout, sur la bonne voie ? Ceci dit, où que nous en soyons, quoi que nous soyons, nous ne le devons sans doute qu'à l'absence de Joanie. À son silence. Je repense à Sid disant à sa mère que la mort de son père était la meilleure chose qui leur soit arrivée, et je prends soudain conscience qu'il n'y avait là ni méchanceté, ni insolence de sa part. Il l'a dit parce que c'était en partie exact, une douloureuse vérité. Quel courage il lui aura fallu pour dire cela à sa mère !

Je pourrais répondre à Scott que l'argent ne va pas me rendre la vie meilleure, mais que la mort de sa fille, oui. Je le sais au plus profond de moi. Je ne veux pas me retrouver dans cette situation, je ne souhaite pas ça à ma femme, mais conscient de ce qui est arrivé et de ce qui va arriver, je suis persuadé que mes filles s'en sortiront, qu'elles en sortiront fortifiées et que je serai un bon père. Je suis également persuadé que notre vie y gagnera en qualité par rapport à celle à laquelle nous pensions être destinés. Tous les trois nous allons réussir, Joanie. Je suis navré de te le dire.

"Je n'ai pas choisi, dis-je à Scott. Je n'ai pas vendu."

Les filles me dévisagent. Alex sourit. Je ne suis pas certain de savoir pourquoi, pas plus que je ne me rends compte de ce que ma décision signifie pour elle, mais je me félicite d'avoir son approbation.

"Ça reste dans la famille, même si ça va être chiant. J'aurai beaucoup de travail.

— Ce n'est pas mon problème", dit Scott.

J'ai envie de crier que je m'y accroche, que je m'accroche à tout, que la vie m'a pris au dépourvu et qu'en retour je la surprends à mon humble façon.

Scott se lève, il s'approche de Joanie. Il examine les fleurs comme s'il s'agissait de livres sur un rayon, puis il rit. "Tu dois en avoir emmerdé plus d'un." Il en a l'air presque fier.

"Oui. Et je n'ai sans doute pas fini d'en entendre parler. Même si la façon dont j'ai procédé est parfaitement valide et légale, je n'écarte pas la possibilité qu'un plaignant détecte une minuscule faille dans le dossier et décide d'y fourrer son nez."

Alice regarde le magazine de Sid avec de gros yeux fixes, tel un hibou. "On y va ? demande-t-elle.

— Non, maman, répond Barry.

— Pourquoi pas ?

— Parce que, maman...

— Oui, Alice, dit Scott. On y va." Il joint les mains et contemple sa fille. Les filles se tournent vers moi, paniquées.

"Les filles, Sid", dis-je. De la main, je montre la porte, ils me suivent dans le couloir.

"Il va le faire maintenant ? demande Alex.

– Je suppose", dis-je.

Nous arpentons le couloir. Scottie est la seule à ne pas bouger et à regarder. Au bout d'un moment, nous suivons son exemple, tout en jetant des coups d'œil dans le couloir, peut-être est-ce une façon de cacher notre envie de voir comment on procède. Scott ferme les yeux. Sans un mot, il touche l'épaule de sa fille. Barry l'observe, lui aussi, avec crainte et respect.

"Est-ce qu'il prie ? demande Sid.

– Non", dis-je.

Alice s'éloigne du lit, Scott lève les yeux vers elle, puis il contemple sa fille. De la main, il se couvre la bouche, ferme très fort les yeux, les rouvre, place la main sur le front de Joanie, lui lisse les cheveux en arrière. Il va alors vers Alice, lui prend la main, et se dirige vers la porte. Nous reculons. J'ai droit à un bref regard avant qu'il ne s'éloigne dans le couloir. Je le connais ce regard – c'est celui que me lance l'avocat de la partie adverse lorsqu'il perd contre moi. Un regard agacé qui semble me reprocher de m'en être tiré impunément. Le regard de quelqu'un qui est bêtement convaincu que j'ai de la veine.

41

Joanie paraît différente depuis que son père lui a dit au revoir. Comme si cet adieu l'avait poussée un peu plus vers le néant. J'ai du mal à la regarder, conscient que ses parents ne la reverront jamais. Tout paraît différent. Nous attendons dans le couloir pour laisser Barry seul avec elle.

"Tu crois que papy nous aime encore ?" demande Scottie, une question que je me posais. Je me demande s'il gardera contact avec nous, même si j'imagine que ça dépendra de moi. Je devrai veiller à ce qu'il voie ses petites-filles et à ce qu'on s'occupe de lui. J'hérite de lui aussi, je suppose. Je remarque pour la première fois que les filles ont la même raie à droite, les mêmes cheveux qui retombent en boucles.

"Bien sûr qu'il nous aime. Il est triste, c'est tout. Et quand on est triste, on dit parfois certaines choses…

– Je pars, tout le monde ! lance Barry, en sortant de la chambre.

– Très bien", dis-je, me retenant d'ajouter *Tu as fini ? Tu es sûr ?* Tout va trop vite.

"Je reviendrai peut-être, dit-il. Je préfère m'en aller et réfléchir à tout ça. Si je sens que c'est pas tout, je reviendrai. Mais pour le moment, je m'en vais.

– D'accord, Barry", dis-je.

Il m'étreint, embrasse les filles. "On peut faire ce qu'on veut, leur dit-il. On peut agir comme bon nous semble, l'essentiel est de ne pas être en colère. De rester digne."

Je les reconnais, ces mots. Je préparais un rôti pendant qu'Esther faisait des *empanadas* en regardant *Oprah*, et une femme dont le fils venait d'être tué disait la même chose aux siens. Je me souviens très bien de m'être arrêté pour regarder cette femme aussi courageuse qu'intelligente. Et je l'ai vraiment crue, j'ai cru qu'elle disait ça à sa famille, et j'ai perçu l'effet positif de ces mots. Mais dans la bouche de Barry, ils n'ont pas le même impact. Je ne suis pas convaincu qu'ils l'aideront. Dieu sait qu'il en a lu des ouvrages de développement personnel, mais ils parlaient de l'amour, pas de la mort. Je pense que le chagrin et la colère lui tomberont dessus tout d'un coup, des sentiments à l'état sauvage face auxquels les mots ne pourront rien. Nous allons tous être frappés et nous ne saurons pas comment riposter. J'aimerais tellement connaître les réponses, savoir comment m'aider moi-même et aider ceux qui souffriront autour de moi.

"Bon, les filles, dis-je. Il ne reste plus que vous et moi.

– Et moi, dit Sid.

– Ça va ? je demande. Est-ce que vous voulez qu'on y retourne ?"

Chacun de nous jette un coup d'œil dans la chambre, mais aucun n'y entre.

"Ça ne va pas, dit Alex. J'ai l'impression qu'on se contente de l'observer. Et qu'on attend...

– Je sais, dis-je, je sais."

Sid a toujours les yeux rivés vers le bout du couloir, il consulte encore une fois sa montre et son téléphone portable.

"Tu attends quelqu'un ? dis-je.

– Non", répond-il.

Je le déçois, c'est clair. Il pense que je devrais me remuer, me battre contre Brian qui ne fait pas le poids, d'après lui. Il pense que je me sentirais mieux si je racontais tout à Julie. Je trouve ça triste de constater qu'il n'a toujours pas compris. Si quelqu'un devrait savoir que la vengeance ne sert à rien, c'est bien lui.

"On devrait peut-être prendre l'air. Manger quelque chose. Si on passait prendre un plateau-repas ?

– Est-ce qu'on lui dit au revoir comme si c'était la dernière fois ? demande Scottie. Au cas où..."

Je passe la tête dans la chambre. "Non, dis-je. Ça va aller. On n'en a pas pour longtemps." Dire au revoir comme si c'était la dernière fois pourrait devenir pénible à la longue. Et nous partons, sans nous retourner, avec l'espoir qu'elle sera toujours là et la peur d'admettre que nous pourrions nous tromper.

42

Elle était toujours là à notre retour, et elle est toujours là ce matin. Et nous y revoilà, une autre journée à passer assis dans cette chambre sombre, à veiller Joanie, à attendre. Le gingembre et le jasmin sont fanés, mais ils embaument toujours la pièce. Joanie a le bout des doigts bleu. Je me demande si je suis le seul à le remarquer. Ça fait cinq jours que les machines ont été débranchées.

Joy apparaît dans l'embrasure de la porte. Je suis soulagé de la voir.

"Joy, dis-je.

– Monsieur King, votre épouse a de la visite."

J'ai assisté aux adieux silencieux d'un père à sa fille, mais l'air grave de Joy, son regard qui fuit le mien me perturbent encore davantage.

"Qui est-ce ? dis-je.

– Une femme. Je ne connais pas son nom. Dois-je lui dire d'entrer, ou préférez-vous rester seuls ?"

J'essaie de deviner de qui il pourrait s'agir. Tous ceux à qui j'ai annoncé la nouvelle sont passés, mais je ne serais pas surpris que Shelley revienne voir où nous en sommes.

"Faites-la entrer, bien sûr.

– Entendu, monsieur King." Joy s'en va, et je me demande si elle a cet air sérieux parce qu'elle est triste pour moi ou si, compte tenu que nous ne sommes plus "clients", ils attendent simplement notre départ afin de libérer le lit pour le patient suivant.

"Qui est-ce ?" demande Alex. Elle ramène ses cheveux derrière son oreille et lisse son chemisier. Je ne remarque qu'à cet instant l'effort qu'elle a fait pour s'habiller : pantalon noir et chemisier blanc impeccable. Sid a mis lui aussi une chemise, et un jean qui ne tombe pas. Personne ne leur a demandé une tenue de circonstance. Je suis stupéfait et, je l'avoue, presque triste, qu'ils n'aient pas eu besoin de mes conseils. Il est néanmoins évident que Scottie, elle, est encore sous ma responsabilité : son T-shirt extralarge lui arrive en dessous du short, si bien qu'on pourrait croire qu'elle ne porte rien d'autre. Au dos de son T-shirt, on peut lire FÉROCE et voir un pitbull écumant de fureur qui s'apprête à uriner sur une pâquerette.

"Et si on veut pas d'elle dans la chambre ? dit Scottie. Après tout, c'est à nous d'être là, maintenant.

– C'est un peu tard, répond Alex.

– Et si elle est envoyée par les Services de protection de l'enfance ? demande Scottie.

– Pour quoi faire, Scottie ? Pourquoi est-ce qu'ils viendraient ici ?" Je regarde son T-shirt, ses cheveux, ses ongles.

"Pour nous emmener, tiens !

– Mais pourquoi est-ce qu'ils feraient une chose pareille ?

– Je rigolais. Vas-y, détends-toi !"

Sid s'assied sur la même chaise, il s'impatiente, il tape du pied puis, soudain, il se redresse, l'air satisfait. Dans l'embrasure de la porte j'aperçois un énorme bouquet de roses blanches, si grand qu'il cache le visage de celle qui l'apporte, mais je reconnais aussitôt les cheveux mordorés et les bras pâles de Julie Speer.

Elle pose par terre le vase des fleurs et regarde son pull bleu ciel.

"J'en ai renversé sur moi", constate-t-elle. Sur son pull s'étire une tache qui rappelle une rose et sa tige.

"Attendez, dit Scottie qui sort une blouse d'hôpital du tiroir près du lit de Joanie et la lui tend. Servez-vous de ça."

Julie hésite. "Merci", dit-elle et elle s'essuie vite fait. Là-dessus, elle nous regarde tous, regarde Joanie. Je me souviens de lui avoir dit que ma femme était souffrante, mais je n'aurais jamais cru qu'elle viendrait. Alex place le vase sur l'étagère au fond de la pièce, faute de place sur la table de chevet de Joanie.

"C'est vraiment gentil de votre part de lui rendre visite, dis-je. Je ne m'y attendais pas...

– Je sais, dit-elle. Nous nous connaissons à peine, mais je pensais à vous, les filles, ces derniers jours, et je savais que votre mère était là. Je me suis dit que je devrais passer..."

Ses mains tremblent légèrement. Elle en approche une de sa poitrine et respire à fond. Je la prends par le bras et l'emmène vers la chaise à côté de Sid. Il la salue de la tête.

"Je vous présente Sid, dis-je. Sid, Mme Speer.

– Julie", dit-elle.

Il tend la main, elle la prend, et pour je ne sais quelle raison dit : "Merci.

– Où sont vos enfants ?" demande Scottie.

Julie semble réfléchir à la question. "Ils sont à Kauai avec mon mari. Ils rentrent cet après-midi.

– Vous êtes une amie de ma maman ?" demande Scottie.

Julie examine Joanie comme si sa réponse dépendait de ce qu'elle voyait. "Non, dit-elle. Je ne l'ai jamais rencontrée."

Alex et moi échangeons un regard d'une complice perplexité, comme souvent ces derniers temps. Sitôt que quelque chose me paraît bizarre, contrariant ou drôle, je me tourne d'abord vers elle. *Qu'est-ce que Julie fabrique ici ?* peut-elle lire dans mon regard.

"Merci pour les fleurs, dis-je. Merci d'être passée.

– Alex, Scottie, dit Sid, laissons-les seuls un moment.

– Quoi ? dis-je. Non, c'est bon. Vous pouvez rester."

De la main, Sid guide Alex vers le couloir. Scottie suit, Sid referme la porte et me laisse seul avec Julie. Il faut que je dise à Julie que ma femme ne va pas se rétablir, comme je le lui ai déjà dit. Il faut que je lui dise qu'elle ferait mieux de repartir. Je vais au chevet de ma femme.

"Je sais", dit Julie.

Elle se tient debout contre la fenêtre, contre les stores verticaux. Joanie détestait ce genre de stores. J'en avais autrefois dans le bureau. "Ça fait nouveau propriétaire", avait-elle déclaré lorsqu'elle avait emménagé. Ils étaient là quand j'avais acheté la maison et je n'aurais rien changé – ni les sols, ni les plans de travail, ni la terrasse, ni le garage, ni même le toit – si Joanie ne m'avait pas montré les améliorations possibles. C'est elle qui a agrandi l'allée, planté trois variétés de fougères, prolongé le toit en une marquise soutenue par de grands piliers en bois pour donner à l'entrée un peu de classe tout en restant accueillante. Elle a retiré la moquette, arraché le papier peint à fleurs qui tapissait les chambres, refait la cuisine, les salles de bain. C'est elle qui a négocié avec les entrepreneurs, fait jouer ses relations. Bref, elle a trimé pour transformer cette vieille demeure en une superbe maison. Au vu du résultat, je n'aurais jamais pu imaginer l'habiter dans son état d'origine.

"Matt ? dit Julie.

– Oui, dis-je. Oui, Julie.

– Si vous voulez savoir pourquoi je suis là, dit-elle, c'est parce que je sais. Oui, je suis là parce que mon mari n'a pas voulu venir."

J'accueille ce qu'elle vient de dire en fouillant pour je ne sais quelle raison dans ma poche de pantalon. Je tripote une boule de quelque chose – un bout de tissu ou un vieux papier. Je me demande ce que c'est.

"Je sais qu'il couchait avec elle. Je sais qu'elle... ne va pas bien.

– Elle est en train de mourir, dis-je.

– Je ne sais pas ce que je fais ici.

– Je suis désolé.

– Pourquoi êtes-vous désolé ?

– Je n'aurais pas dû venir chez vous comme ça, dis-je. J'ignorais qu'il avait une famille. Je suis navré."

Elle regarde au pied du lit, puis lève les yeux vers Joanie.

"Joanie est très belle, dis-je. Elle ne ressemble pas à ça en temps normal."

Elle hoche la tête. "J'ai honte de l'avouer, mais je suis furieuse !" Elle se met à pleurer. "Furieuse contre eux deux.

– Je suis furieux, moi aussi. Et c'est vraiment étrange. Je ne souhaite ça à personne."

Elle sèche ses larmes.

"Quand vous l'a-t-il dit ?"

Elle paraît surprise. "Mon mari ?

– Oui. Vous l'a-t-il dit après notre départ ? Est-ce qu'il s'est passé quelque chose ?

– Il ne m'a rien dit. C'est Sid qui me l'a dit. Il a appelé hier à la maison. Comme vous pouvez imaginer, nous étions dans tous nos états, nous nous sommes disputés.

– Sid ? Ça alors.

– C'est juste que..." Elle se met à rire et à s'éventer. Je sens que je devrais la laisser se remettre, aussi je lève les yeux au plafond, mais c'est plus fort que moi, je la regarde, incapable de dissimuler mon irritation.

"Qu'est-ce qui vous fait rire ?

– C'est tellement atroce ! répond-elle.

– Écoutez, Julie, je suis désolé pour tout, sincèrement, mais je ne peux pas m'occuper de ça maintenant. Je dois être au chevet de ma femme.

– Je sais, dit-elle presque avec rage. J'ai trouvé lamentable que mon mari ne vienne pas c'est pour ça que je suis venue. Je voulais dire à votre femme que j'étais désolée."

Je me demande si, au fond d'elle-même, elle n'est pas satisfaite de voir ma femme dans cet état. Je n'aime pas la façon dont elle se tient, debout, près de Joanie, ça accentue encore le contraste entre une femme en pleine santé et une mourante. Julie, de retour de vacances à la plage, a le visage tout bronzé. À côté d'elle, Joanie paraît minuscule, toute ratatinée. Je veux protéger Joanie, je me sens uni à elle, je suis fou amoureux d'elle. Je veux lui prendre la main et montrer la porte à Julie.

"Il m'a tout dit", reprend Julie. J'ignore si elle s'adresse à moi ou à Joanie. "Je vous pardonne d'avoir essayé de me le prendre, d'avoir essayé de détruire ma famille.

– Arrêtez, dis-je. Ça suffit."

Elle va ajouter autre chose, quelque chose qu'elle a sans doute préparé, mais je ne la laisserai pas se battre avec une femme qui n'est pas en mesure de se défendre. Toute grâce, toute douceur se sont envolées : elle s'est trompée elle-même en croyant agir de manière noble. En réalité, c'est la colère qui l'a poussée à venir. Elle et moi éprouvons, je pense, un commun besoin de protéger notre territoire. C'est une guerre. Ça l'a toujours été.

Je me dirige vers la porte, je l'ouvre et j'attends qu'elle s'en aille. Elle contemple Joanie. Est-ce que je vais devoir la faire partir de force ? Après un coup d'œil vers ses fleurs, elle se détourne du lit.

"Il ne l'aimait pas, dit-elle.

– Je le sais, mais il ne vous a pas toujours aimée vous non plus." Elle s'arrête devant moi.

"En venant ici, je n'avais pas l'intention de me comporter comme ça, mais j'aime ma famille, c'est tout.

– C'est ma femme", dis-je.

Elle attend que je poursuive, mais je n'ai rien à ajouter. J'étais sur le point de dire : *C'est l'amour de ma vie. Vous, vous pouvez retourner auprès de votre famille. Moi non.* Mais je ne veux plus lui parler. Ces derniers jours j'ai essayé de me débarrasser de tout le monde. Allez-vous-en. S'il vous plaît, allez-vous-en tous.

Elle hésite, peut-être se demande-t-elle si elle doit me serrer la main ou m'étreindre, mais je lui fais comprendre que je ne veux ni l'un ni l'autre. Je repense au baiser que je lui ai donné, pour laisser mon empreinte, tout comme son mari a laissé la sienne. Je suis dégoûté par ma banale vengeance, écœuré à l'idée que Julie puisse être la dernière femme à me rendre un baiser.

Elle sort, je referme la porte. Je regarde ses fleurs qui trônent au fond de la chambre. Je vais au chevet de ma femme, qui n'est plus que l'ombre d'elle-même. Je m'assieds sur son lit, je prends sa main, qui, au toucher, ne me semble plus la sienne. Je caresse son visage, je contemple ses lèvres, les plis de ses lèvres. Je passe la paume sur son front, lisse ses cheveux, comme son père avant moi. Je lui demande en silence de me pardonner, mais je prends conscience qu'elle n'est pas quelque divinité, ce pardon il me faut le lui demander à haute voix.

"Pardonne-moi, dis-je. Je t'aime. Je sais que c'était bien, ce que nous avons fait ensemble."

J'ai choisi mon heure. Je ne veux pas la serrer dans mes bras. Je sais que je n'aimerais pas la sensation de ne pas être étreint à mon tour. Je ne veux pas l'embrasser non plus parce qu'elle ne me rendra pas mon baiser, mais je l'embrasse quand même. Je presse mes lèvres contre les siennes et je pose ma main sur son ventre. Est-ce que tout ne vient pas de là ? C'est là que je ressens amour et douleur, colère et fierté, et même si je n'avais pas prévu de le faire comme ça, je lui dis adieu. Je me penche pour poser mes lèvres au creux de son cou, nos têtes l'une contre l'autre. Adieu, Joanie. Adieu, mon amour, mon amie, ma douleur, mon bonheur. Adieu. Adieu. Adieu.

43

Je prépare le gin tonic en contemplant la haie de seringas qu'encadre la baie vitrée, puis je regarde sous la fenêtre, en direction du canapé sur lequel est assise la mère de Sid. Elle porte un pantalon et un chemisier, il est évident qu'elle n'a pas l'habitude de s'habiller comme ça. Elle boutonne et déboutonne son col, arrange son collier. Je détourne les yeux avant qu'elle ne remarque que je l'observe.

Je me suis dit que puisque Sid en était capable, je l'étais aussi. Il a appelé Julie. J'ai appelé sa mère. Nous sommes quittes.

Je lui apporte son verre. J'apprécie qu'elle boive un gin tonic. J'en bois un moi aussi, même s'il gèle dehors et que je n'ai aucune envie de toucher le verre glacé. Une vague de froid inhabituel a touché l'île ces derniers jours, accompagnée de fortes pluies et de nuages presque noirs – un temps de circonstance pour nous.

Mary tient son verre entre ses paumes calées sur ses cuisses. Je m'aperçois que je n'ai pas pensé aux dessous de verre et qu'elle a peur de le poser sur la table en bois. Sa petite serviette est en boule dans sa main, et des bouts de papier collent au verre humide.

"Vous pouvez le poser", dis-je.

Elle regarde la longue table en bois devant elle, les gros livres : *À la recherche du paradis*, *L'Esprit des lieux*, *Atlas mondial*, et *Le Droit aux États-Unis*. Elle hésite, essaie de récupérer la serviette trempée, y renonce et pose son verre. Peut-être perçoit-elle qu'elle peut faire ce qu'elle veut et agir comme bon lui semble. Elle ignore que ma femme est morte il y a deux jours. Entre son mari décédé et son fils rebelle, elle n'a rien à craindre ici, elle l'emporte.

"Je ne bois pas d'habitude, dit-elle. Surtout de si bonne heure.

— Bien sûr." Je note la ressemblance entre elle et Sid : le nez pointu, les grands yeux à fleur de tête.

"Est-ce que ç'a été ? demande-t-elle. Il s'est bien conduit ?"

Je le revois en train de fumer de l'herbe, des cigarettes, de tâter les fesses de ma fille, de se morfondre, de parler pour ne rien dire, de détruire le mariage de Brian ou, comme dit Scottie, d'en prendre pour son grade avec mon beau-père.

"Oui, dis-je. Il a été d'une aide étonnante.

— Je peux vous dédommager, dit-elle. Pour la nourriture. Vous rembourser ce qu'il a pu vous coûter.

— Oh, non, dis-je, ne vous inquiétez pas pour ça."

Elle parcourt la maison du regard, puis le jardin, la piscine, la montagne à travers la porte grillagée. Je regarde par là-bas moi aussi, puis je lui demande si elle souhaite que j'aille voir pourquoi il met autant de temps.

"Est-ce qu'il vous a raconté pourquoi je l'ai mis dehors ?

— Il m'a dit que son père était mort, qu'il lui manquait.

— Son père n'était pas facile à vivre, mais il veillait sur nous. Il aimait Sid.

— J'en suis certain, dis-je.

— Vous devez me prendre pour une mère indigne d'avoir mis mon fils à la porte."

Son visage accuse sa fatigue, elle paraît sans doute plus que son âge.

"Loin de moi cette pensée. Les enfants ne sont pas faciles. Quelquefois c'est la seule solution. Surtout dans le cas de Sid. Avec lui, ça ne doit pas être de tout repos.

— Non, c'est vrai." Elle rit, comme si nous reconnaissions que nos enfants sont loin d'être faciles, mais que nous les aimons ainsi, et pas autrement. Je constate qu'elle a apporté à Sid une de ses revues préférées, avec des filles sur des capots de voitures ou des motos.

"Il faut que je lui dise que je le crois", dit-elle.

Elle regarde derrière moi et je suis sûr que son fils est dans les parages. Il doit arpenter les dalles du corridor, passer devant nos photos sur le mur, devant la table recouverte de cartes de condoléances, devant le cache-pot japonais qui résonne comme un gong quand on le frappe avec une cuillère en bois enveloppée dans un torchon. C'est comme ça que Joanie battait le rappel de la famille pour le dîner. "À table! criait-elle après le coup de gong. À table!"

"Salut, maman", dit Sid.

Elle se lève, mais reste où elle est, entre le canapé et la table basse, sa zone de sécurité. Sid est à côté de moi. Je me lève et je l'encourage du regard. Je vois bien qu'il ne veut pas que je parte, mais ce n'est pas mon problème. Nous avons un commun besoin de nous réconcilier avec les morts et de les accepter tels qu'ils étaient. Nous voulons grandir, nous affranchir de l'autorité de nos défunts monarques, faire en sorte qu'ils cessent de diriger nos vies, même si je sais que c'est impossible, et qu'ils gouvernent ma vie depuis des siècles.

"Merci d'être venue, Mary", dis-je.

Je m'en vais. J'entends leurs voix. Je veux croire que je les entends s'étreindre, mais une étreinte ça ne s'entend pas.

Je trouve Alex près du gong, je l'en éloigne.

"Ils parlent? demande-t-elle.

– Je crois."

Nous passons devant les photos de Joanie. Je ne les regarde pas, je les connais par cœur. Joanie à Mauna Kea avec Alex sur ses épaules, Joanie et moi dînant avec des amis dans un de ces restaurants tournants où nous avions tous eu la nausée, Alex sur sa moto tout-terrain dans une bananeraie, Joanie en bikini sur un bateau et Scottie penchée par-dessus bord qui feint de vomir, Joanie chevauchant une vague sur un canoë, arc-boutée sur le balancier pour empêcher le bateau de se retourner.

Sur le lit d'appoint, enfouie sous la couette ramenée de sa chambre, Scottie regarde la télévision. C'est à peu près tout ce qu'on a fait ces deux derniers jours. Je retire mes chaussures et m'allonge à côté d'elle, Alex nous rejoint. Sur l'écran, une sublime célébrité reçoit une récompense pour avoir joué une femme laide.

Je mets des oreillers sous ma tête, je remonte les couvertures. Pour moi, c'est le paradis sur terre. Je m'aperçois que Scottie a repris le scrapbooking, son album est posé sur son ventre. Je le feuillette. Le temps passe. Le temps a passé. Je le constate en regardant les photos – Troy au bar du club le jour des physalies, Alex dans la piscine en colère contre Scottie, le jour de son retour à la maison. Je remarque d'innombrables photos de Sid dans des poses ou occupations des plus banales : Sid lisant un de ses magazines de voitures au bord de la piscine, Sid mangeant des frites, Sid faisant la sieste.

"Sid va rentrer chez lui ? demande Scottie.

– Oui, dis-je.

– Tu sors toujours avec lui ? Même s'il est allé avec les pétasses ? demande Scottie à sa sœur.

– On est copains, c'est tout, répond Alex qui ajoute, dans un élan de sincérité : Je ne sais pas ce qu'on est. Je crois qu'on est ensemble maintenant." Elle montre l'album. "Dis donc, y en a des photos de lui !

– Il est photogénique", dit Scottie. Elle reprend son album et tourne les pages, fascinée par son œuvre. Elle le garde jalousement, elle ne me laissera pas le feuilleter. Comme si elle s'était instituée gardienne de nos reliques. Conservatrice du musée familial.

Page suivante. Une vieille photo de moi au bureau, entourée d'images qui me symbolisent : un porte-documents, une chope de bière.

Il va désormais falloir que je passe beaucoup de temps au bureau, à me familiariser avec mes propres terres et à essayer de rattraper des années de négligence.

Scottie m'a placé au-dessous de ma mère et de mon père. Joanie est à côté de moi, c'est une photo prise il y a des années après sa course de canoë entre Molokai et Oahu, avant la naissance de Scottie. Elle respire la santé – des dents, une peau, un teint éblouissants. Elle est jeune et belle, on sent une jeune femme heureuse, je constate que la photo a été prise avant notre première rencontre.

J'ébouriffe les cheveux de Scottie, elle s'appuie contre moi.

"Tu es la gardienne du souvenir, dis-je, l'historienne de la famille.

— Mme Chun te dirait que c'est pas vraiment du scrapbooking parce qu'il n'y a ni bouts de tissu, ni texte.

— Il me va très bien comme ça, dis-je.

— À moi aussi.

— À quelle heure on partira, demain ? demande Alex.

— Tôt, dis-je.

— Et s'il continue à pleuvoir ?

— On ira quand même, on doit le faire."

Les cendres sont dans une boîte et la boîte dans une sacoche violette qui me rappelle celles contenant certains alcools de luxe. Il faut chaque fois que je me ravise : *Non. Ce sont des cendres. Les cendres de ma femme.*

Je ne sais pas trop comment les filles ont fait leurs adieux, à quoi ressemblait ce moment, et je ne veux pas leur poser de questions, parce que ça risquerait de me faire trop mal. Chacune est entrée seule. Chacune a dit quelque chose, est ressortie et a cherché une réponse précise sur mon visage. Puis nous avons quitté l'hôpital pour regagner la maison. Scottie a allumé la télévision dans le petit bureau. Alex est allée dans sa chambre. Moi dans la mienne, mais ne pouvant supporter de rester dans ce lit, j'ai rejoint Scottie. Alex était revenue à côté d'elle, et j'ai compris que c'était là ma place. Joanie devait attendre que nous lui ayons fait nos adieux, parce qu'elle s'est éteinte le lendemain.

Sur l'écran, défilent des photos de personnes disparues ayant travaillé dans l'industrie du cinéma. Certaines sont saluées par des salves d'applaudissements, d'autres pas.

Les orteils de Scottie tapotent mon tibia.

"Tu as les doigts de pied glacés", dis-je.

Cette fois, elle presse le pied contre mon tibia, je frissonne. "Arrête !"

Elle rit aux éclats et je tends le bras de façon à leur toucher la tête à toutes les deux. Ça me rappelle ces gestes calculés et timides des premiers rendez-vous.

Je nous revois, Joanie et moi, nous promenant sur une plage à l'écart, près de la station balnéaire de Kahala. Nous venions de déjeuner chez *Hoku*, et nous avions bu un verre de vin. Je marchais à ses côtés, effleurant délibérément sa main, avec le secret espoir que nos mains s'enlaceraient. Puis j'ai passé le bras autour de sa taille, elle s'est rapprochée et n'a plus bougé, j'étais le plus heureux des hommes. En marchant le long de ce magnifique hôtel, nous avions l'impression d'être en vacances, d'être des touristes dans un pays exotique. C'est étrange de penser qu'il y a eu un temps où nous étions deux amoureux timides.

"Je suis contente que tu n'aies pas vendu les terres, dit Scottie.

– Vraiment ? Pourquoi ?

– Parce qu'elles seraient plus à nous, tiens !

– Elles seront à vous un jour, à vous deux.

– Ça fait beaucoup", dit Alex.

Scottie va à la dernière page de son album, c'est là qu'elle a relégué ceux qui sont à l'origine de tout ça, la princesse Kekipi et Edward King.

"Pourquoi est-ce qu'ils sont à la fin ? dis-je, curieux. Est-ce qu'ils ne devraient pas plutôt être au début ?

– Peut-être", répond Scottie. Elle pose la main sur le portrait de la princesse. "Je verrai plus tard.

– Non, laisse, dis-je. Après tout, ils sont bien à la fin."

C'est drôle, je les considère comme le commencement, alors qu'ils étaient, eux aussi, les descendants de quelqu'un, ils portaient dans leurs gènes les traces des générations précédentes et de leurs migrations. Ils ne sont pas sortis de nulle part. Tout le monde descend de quelqu'un qui descend de quelqu'un d'autre, et je trouve ça merveilleux. Nous ne connaissons pas les personnes qui sont en nous. Nous aurons tous notre tour à la cime de l'arbre. Matthew et Joan. Nous serons ces deux-là, un jour.

Je m'assoupis. J'ignore combien de temps. Lorsque j'ouvre les yeux, la retransmission de la cérémonie de remise des Oscars n'est pas finie et Alex me dit que Sid est parti. Ça m'attriste. Ce que nous partagions tous les quatre est terminé. Désormais, il est le petit ami de ma fille et, moi, je suis un père. Un veuf. Pas d'herbe, pas de cigarettes, défense de dormir à la maison. Ils devront se montrer inventifs, ils trouveront sans doute des endroits peu confortables, comme tous les gosses de leur âge. Je le laisse aller et, avec lui, mes vieilles habitudes. Tous les trois, nous le laissons aller, tout comme nous laissons aller ceux que nous étions avant ça. À présent, il ne s'agit plus que de nous trois. Je jette un coup d'œil aux filles, je regarde ce qui reste.

44

Je pilote le petit canoë et je me débrouille très mal. Nous nous frayons une route tortueuse à travers l'océan. Tous ces coups de pagaie superflus ont épuisé les filles. De quoi décevoir nos ancêtres polynésiens. Je n'ai pas le sens de l'orientation, je ne sais me servir ni du soleil, ni des étoiles, ni de la houle pour manœuvrer au large. Cette faculté, cet instinct de mes aïeux sont perdus.

"Si on les jetait ici?" crie Alex. Elle est assise à l'avant, et je vois ses muscles saillir le long de son dos.

"Un nageur, papa, s'exclame Scottie. Un nageur!"

Je vois un bonnet de bain blanc se diriger vers nous puis vers les catamarans.

"Dépassons les brisants, il y aura moins de monde, dis-je.

– Dans ce cas, va tout droit, répond Alex.

– J'essaie.

– Essaie mieux que ça. Tu dois sentir quand le bateau va tourner et ne pas trop rectifier la trajectoire. Tu es trop lent."

Joanie, elle, savait manœuvrer. Je suis à peu près sûr que nous y pensons tous.

Je m'efforce de repérer la manche à air orange. Je vois le récif émerger par endroits, on dirait les dents de la mer. Le soleil rougeoie derrière les nuages gris. L'eau est sombre, et les silhouettes sinistres des rochers au fond de l'océan semblent se déplacer au-dessous de nous. Ma pagaie effleure un morceau de récif dont les alvéoles rappellent un rayon de miel. Je barre vers la droite pour gagner des eaux plus profondes. Les cendres sont dans le sac, le sac sur mes genoux. Chaque fois que je regarde le sac, j'éprouve un sentiment d'injustice. Ce n'est pas normal qu'elle se retrouve ainsi sur mes genoux. Je peux à peine sentir sa présence. Je repense aux diverses options pour les obsèques : *Laissez-vous emmener en pirogue et disperser sur les flots !*

La houle devient plus forte près des manches à air, mais les vagues ne se brisent pas. Un rouleau se forme au-dessous de nous, la pirogue glisse vers sa crête, puis retombe. Le nez du bateau transperce l'eau et, à l'approche de la vague suivante, encore plus grosse, je coince un peu plus le sac de cendres entre mes jambes. Scottie cesse de pagayer.

"Continue !" dis-je, une pointe d'angoisse dans la voix. Nous devons prendre de la vitesse pour franchir la vague si nous ne voulons pas qu'elle nous entraîne au fond. Elle nous soulève, et nous asperge : je n'y vois plus rien, puis nous dévalons son dos arrondi et atterrissons si violemment que nous sommes éjectés de nos sièges.

"Sortons de là", dis-je.

Les filles sont silencieuses, inquiètes. Elles plongent leurs pagaies en profondeur, déplaçant autant d'eau que le permet leur petit gabarit. Les poignets submergés s'activent. Nous pagayons plus longtemps que nécessaire, et nous nous retrouvons bien au-delà de la vague. L'eau est encore plus sombre, et les rochers au fond de l'océan ressemblent à des créatures endormies. L'endroit paraît trop sinistre, trop froid et désolé pour y passer l'éternité, mais je ne dis rien.

Les filles cessent de pagayer. Je contemple la plage de Waikiki, elle me paraît différente chaque fois, même si elle n'a guère changé : beaucoup de monde, une eau cristalline, des surfeurs glissant sur les vagues, du sable aussi blanc que de la porcelaine anglaise. Oui, chaque fois elle représente pour moi quelque chose de différent. Et aujourd'hui, elle représente Joanie. La plage de Joanie.

Je prends le sac, fourni avec une petite pelle en argent que je regarde avec étonnement, comme s'il s'agissait d'une plaisanterie.

J'ai réfléchi à la façon dont nous devrions procéder.

"Alex, dis-je, rapproche-toi de ta sœur. Si tu t'asseyais sur le balancier ?"

Elle se retourne et enjambe son siège, se lève en se cramponnant aux bords de la pirogue pour garder l'équilibre. Ses cheveux mouillés ramassés sur le haut de son crâne ressemblent à une ruche, ce qui me rappelle le récif.

"Tiens", dis-je, en tenant le sac ouvert et en lui tendant la petite pelle. Après une seconde d'hésitation, elle la prend, et sa main disparaît dans le sac d'où elle ressort la cendre sableuse dont une partie s'envole comme de la fumée. Alex incline la pelle pour que les cendres tombent au même endroit, s'amassent à la surface de l'eau avant de lentement assombrir l'océan et disparaître.

Alex tend la pelle à Scottie, je lui tiens le sac ouvert. À ma grande surprise, Scottie prend la pelle et la plonge dans le sac, l'agitant comme si elle allait en ressortir un lot de tombola. Moi qui croyais qu'elle aurait peur. Elle en extrait un tas de cendres, le renverse d'un coup de poignet et il s'envole. Nous gardons les yeux fixés sur l'eau, et quand nous ne voyons plus rien, les filles se tournent vers moi. Scottie a la chair de poule, elle claque des dents. Debout dans l'étroite pirogue, sa sœur et elle essaient de garder leur équilibre alors que la houle soulève notre bateau. Je pense à toutes ces cendres dispersées au large de Waikiki, à toutes ces fleurs jetées aux disparus, et je me demande où elles vont. Je plonge à mon tour la pelle dans le sac et je sens le poids de ma femme. Je jette les cendres à la mer, et ma douleur devient presque physique. J'ai mal à la gorge, à l'estomac, aux bras. Sans mes filles, j'ignore comment j'agirais en ce moment. Je ne parviens pas à les regarder sans être pris de vertige. Je sais qu'elles pleurent, et je ne peux pas regarder. Si je regarde, je vais m'effondrer. Je prends le sac et je le retourne. Tant de cendres s'en échappent encore qu'elles font un floc au contact de l'eau. Nous regardons sombrer ces cendres grises semblables à du gros sable. Les filles lancent quatre colliers de fleurs de frangipanier, nous les suivons du regard. Notre cérémonie semble alors toucher à sa fin, mais les colliers reviennent aussitôt s'accrocher au flanc de la pirogue. Scottie les récupère et les jette de l'autre côté.

Nous contemplons l'océan encore un moment et nous tournons les uns vers les autres, l'air de nous dire : *Et maintenant ? Est-ce qu'on peut rentrer maintenant ?*

Nous devrions peut-être attendre de ne plus voir les colliers... Alex s'assied à l'avant du canoë, Scottie sur le bord, adossée au balancier. Face à la côte, nous accompagnons nos fleurs des yeux. Au loin, des gens prennent le petit-déjeuner sur leur terrasse. Ne devrions-nous pas les imiter, au lieu de filer nous cacher chez nous ? Je ramène mon regard vers le large : les colliers de fleurs jaunes ont disparu. À l'instant où je reprends ma pagaie, j'entends une sirène, et j'aperçois un bateau, un de ces ferries sur lesquels on peut acheter de l'alcool à bas prix : sur le pont, des types torses nus, colliers de fleurs roses autour du cou et visières sur le front, picolent dans des coques de noix de coco. N'est-il pas trop tôt pour ça ? Scottie est assise sur son siège au milieu de la pirogue. De la main, Alex se protège les yeux pour observer le bateau. Les vagues claquent contre la pirogue, nous tanguons.

"You-hou-ou-ou ! crient-ils. You-hou !" Ils nous font de grands signes.

Des filles dansent à l'avant du bateau. La musique me martèle les oreilles.

"You-hou ! Ouais !" braillent les garçons. Ils lèvent leurs verres, comme pour trinquer à notre santé.

Nous les regardons, ils nous regardent, intrigués par notre silence.

Alex se remet à pagayer, Scottie la suit. Depuis leur bateau, les garçons les encouragent : "Pagayez ! Pagayez ! Ramez ! Ramez ! Allez-y !"

Un garçon au nez tartiné de crème solaire retire son collier et feint de le lancer. "Montrez-nous vos nichons !" hurle-t-il, et tout le monde rit.

Je fais demi-tour pour ne plus les voir. Les filles pagaient. J'ignore ce qu'elles pensent. J'espère que ça n'a pas gâché le dernier moment passé avec leur mère. En pagayant vers la côte, j'ai l'impression d'abandonner ma femme.

"Je t'aime encore", avait-elle dit un soir.

C'était juste avant son accident. Nous venions d'éteindre, je dormais presque et j'ai marmonné "Bonne nuit" en guise de réponse. Le lendemain matin, j'ai réfléchi à ce qu'elle m'avait dit avant de s'endormir : *Encore ? Elle m'aime encore ?*

Je la crois, pourtant. Oui, je crois que, malgré tout, elle m'aimait encore.

"Je suis navré pour le bateau et les mecs qui picolaient, dis-je. À part ça, c'était un bel adieu. J'espère que ça va, les filles.

– Je pense que maman aurait aimé, dit Scottie.

– Elle leur aurait sûrement montré ses nichons", dit Alex.

Scottie rit et je sais qu'Alex sourit.

Les filles rament lentement. Scottie s'arrête et pose sa pagaie en travers de la coque. La tête rentrée dans les épaules, elle contemple ses genoux, je me demande si elle pleure. Soudain, elle se retourne en levant la main. "Maman est sous mes ongles", déclare-t-elle.

Je regarde, et oui, elle est bien là.

Alex fait volte-face, Scottie lui montre ses doigts. Alex hoche la tête et adresse à Scottie un regard qui semble dire, *Il va falloir que tu t'y habitues. Elle sera là pour le restant de tes jours. Elle sera là pour tes anniversaires, à Noël, quand tu auras tes premières règles, quand tu passeras ton bac, quand tu feras l'amour pour la première fois, quand tu te marieras, quand tu auras des enfants, quand tu mourras. Elle sera là et elle ne sera pas là.*

Je pense que c'est ça que dit son regard. Quoi qu'il en soit, ses paroles silencieuses semblent leur réchauffer le cœur. Elles se remettent à pagayer, la cadence m'hypnotise : les pales frappent l'eau, glissent le long de la coque, remontent en arc de cercle, retombent en une bruine ruisselante. *Splash, floc, pschtt. Splash, floc, pschtt.* Je repense à hier soir, à Scottie feuilletant son album, à la façon dont elle a décollé la photo de sa mère pour la placer au-dessous de celle de mes ancêtres.

"Je vais la mettre à la fin", a-t-elle dit.

J'ai regardé la photo de Joanie à la fin. Je ne pense pas que cet ordre ait la moindre signification pour Scottie. En fait, son album n'a pas d'ordre précis, et ce n'est pas un arbre généalogique.

Il s'agit de fragments d'un moment de nos vies, collectés et rassemblés, de moments que nous voulons avoir en mémoire et oublier.

"Fin, a dit Scottie.

– Fin", a dit Alex.

Scottie a refermé l'album.

Je repense à la petite photo de ma femme à la fin de l'album : un rappel, un souvenir, le témoignage d'une vie. Il me semble qu'elle devrait avoir le mot de la fin. *Quelles ont été ses dernières paroles ?* Je ne supporte pas de ne pas le savoir, mais après tout quelle importance cela a-t-il ? Ce qui importe, c'est que, grâce à elle, mes filles et moi irons de l'avant.

Je dis aux filles de pagayer plus vite pour atteindre cette petite vague qui va nous porter. Elles redoublent d'efforts, la vague nous soulève. Nous glissons sur le récif et ses hauts-fonds qui se découpent au-dessous de nous. Nous devons donner l'impression de passer un bon moment, et un jour ce sera le cas. Et même si je n'ai pas reçu en héritage le sens de l'orientation, j'essaie de nous guider vers le rivage par la route la plus directe.

Remerciements

Ce roman est inspiré d'une nouvelle intitulée "The Minor Wars", tirée de mon premier livre, *House of Thieves*. Je tiens à remercier *StoryQuarterly* d'avoir choisi "The Minor Wars", la première de mes nouvelles à avoir été publiée, et j'en profite aussi pour remercier *American Nonrequired Reading* de l'avoir réimprimée.

Un grand merci à Kim Witherspoon et David Forrer pour leurs encouragements et leur excellent travail, à Laura Ford et à toute l'équipe de Random House dont j'ai tant apprécié l'enthousiasme et les conseils.

Je remercie tout particulièrement le Dr Frank Delen, pour la sagesse dont il fait preuve à l'égard des patients dans le coma et de leurs familles. J'espère avoir bien compris son message.

Un grand merci enfin à ma famille de Hawaii, et à Andy, mon lecteur et mari, dont l'avis éclairé tant sur les testaments et les legs que sur les motos, m'a été très précieux. Merci à tous pour votre soutien, vos conseils, votre sens de l'humour, j'en tiens toujours compte. Enfin, un petit mot sur Hawaii, son présent et son passé : je me suis inspirée de faits historiques et d'événements actuels, toutefois ce livre allie réalité et fiction. Et c'est la fiction qui l'emporte.

Table des matières

Ouvrage réalisé
par les Éditions Jacqueline Chambon
Achevé d'imprimer en décembre 2011
par l'Imprimerie France Quercy à Mercuès
pour le compte des Éditions Actes Sud
Le Méjan, place Nina-Berberova
13200 Arles

Dépôt légal
1ʳᵉ édition : janvier 2012
N° d'impression : 11616/
Imprimé en France